10
18
12, AVENUE D'ITALIE. PARIS XIIIe

Sur l'auteur

Peter Tremayne, de son vrai nom Peter Berresford Ellis, est passionné de culture celte. Né le 10 mars 1943, il s'est fait connaître avec des récits fantastiques fondés sur les mythes et légendes celtiques et reçoit en 1988 l'Irish Post Award, en reconnaissance de ses apports importants à l'étude de l'histoire irlandaise. Entre 1983 et 1993, il écrit huit thrillers sous le nom de Peter MacAlan, puis se lance dans la rédaction des « Mystères de sœur Fidelma », série qui compte aujourd'hui dix-huit titres. Peter Tremayne est membre de la Society of Authors ainsi que de la Crime Writers Society.

www.sisterfidelma.com

PETER TREMAYNE

LA CLOCHE DU LÉPREUX

Traduit de l'anglais
par Hélène PROUTEAU

INÉDIT

« *Grands Détectives* »

dirigé par Jean-Claude Zylberstein

Du même auteur
aux Éditions 10/18

ABSOLUTION PAR LE MEURTRE, n° 3630
LE SUAIRE DE L'ARCHEVÊQUE, n° 3631
LES CINQ ROYAUMES, n° 3717
LA RUSE DU SERPENT, n° 3788
LE SECRET DE MÓEN, n° 3857
LA MORT AUX TROIS VISAGES, n° 3913
LE SANG DU MOINE, n° 3962
LE PÈLERINAGE DE SŒUR FIDELMA, n° 4017
LA DAME DES TÉNÈBRES, n° 4066
LES DISPARUS DE DYFED, n° 4125
LE CHÂTIMENT DE L'AU-DELÀ, n° 4160
LES MYSTÈRES DE LA LUNE, n° 4199
DE LA CIGUË POUR LES VÊPRES, n° 4074
► LA CLOCHE DU LÉPREUX, n° 4280

Titre original :
The Leper's Bell

ISBN 978-2-264-04961-2

Pour Pat et Andrew Broadbent :
les souvenirs d'Iona resteront,
tout comme l'hospitalité joyeuse de 2003.

Le monde de Fidelma
Muman (Munster), VIIᵉ siècle après J.-C.

CONNACHT
Loch Derg
Biorra (Birr)
Múscraige Tíre
Sliab mBladma
LAIGIN
Cill Dalua (Killaloe)
OSRAIGE
Arada Cliach
Luimneach (Limerick)
R. Maigne (R. Maigue)
Cashel
Imleach (Emly)
Múscraige Breogain
R. Feoir (R. Nore)
R. Siúr (R. Suir)
Orbraige
Lios Mhór (Lismore)
Abhain Mhór (R. Blackwater)
Uí Liatháin
Corcaigh (Cork)
Aird Mhór (Ardmore)
R. Laoí (R. Lee)
20 miles

... habebit vestimenta dissuta caput nudumos vesta contectum contaminatum ac sordidum se clamabit, omni tempore quo leprosus est et immundus solus extra castra.

Le lépreux atteint de ce mal portera ses vêtements déchirés et ses cheveux dénoués ; il se couvrira la moustache et il criera : « Impur ! Impur ! » Tant que durera son mal, il sera impur et, étant impur, il demeurera à part : sa demeure sera hors du camp.

Lévitique 13, 45-46

PERSONNAGES PRINCIPAUX

Sœur Fidelma de Cashel, *dálaigh* ou avocate des cours de justice de l'Irlande du VIIe siècle
Frère Eadulf de Seaxmund's Ham des terres des South Folk, son compagnon

À Cashel

Colgú, roi de Muman et frère de Fidelma
Finguine, leur cousin, *tanist* ou héritier présomptif
Ségdae, évêque d'Imleach
Brehon Dathal, chef juge de Muman
Cerball, barde de Colgú
Capa, commandant de la garde du roi et mari de Gobnat
Gobnat, sœur de Sárait, la nourrice assassinée
Caol, guerrier de Cashel
Gormán, guerrier de Cashel
Conchoille, un bûcheron
Della, une ancienne prostituée ou *bé-táide*
Petrán, évêque de Cashel
Frère Conchobar, apothicaire

Cuirgí, *Cuán*, *Crond*, trois otages, chefs des Uí Fidgente

Au Puits d'Ara

Aona, l'aubergiste
Adag, son petit-fils
Cathalán, un ancien guerrier

À l'abbaye d'Imleach

Frère Madagan, l'intendant
Frère Buite de Magh Ghlas, chef des pèlerins

À Cnoc Loinge

Fiachrae, le chef
Forindain, un nain chef des *crossan* ou comédiens ambulants

À Rath na Drínne

Ferloga, l'aubergiste

À la source de la Chênaie

Conrí, seigneur de guerre des Uí Fidgente

À Sliabh Mis

Corb, un herboriste itinérant
Corbnait, sa femme
Uaman, seigneur des défilés de Sliabh Mis
Basil Nestorios, un guérisseur perse
Ganicca, un vieil homme
Nessán, un berger de Gabhlán
Muirgen, sa femme

CHAPITRE PREMIER

De gros nuages glissaient des montagnes, roulaient majestueusement vers les pentes en contrebas. Poussés par l'haleine glacée des sommets, ils noyaient le paysage d'un épais brouillard laiteux. Il n'y avait pas un souffle de vent et il régnait un étrange silence.

Les nuées dévalant des cimes, maintenant invisibles, avaient rattrapé Nessán le berger tandis qu'il descendait le chemin bordant la rivière tumultueuse. Arrêté dans sa course, il tenta de se repérer. Bien que familier de cette contrée, il remerciait le ciel de pouvoir encore se guider grâce au cours d'eau qui coulait vers le nord, à sa droite. Il regrettait de s'être aventuré à une si haute altitude alors que le temps instable menaçait. Plus d'une personne avait payé une telle imprudence de sa vie.

Mais en y réfléchissant, était-ce tellement déraisonnable d'avoir entrepris cette ascension ? Il frissonna. Bien que la nouvelle foi condamnât ce genre d'entreprise, il s'était lancé dans cette aventure afin de présenter sa supplique aux anciens dieux. Il n'avait parlé à personne de ses intentions, pas même à Muirgen, quoiqu'il ait pris tous ces risques et bravé les prêtres du Christ pour elle.

Il avait entamé son périple à l'aube et passé devant le lac noir et encaissé dont la surface miroitante ne présentait pas une ride. Puis il s'était arrêté à la source de la rivière qui se jetait dans le vide du haut des rochers, en une cascade spectaculaire, avant de traverser le lac. Cet endroit était connu sous le nom de mont des Trois Cavernes, *Barr Trí gCom*. D'après les anciens, c'était là que ce monde et l'autre monde se rejoignaient, et que les dieux avaient décidé du destin des cinq royaumes.

Grâce aux conteurs qui transmettaient leur savoir l'hiver à la veillée, au coin du feu, Nessán le berger connaissait ces histoires par cœur. Là, les fils de Milidh s'étaient affrontés aux enfants des Danu, et leur avaient ravi leurs pouvoirs. Puis ils les avaient relégués dans les collines et réduits à l'état de farfadets. Mais avant cela, sur ces mêmes pentes, trois déesses des Danu – Banba, Fódhla et Éire – s'étaient présentées devant les fils de Milidh et chacune avait plaidé sa cause. Tout en reconnaissant la victoire de leurs ennemis, elles avaient supplié qu'on donne leur nom à cette terre. Et il en fut ainsi. Alors que les poètes saluaient le pays de Banba et Fódhla, le peuple le désignait sous le nom d'Éire.

Les flancs de ces montagnes avaient été le théâtre de sanglantes batailles, car les fils de Milidh avaient longtemps lutté pour dominer les enfants des Danu. Ici même, Scota, fille du pharaon Nectanebus et épouse de Milidh, était tombée avec son druide Uar ; Fas, femme du grand héros Uige, roi du Connacht, avait aussi péri avec son druide Eithiar. Trois cents des plus grands guerriers les avaient suivis dans la mort, mais dix mille partisans des enfants des Danu avaient péri avant de céder devant la puissance des fils de Milidh.

Ces hauteurs embrumées, fertilisées par le sang des combattants, inspiraient la crainte et le respect à ceux qui vivaient dans leur ombre. Cependant, une autre raison les paralysait de terreur.

On racontait que du temps de Cormac, fils d'Art le Solitaire sacré 126e haut roi de Tara, Dáire Donn, qui se faisait appeler « le roi du monde », avait tenté d'envahir les cinq royaumes. Ses puissantes armées avaient accosté sur les rivages de la péninsule où s'élevaient ces montagnes. Cormac leur avait envoyé les Fianna, l'élite de ses guerriers, conduits par le grand chef Fionn Mac Cumhail. À Fionntragha, le « beau rivage », le choc avait été terrible et nul guerrier des forces ennemies n'avait échappé à Fionn.

Parmi les envahisseurs on comptait Mis, la jeune fille de Dáire Donn, qui sur le champ de bataille tomba sur le corps de son père. Prise de démence, elle but le sang de ses blessures et s'enfuit dans les montagnes, qui prirent le nom de Sliabh Mis. Elle vécut là, possédée par la folie, tuant tout animal ou tout humain qui passait à sa portée afin de s'abreuver de son sang.

Le pèlerinage entrepris par Nessán en ces lieux maudits exigeait un grand courage, mais il était la proie du désespoir, qui donne de l'audace aux plus timorés.

Donc il avait grimpé jusqu'à la cascade, tout comme ses ancêtres au cours des siècles avant l'arrivée de la nouvelle foi. Puis il avait attrapé un lapin qu'il avait sacrifié à Dub Essa, la dame noire, afin qu'elle exauce son vœu. Il avait longtemps attendu un signe en réponse à sa supplique, mais en vain. En apercevant le brouillard venant de la mer, il s'était décidé à repartir. Aucune personne sensée n'aurait passé la nuit dans le silence de ces sommets déserts.

Il suivait la rivière quand le brouillard l'avait soudain enveloppé de ses voiles vaporeux.

Le grondement de la rivière lui parvenait étrangement assourdi. Il ne voyait rien à plus d'un *fertach*[1] et se concentrait sur le sol pour ne pas trébucher.

Il progressait maintenant sur un chemin plus dégagé qui allait tourner sur la gauche et le ramener chez lui. Soulagé, il s'arrêta pour reprendre sa respiration.

C'est alors qu'il entendit la clochette. Sa sonorité aiguë et cristalline le fit sursauter.

Une silhouette était assise au pied d'un arbre, dont la ramure se dessinait clairement dans les ombres tournoyantes.

La clochette retentit de nouveau.

— Que les dieux t'accompagnent en cette triste journée, Nessán, psalmodia une voix haut perchée qui semblait lui parvenir de très loin car les sons étaient déformés par le brouillard.

Gelé jusqu'aux os, Nessán plissa les paupières.

— Qui me parle ? demanda-t-il d'un ton rogue.

— Je te parle, dit la voix dans un rire rauque.

La clochette tinta avec allégresse.

— *Salach ! Salach !*

Aussitôt, Nessán recula d'un pas.

— Vous êtes lépreux ?

La silhouette était enveloppée de la tête aux pieds par une robe dont le capuchon était rabattu sur le visage. Le berger ne distinguait qu'une main décharnée, d'un blanc d'albâtre, qui tenait une clochette entre ses doigts griffus.

— Oui, un lépreux, Nessán de Gabhlán. D'ailleurs tu me connais bien.

1. Trois mètres. *(N.d.T.)*

Une terreur sans nom s'empara du malheureux berger. Devant lui se tenait le seigneur des défilés, dont la seule évocation suffisait à susciter l'horreur dans les vallées environnantes.

— Je vous connais, seigneur, murmura-t-il. Mais vous, comment…

À nouveau ce rire croassant.

— Je sais bien des choses, car ces terres sont miennes et tu appartiens à mon peuple. Et je n'ignore rien de ce qui t'a poussé à grimper jusqu'aux Trois Cavernes. Tu as rendu visite à la dame noire de la cascade, quoique cela te soit défendu par ceux qui prêchent la nouvelle foi.

— Mais… comment êtes-vous informé de toutes ces choses ? murmura le pauvre homme.

— En quoi cela te concerne-t-il ? Je suis ton maître, seigneur de ces sombres vallées et de ces pics hostiles. Retourne chez toi : ta prière a été entendue et le vœu de Muirgen exaucé.

Nessán tressaillit.

— Vous voulez dire…

— Rentre à Gabhlán, où tu trouveras un enfant mâle sur le seuil de ta porte. Ne demande pas d'où il vient ni pourquoi il t'est échu. Il est maintenant ton fils. Tu l'appelleras Díoltas et tu l'élèveras pour qu'il devienne berger dans ces montagnes.

Nessán fronça les sourcils.

— Mais pourquoi un enfant innocent devrait-il s'appeler « vengeance » ?

— Ne pose pas de question. Et sache que tu es surveillé. Si tu manquais à ta parole, la punition serait terrible. Tu m'as bien compris ?

Nessán hocha la tête en silence. Qui était-il pour argumenter avec les anciens dieux qui avaient entendu ses prières et envoyé ce lépreux effrayant comme messager ?

— Maintenant, va-t'en. Oublie que tu m'as rencontré, oublie ce cadeau que je t'ai fait, mais rappelle-toi que tu as une dette envers moi. Il se peut que je te demande un service un jour. Allez, hors de ma vue !

La silhouette leva le bras et Nessán entrevit une chair livide et un index qui pointait en direction du chemin noyé de brume. Sans demander son reste, le berger s'éloigna. Il avait à peine parcouru quelques pas qu'il ne put s'empêcher de se retourner.

Le vent s'était levé, dispersant les nappes de brouillard. Quant à l'arbre, il était toujours là, mais la silhouette s'était volatilisée. Nessán jeta un rapide coup d'œil autour de lui. Personne. Il se mit à courir, la gorge sèche et le visage ruisselant de sueur. Sa nuque le brûlait.

CHAPITRE II

Capa, le guerrier commandant la garde du souverain de Muman, accueillit le moine saxon qui venait de pénétrer dans l'antichambre des appartements du roi de Cashel.

— Venez, frère Eadulf, le roi vous attend.

Capa était un bel homme blond, grand, aux yeux très bleus. Il arborait le collier d'or, symbole de sa fonction. Devant le religieux au visage triste, il baissa la tête et tous les dignitaires qui attendaient une audience l'imitèrent. Eadulf ne leur accorda aucune attention.

Capa frappa discrètement à une haute porte en chêne, l'ouvrit et s'effaça.

— Entrez, je n'ai pas besoin de vous annoncer, murmura le guerrier comme s'il présentait des condoléances.

Frère Eadulf franchit le seuil et la porte se referma doucement derrière lui.

Colgú, roi de Muman, un jeune homme aux cheveux cuivrés, se tenait devant une vaste cheminée où flambaient d'énormes bûches. À peine Eadulf était-il entré qu'il s'avança vers lui. Son visage était marqué par l'anxiété et ses yeux verts, d'habitude si vifs et si joyeux, semblaient éteints. Il prit les mains du moine saxon dans les siennes.

— Bonjour, mon ami. Comment va ma sœur ?

Eadulf eut un petit geste d'impuissance et se laissa tomber dans un fauteuil sans se préoccuper de l'étiquette.

— Elle s'est endormie. En vérité, j'étais vraiment très inquiet pour sa santé. Elle n'avait pas fermé l'œil depuis notre rencontre avec votre messager au retour de Rath Raithlen, devant le monastère de Finan le lépreux.

Colgú poussa un profond soupir et s'assit en face d'Eadulf.

— Je connais bien son caractère. Elle exerce un contrôle implacable sur ses émotions et ne laisse jamais entrevoir ses véritables sentiments. Ce n'est pas naturel.

— Ne vous inquiétez pas pour cela. Ces dernières nuits, en privé, elle a pleuré tout son soûl. Surtout ne trahissez pas cette confidence car, comme vous le savez, elle tient à ce que tous pensent qu'elle maîtrise la situation.

Colgú fit la grimace.

— Et cela vaut aussi pour son propre frère ? Enfin…

Il demeura un instant silencieux.

— Je me sens affreusement coupable du malheur qui nous a frappés, murmura-t-il d'une voix lasse.

Eadulf haussa les sourcils.

— Comment cela ?

— Ne suis-je pas intervenu pour la persuader de se rendre à Rath Raithlen tout en laissant son fils aux bons soins de Sárait, la nourrice ? Et voilà que Sárait est assassinée et mon neveu enlevé !

Eadulf secoua la tête.

— Vous ne pouviez en aucune manière deviner ce qui allait se passer en notre absence. Le rapt de *notre* fils – il accentua le pronom possessif à dessein – était imprévisible.

Accablé, Colgú ne répondit rien, et il ne releva pas la réprimande d'Eadulf qui lui en voulait d'avoir ignoré, par maladresse, son statut de père d'Alchú.

— Donc Fidelma s'est endormie ?

— Oui, avec l'aide d'une infusion de muguet, de pensée et de scutellaire jaune.

— Je vous fais confiance. J'ignore tout des propriétés de ces tisanes.

— Le peu que j'ai appris de l'art de guérir, on me l'a enseigné à Tuaim Brecain, dans le royaume de Breifne.

Colgú eut un sourire contraint.

— J'avais oublié que vous aviez étudié dans notre plus grande école de médecine. Dans quel état d'esprit se trouve Fidelma ?

— Comme on pouvait s'y attendre, elle est rongée par l'anxiété. Elle a mis un certain temps à réagir mais, au cours de ces deux derniers jours, elle a parcouru la campagne, interrogeant les gens aux alentours de l'endroit où le drame s'est produit. Cela n'a servi à rien. À croire que la terre a englouti le bébé et celui qui a commis ces actes inqualifiables.

— Le mal rôde, acquiesça Colgú d'une voix douce.

Brusquement, il se leva et alla contempler les flammes.

— Eadulf, dit-il après mûre réflexion, j'ai convoqué mes conseillers les plus proches pour discuter de cette affaire en l'absence de ma sœur. Voilà pourquoi je vous ai envoyé chercher.

Il hésita.

— Je préfère ne pas avertir Fidelma, qui est trop impliquée dans cette tragédie. Je l'ai bien observée au cours des deux derniers jours. Elle va, elle vient, pose des questions sans écouter les réponses. La panique dont elle est la proie l'empêche de se concentrer.

Eadulf se sentait vaguement coupable de cette exclusion. Cela faisait deux jours qu'il tentait de persuader Fidelma de se reposer pour mieux reprendre ses esprits. Mais Colgú avait raison, elle ne parvenait pas à se ressaisir.

— Fidelma est un *dálaigh* hors pair, protesta-t-il par fidélité à son épouse. Si elle n'est pas en mesure de résoudre cette énigme, personne n'y parviendra.

Colgú hocha la tête.

— Je reconnais ses qualités exceptionnelles de juriste des cinq royaumes d'Éireann. Ses méthodes d'investigation et son talent pour démêler les intrigues les plus inextricables lui ont acquis une grande réputation. Et dans ce domaine, votre nom, Eadulf, est maintenant associé au sien. Mais il s'agit de son enfant.

— Et du mien, s'empressa d'ajouter le moine.

— Naturellement. Cependant, une mère est sujette à des émotions qui peuvent entraver la logique. Quand j'ai envoyé mes hommes procéder à des battues, il a fallu que je m'en remette à vous pour obtenir une description des vêtements d'Alchú. Fidelma était incapable de dresser l'inventaire de ses affaires afin que par déduction nous devinions ce qu'il portait.

Eadulf se revit fouillant dans le petit coffre où étaient rangées les affaires d'Alchú et il baissa la tête.

— Un homme est moins enclin aux divagations, poursuivit Colgú, et surtout vous, Eadulf. Depuis que je vous connais, vous avez toujours fait preuve d'un calme remarquable, un vrai roc dans la tempête. Votre égalité d'humeur m'impressionne.

Eadulf poussa un profond soupir. Force lui était d'admettre que Fidelma n'était plus que l'ombre d'elle-même. Sa formation et son expérience, qui l'avaient amenée à résoudre les énigmes les plus complexes, ne lui étaient plus d'aucune utilité. Mais quoiqu'Eadulf partageât les impressions du roi, son amour pour Fidelma lui donnait le sentiment de la trahir.

— Que proposez-vous ? demanda-t-il à Colgú.

— Je veux qu'avec mes conseillers nous examinions les faits avec la plus grande attention avant de décider de la marche à suivre. Qu'en pensez-vous ?

Eadulf haussa les épaules.

— Nous ne pouvons rester les bras ballants, dit-il, et il nous faut établir un plan d'action, en effet.

Sans un mot, Colgú agita une sonnette en argent, et à peine avait-elle cessé de résonner que la porte s'ouvrait. Eadulf se leva car, bien qu'époux de Fidelma, son statut au royaume de Muman était celui d'un étranger de marque, d'un visiteur de la terre des South Folk, un des royaumes des Angles et des Saxons.

Des hommes entrèrent dans la pièce par ordre de préséance. Ils étaient conduits par le jeune prince Finguine, cousin de Colgú et *tanist* ou héritier présomptif du royaume, puis venait le vieux juge Dathal, chef brehon de Muman. Il était accompagné par Cerball le barde, dépositaire des généalogies des grandes familles et de l'histoire du royaume. Suivait Ségdae, évêque d'Imleach, *comarb* ou successeur du bienheureux Ailbe, premier prêtre à apporter le message du Christ à Muman. Il précédait Capa, commandant de l'armée du roi et du corps d'élite composant sa garde, dont les membres arboraient un torque d'or autour du cou. Capa était le beau-frère de Sárait, la nourrice assassinée. Ce conseil privé comptait beaucoup dans le gouvernement du plus grand des cinq royaumes d'Éireann.

Colgú se dirigea vers une table ronde au fond de la pièce.

— Prenez place sans plus de cérémonie. Ici, nous parlerons en égaux, comme il convient dans nos réunions. Eadulf, asseyez-vous à ma gauche.

Eadulf, qui n'oubliait jamais qu'il était un étranger, fut touché par ce geste amical que tout le monde sembla trouver naturel. Bien qu'il fût le père du fils de Fidelma, il n'était officiellement que son *fer comtha*, et non un époux à part entière. Les lois en Éireann étaient complexes et il existait neuf définitions des liens du mariage. Celui qui unissait Fidelma et Eadulf, reconnu dans le code des *Cáin Lánamnus*, n'était qu'une union à l'essai d'une durée d'un an et un jour. Ensuite les deux parties pouvaient décider de confirmer leurs vœux ou de se séparer sans encourir d'amendes ou de blâmes. Eadulf n'était que trop conscient de la nature temporaire de sa position.

Tous s'assirent et attendirent dans un silence gêné que Colgú prenne la parole.

— Vous savez pourquoi je vous ai mandés, déclara le souverain. Je vous propose de commencer par récapituler les faits.

Cerball le barde, qui occupait aussi les fonctions de greffier, s'éclaircit la voix.

— Ils se résument comme suit : la nourrice Sárait a été assassinée et l'enfant confié à ses soins enlevé. Il s'agissait du petit Alchú, fils de Fidelma de Cashel et d'Eadulf de Seaxmund's Ham, un étranger dans ce royaume. Cette terrible tragédie a eu lieu il y a quatre nuits.

Il se tut.

— J'ajouterai, dit Colgú, que Sárait servait comme nourrice au château depuis six mois, et qu'elle avait été choisie par ma sœur en personne. N'est-ce pas, Eadulf ?

Surpris de la complicité que le roi établissait avec lui en public, Eadulf releva la tête et vit qu'il lui souriait. Et comme Eadulf hésitait, il crut bon de préciser :

— Vous pouvez parler librement et m'interrompre quand bon vous semblera au cours de la séance.

Le moine saxon hocha la tête.

— Il est vrai que Sárait nous avait favorablement impressionnés, Fidelma et moi. Jusqu'à notre départ pour Rath Raithlen, nous n'avions eu qu'à nous féliciter de notre choix.

Colgú jeta un coup d'œil à Capa.

— Des commentaires ? Vous connaissiez bien Sárait puisqu'elle était la sœur de votre femme.

Le chef des guerriers rejeta sa chevelure blonde en arrière, en un geste de coquetterie assez déplacé, mais ses yeux bleus trahissaient son inquiétude.

— Sárait, une belle femme selon tous les critères, n'était cependant ni frivole ni écervelée. Callada, son défunt mari, était mort au cours de la bataille de Cnoc Áine contre les Uí Fidgente. Je m'étais porté garant de la probité de Sárait. Il ne lui restait pour toute parenté que ma femme Gobnat, avec qui je vis à Cashel, au pied du Rocher. Quant à Sárait, qui servait au château, elle avait donné naissance à un bébé qui n'avait pas survécu. C'est ainsi que lady Fidelma l'avait choisie comme nourrice pour Alchú.

« En apprenant qu'on avait découvert le corps de Sárait, j'ai aussitôt fait mener une enquête. On m'a rapporté qu'un enfant s'était présenté à la forteresse, avec un message de Gobnat demandant à Sárait de la rejoindre dans les plus brefs délais.

— Pour quelle raison ? intervint le brehon Dathal, qui s'exprimait d'une voix assurée et autoritaire.

— Nous ne le savons pas, répondit Colgú. Mais nous supposons que Sárait, ne trouvant personne pour s'occuper du bébé pendant son absence, l'a emmené avec elle. Une heure plus tard, un bûcheron du nom de Conchoille découvrait le corps de Sárait dans les bois. L'enfant avait disparu.

Un silence morne succéda à cet exposé qui n'apprenait rien aux personnes présentes.

— Capa, rappelez-nous ce que votre épouse a déclaré à propos de cette missive envoyée à Sárait, grommela le brehon.

— Elle a juré qu'elle n'avait jamais averti sa sœur. Jusqu'à ce que nous apprenions la mort de Sárait, nous ignorions tout de cette histoire.

— Dans quelles circonstances avez-vous été informés du drame ?

— Conchoille, le bûcheron, nous a réveillés aux alentours de minuit pour nous annoncer qu'il venait de découvrir le cadavre de ma belle-sœur. J'ai envoyé quelqu'un à la forteresse pour alerter les gardes, puis je me suis rendu auprès du corps avec Conchoille. Plus tard, on nous a expliqué les raisons du départ précipité de Sárait.

— Et l'enfant qui s'est présenté à la forteresse avec ce message, où est-il passé ?

— Il n'a pas été identifié et les investigations que nous avons menées se sont révélées vaines.

— Mais enfin, la sentinelle qui l'a laissé entrer doit bien se souvenir de lui ? s'exclama Eadulf.

Capa secoua la tête.

— Le garde ne se souvient que d'un enfant portant un vêtement de laine grise dont le capuchon était rabattu sur le visage. Il a tendu une écorce au garde avec écrit dessus : « Il faut que je voie Sárait », d'où le garde en a déduit qu'il était muet. Il a seulement précisé que cet enfant était solidement bâti et avait une curieuse démarche.

— Donc il ne devrait pas être bien difficile à retrouver, s'énerva le brehon Dathal.

— Oui, en théorie, répliqua Capa.

— Et ce morceau d'écorce, nous l'avons ? s'enquit Eadulf.

— Non.

Le Saxon soupira.

— Ces événements se sont-ils déroulés dans la soirée ? demanda Cerball, qui avait sorti un stylet de sa sacoche en cuir ainsi que des tablettes en bois recouvertes d'argile afin d'y consigner les débats.

— Il faisait déjà nuit, car le soleil se couche tôt maintenant que la fête de Samain est passée, précisa Capa.

— Sárait s'est conduite de façon bien légère en emmenant ce nourrisson hors de la forteresse par une nuit glaciale, dit le vieux juge, qui ne manquait jamais de souligner les faiblesses humaines.

L'évêque Ségdae, abbé du royaume, émit un grognement désapprobateur.

— On peut également considérer que dans sa situation, et n'ayant trouvé personne pour la remplacer, elle a estimé naturel de descendre en ville avec l'enfant.

Ce n'était pas la première fois qu'Eadulf remarquait qu'une sourde hostilité opposait les deux vieillards : ils ne manquaient jamais une occasion de se contredire mutuellement.

— Vous avez tous les deux raison, intervint Colgú. Mais n'oublions pas que Sárait a payé son erreur de sa vie.

— Et le bûcheron qui a découvert le corps ? demanda Eadulf.

— Conchoille ? C'est un homme d'une excellente réputation, s'empressa de préciser Capa. Lui aussi s'est battu contre les Uí Fidgente à Cnoc Áine.

— Il est cependant urgent de l'interroger, dit l'évêque.

— Dathal s'en est chargé, répliqua Colgú.

Dathal, en tant que chef brehon, s'était déjà entretenu avec toutes les personnes concernées, de la sentinelle qui avait laissé entrer le petit messager dans la forteresse à Gobnat, la sœur de Sárait.

— Malgré tout le respect que je porte au brehon Dathal, déclara l'évêque Ségdae avec emphase, ce conseil doit vérifier chaque détail. J'ai donc envoyé chercher Caol, Gobnat et Conchoille afin d'entendre leur témoignage.

La réaction du brehon Dathal ne se fit pas attendre :

— Ce sera une perte de temps car vous n'apprendrez rien de plus.

— Mieux vaut s'assurer qu'aucun propos n'a été déformé.

Dathal fronça les sourcils.

— Suggérez-vous…

— Lors d'une récente audience à Lios Mhór, susurra Ségdae en levant les yeux au plafond, un juge s'est mépris sur un élément de preuve et a prononcé un jugement erroné. Il a été fait appel et le juge s'est vu dans l'obligation de payer des compensations…

Eadulf savait qu'on pouvait faire appel d'une décision de justice. Si le juge était convaincu d'erreur, de partialité ou de corruption, il pouvait être privé de l'exercice de ses fonctions et de son prix de l'honneur. À moins qu'il ne soit condamné à régler une amende calculée en fonction de la nature de sa faute.

Sous l'effet de la colère, Dathal émit des onomatopées indignées.

— Il nous faut tout consigner, dit Colgú pour tenter d'apaiser l'orgueil blessé du brehon. Et puisque les témoins se sont déplacés, autant les faire comparaître afin que Cerball complète son rapport.

Dathal toisa Ségdae avec une hostilité manifeste.

— Très bien, commençons par le garde, lança-t-il d'un air bougon.

Sur un signe de tête du roi, Capa sortit de la pièce et revint accompagné d'un guerrier de taille moyenne aux cheveux blond cendré.

— Votre nom ? lui demanda le brehon.

— Caol, seigneur, au service des rois de Muman depuis quinze ans.

— Je constate que vous portez le torque d'or du corps d'élite chargé de la protection du roi.

— Euh… en effet.

— Vous étiez de garde le jour où Sárait a été assassinée.

— Oui, devant les portes du palais.

— Racontez-nous ce qui s'est passé.

— Il faisait presque nuit quand un enfant s'est approché des portes, et même à la lueur des torches il était impossible de distinguer ses traits. Je ne pense pas l'avoir déjà rencontré.

— S'agissait-il d'un garçon ou d'une fille ?

— Il était revêtu d'une cape qui lui tombait jusqu'aux chevilles et dont le capuchon était rabattu sur son visage. Cependant, j'ai eu l'impression qu'il s'agissait d'un garçon.

— Pourquoi donc ? Et qu'est-ce qui vous fait supposer que vous ne l'aviez jamais vu auparavant ?

— Il était plus robuste que la moyenne, d'où j'en ai déduit son sexe, et sa démarche m'a semblé bizarre. Je l'aurais reconnu s'il s'était déjà présenté au château ou si je l'avais croisé au village.

Dathal renifla avec humeur.

— Vous êtes tenu de nous donner les faits, non de les interpréter.

— Néanmoins, intervint l'évêque avec un sourire, ces précisions présentent un certain intérêt.

— Vous avez rapporté à Capa que l'enfant était muet, poursuivit le brehon d'un ton sarcastique. Comment êtes-vous parvenu à pareille conclusion ?

— Rien de plus simple : il m'a tendu une feuille d'écorce de bouleau où était inscrit « Il faut que je voie Sárait ». Puis il m'a fait comprendre par des signes et des grognements qu'il ne pouvait parler. Je lui ai alors indiqué comment trouver les appartements de la nourrice.

— Vous n'avez pas gardé le morceau d'écorce ? demanda Eadulf.

— Non, sur le moment je n'en ai pas vu l'intérêt.

— Et l'écriture ?

Le guerrier parut perplexe.

— Le message était-il rédigé en *ogham* ou avec l'alphabet latin ?

— Je ne comprends pas l'*ogham*, les moines de Lios Mhór m'ont appris à lire avec l'alphabet latin.

— Et ensuite ? le pressa Dathal.

— Peu de temps après, l'enfant a repassé les portes sans répondre à mes salutations. À mon avis, il était également sourd. Puis il a disparu dans la nuit et j'ai supposé, peut-être à tort, qu'il se dirigeait vers le village en bas du Rocher. Quelques instants plus tard, Sárait est passée devant moi avec un bébé dans les bras. Elle m'a expliqué que sa sœur la faisait mander de toute urgence et qu'elle reviendrait au plus vite. Elle n'avait personne à qui confier le bébé et donc elle préférait l'emmener avec elle. Plus tard, un homme dépêché par Capa m'apprit qu'on venait de découvrir le corps sans vie de Sárait.

— Il était quelle heure ? demanda Eadulf.

— Juste avant minuit. J'allais être relevé de mon poste.

— Vous ne vous êtes pas inquiété de l'absence prolongée de Sárait, qui vous avait pourtant annoncé qu'elle ne s'absenterait que brièvement ?

Caol secoua la tête.

— Elle se rendait chez Gobnat, dont le mari, Capa, n'aurait pas manqué de raccompagner sa belle-sœur au palais. Je n'ai pas songé une seule seconde qu'elle courait un quelconque danger.

Colgú renvoya le guerrier et se tourna vers le commandant de sa garde.

— Faites entrer votre épouse.

Gobnat apparut. C'était une femme au physique agréable mais au visage trop anguleux et aux lèvres pincées. Elle ressemblait à sa sœur. Cependant, son attitude méfiante révélait un tempérament plus décidé que celui de Sárait, dont Eadulf se rappelait la douceur rêveuse. Son mari lui adressa un regard rassurant et elle alla se planter devant le roi, qui lui sourit.

— Vous nous connaissez tous pour vous être entretenue avec chacun d'entre nous au cours de ces derniers jours. Sachez que votre sœur était très appréciée et que nous partageons votre deuil.

La femme fit une révérence empruntée.

— Merci, majesté.

— Donc Sárait aurait reçu un message qui réclamait d'urgence sa présence auprès de vous, dit Dathal d'un air sévère contrastant avec la gentillesse du roi.

— Tout ce que je sais, c'est que Conchoille le bûcheron est venu frapper à ma porte pour m'annoncer qu'on venait de découvrir le cadavre de ma sœur, dit la jeune femme d'une voix brisée. J'en ai été fort surprise car elle ne quittait pratiquement jamais la forteresse. Or elle a été trouvée dans les bois en dehors de la ville. Mon mari a envoyé un message au château, puis il est parti récupérer le corps avec Conchoille. Ils l'ont porté chez moi.

— Ainsi vous n'avez jamais écrit ce message ? s'enquit l'évêque avec douceur.

— Jamais.

— Et vous ne connaissez pas l'enfant qui l'a délivré ? insista Dathal.

— Non, comme je vous l'ai déjà confirmé.

— Et sa description ne vous évoque rien ?

— Cette question est nulle et non avenue, vu que le témoin n'était pas présent lors de la déposition de Caol, lança Ségdae d'un ton sec.

Le brehon rougit.

— Nous ne sommes pas un tribunal, intervint aussitôt Colgú. Le formalisme n'étant pas de rigueur ici, la déclaration de Gobnat est recevable.

— À quelle heure avez-vous été avertie de la découverte du corps de Sárait ? s'enquit Eadulf.

— Un peu avant minuit, alors que mon mari et moi étions sur le point d'aller nous coucher.

— Et votre mari ne vous a pas quittée ? intervint Dathal.

Gobnat fronça les sourcils.

— Non, pas après son retour du château pour le repas du soir, quelques heures après le crépuscule.

Ségdae hocha la tête et se tourna vers le guerrier.

— Je suppose que vous avez mené votre enquête dans la ville et les environs et que personne n'a identifié l'enfant ?

— C'est exact, monseigneur.

— Vous pouvez disposer, déclara Colgú à la jeune femme. Capa, faites entrer Conchoille.

Le bûcheron était un homme sans âge, au teint hâlé et à la musculature apparente sous sa chemise et son justaucorps en cuir grossier. Il ne semblait guère impressionné par la docte assemblée réunie chez le roi.

— Nous voulons juste entendre de votre bouche dans quelles circonstances vous avez découvert le corps de Sárait, dit Colgú.

L'homme croisa les bras sur sa large poitrine.

— J'ai déjà raconté cette histoire à plusieurs reprises.

Ségdae devança le brehon.

— Ce sera la dernière, du moins nous l'espérons.

Conchoille haussa les épaules.

— Eh bien, je coupais du bois au « *rath* des querelles », un peu plus au sud.

Le brehon Dathal se pencha aussitôt vers lui.

— À cette période de l'année, il fait bien sombre dans la forêt. Or on nous a informés que vous aviez frappé à la porte de Capa et Gobnat un peu avant minuit. Si on considère le trajet que vous aviez à parcourir, comment avez-vous fait pour arriver là-bas à une heure aussi tardive ?

Conchoille le considéra d'un air ahuri.

— Le brehon s'étonne qu'il vous ait fallu un tel temps pour vous rendre chez Capa après la découverte du corps, traduisit Colgú.

— Ah. C'est qu'après le travail je me suis arrêté à l'auberge de Ferloga. Ayant perdu ma femme, j'ai pour habitude d'y faire une halte. J'ai mangé un morceau, bu un ou deux gobelets d'hydromel et bavardé avec Ferloga avant de me remettre en route. La lanterne au-dessus de l'enseigne de la taverne n'éclaire pas loin et le sentier est très sombre.

— Vous n'aviez pas de lampe ? s'étonna le brehon.

Le bûcheron parut choqué.

— Bien sûr que si ! Avec tous ces loups qui rôdent alentour, seul un fou s'aventurerait dans la forêt en pleine nuit en se repérant grâce aux étoiles !

— Je voulais juste m'en assurer, rétorqua Dathal avec humeur.

— Donc j'avais une lanterne et elle était allumée. Aux abords de la ville, je me suis pris les pieds dans quelque chose. En y regardant de plus près, j'ai vu que c'était un châle de belle facture. Je l'ai ramassé et me suis aperçu qu'il était taché de sang. Un peu plus loin, un objet blanc accrochait la lumière. C'était un bras. Celui du corps sans vie de Sárait.

— Vous la connaissiez ? s'enquit l'évêque.

Conchoille poussa un profond soupir.

— Tout le monde connaissait Sárait, une femme avenante, appréciée de tous... pensez, une veuve comme elle, bien des hommes commençaient déjà à compter leurs économies pour savoir s'ils pourraient s'acquitter de la *coibche*.

La *coibche* était la dot payée par le fiancé à la famille de la promise. Au bout d'un an, le père de la mariée remettait un tiers de cette somme à sa fille, qui en demeurait propriétaire.

— Avez-vous une idée sur ce qui a provoqué sa mort ? intervint Eadulf.

— J'ai seulement remarqué le sang dans ses cheveux.

— Qu'avez-vous fait ? demanda Dathal.

— J'ai couru chez Capa qui a ordonné à sa femme de ne pas bouger. Puis nous sommes partis chercher le corps et, en chemin, nous avons croisé quelqu'un qui se dirigeait vers le château. Capa l'a prié de donner l'alarme et nous avons transporté Sárait jusqu'à la maison de Capa. Là, on a constaté qu'elle avait été frappée à la tête et poignardée à plusieurs reprises à la poitrine. Plus tard, quand Caol et les gardes sont arrivés, nous avons appris que Sárait avait quitté la forteresse avec le bébé Alchú. Nous sommes retournés dans les bois, mais nous n'avons pas trouvé trace de l'enfant.

Capa hocha la tête.

— C'est exact. C'est Caol qui m'a informé de sa disparition. Des voisins, apprenant la nouvelle, sont venus nous rejoindre. Il était évident que Sárait n'avait pas été tuée par des animaux sauvages. Et malgré tous nos efforts pour le retrouver, nous avons dû nous rendre à l'évidence : le bébé avait disparu. Au petit jour, nous avons repris nos recherches, toujours en vain. Des hommes ont été envoyés aux quatre coins du pays, à l'est à Gabrán, au sud à Lios Mhór, à l'ouest à Cnoc Loinge et au nord à Durlas.

Eadulf, la tête dans les mains, revivait les événements, leur chagrin intolérable, à lui et à Fidelma, le sentiment de panique qui s'était emparé d'eux. Maintenant, il se sentait plus détaché. Une pensée lui traversa l'esprit.

— Conchoille, vous avez bien dit que vous coupiez du bois au sud de la ville ?

— C'est exact.

— Et vous êtes tombé sur le cadavre de Sárait à l'orée de la forêt alors que vous retourniez à Cashel ?

— Oui.

Eadulf se frotta le menton d'un air pensif.

— À quoi songez-vous ? s'étonna Colgú.

Capa fixait le Saxon.

— Nous avons oublié un élément important, dit Eadulf d'un air sévère.

— Je ne vois pas… commença le brehon Dathal.

— Cette forteresse est située au nord de la ville. Or Sárait a descendu le sentier qui mène à Cashel, et on l'a retrouvée au sud de la ville, c'est bien cela ?

— Où voulez-vous en venir ? s'énerva Dathal.

— J'ai compris ! s'écria Finguine le *tanist* qui prenait la parole pour la première fois. Sárait était censée se rendre chez sa sœur, qui vit dans le centre.

— Mais Gobnat a affirmé qu'elle ne lui avait envoyé aucun message !

— Sauf que Sárait l'ignorait. Alors pourquoi a-t-elle traversé Cashel ?

Dathal eut un sourire suffisant.

— Elle y a été forcée ou bien elle savait que le message ne venait pas de sa sœur.

Eadulf se pencha vers lui.

— Sárait aurait-elle menti au garde ? Mais dans ce cas, à quel rendez-vous allait-elle ?

— Rappelez Gobnat, ordonna aussitôt le brehon.

— En avez-vous terminé avec moi ? demanda Conchoille.

— Attendez dans l'antichambre, lui dit Colgú d'un air absent.

Gobnat réapparut.

— Vous nous avez bien dit que vous n'aviez envoyé aucune missive à votre sœur ? commença le brehon.

Elle hocha la tête.

— L'avez-vous vue ce soir-là après la tombée de la nuit ?

— Non, ma sœur et moi ne nous fréquentions pas beaucoup et ses visites étaient rares.

Capa la fixait en fronçant les sourcils.

— Mes seigneurs, nous avons déjà établi que mon épouse n'avait nullement tenté de contacter sa sœur.

— Gobnat, imaginons que Sárait ait cru que vous aviez besoin d'elle, réfléchit Finguine à haute voix. Pourquoi ne s'est-elle pas rendue directement chez vous ?

La jeune femme haussa les épaules.

— Où est située votre maison exactement ?

— Près de la forge.

— Or pour atteindre le sentier qui mène à Rath na Drínne et à l'auberge de Ferloga, il faut traverser la ville.

— Bien sûr, et…

L'évêque Ségdae plissa les paupières.

— Et c'est là qu'on a retrouvé Sárait, conclut-il.

— Donc nous vous reposons la question : votre sœur est-elle passée vous voir avant de poursuivre son chemin ? le relaya le brehon.

— Non, et mon mari vous le confirmera.

— J'espère que vous ne mettez pas en doute nos déclarations ? s'énerva Capa.

Eadulf prit la parole.

— Un *dálaigh* érudit m'a confié que le brehon Morann, ce grand philosophe de la loi, estimait que la pensée est une arme au service de la vérité. Au cours de ces derniers jours, nous avons répertorié des faits sans les analyser. Nous étions trop absorbés par le drame. Maintenant, nous devons laisser libre cours à notre perspicacité.

Les autres restèrent sans réaction et Colgú eut une grimace ironique.

— Je jurerais entendre ma sœur.

Eadulf eut un pâle sourire.

— Merci du compliment, Colgú, car elle est le *dálaigh* que je viens de citer.

— Nous nous écartons du sujet, lança Capa.

Eadulf posa les mains sur la table.

— Il ne faut pas censurer les idées les plus saugrenues qui nous viendraient à l'esprit. Après examen, certaines seront jugées absurdes tandis que d'autres nous ouvriront des voies nouvelles. Il me semble à moi que Sárait a contourné la ville, s'éloignant ainsi de chez Gobnat. Aurait-elle menti à Caol sur la teneur du message qu'elle avait reçu ? Et pourquoi a-t-elle emmené l'enfant avec elle ?

— Elle a pu être forcée de le faire, fit observer Capa.

— Oui, mais à quel moment ? Lorsqu'elle a quitté le château, le messager s'était éclipsé et Caol n'a été le témoin d'aucune contrainte.

— Peut-être a-t-elle été détournée de son but initial juste avant d'atteindre notre maison ?

— À cette heure-là et même s'il fait sombre, il y a pas mal de monde sur la place principale. Sans compter qu'elle est éclairée par des lanternes et que les gens se promènent avec des lampes. Si quelqu'un l'avait obligée à agir contre sa volonté, il aurait couru le danger de se faire remarquer.

— Certaines personnes n'hésitent pas à prendre des risques, dit Ségdae.

— Voilà qui donne matière à réflexion et soulève d'autres questions.

Le brehon Dathal se redressa d'un air outragé.

— Envisageriez-vous de mener cette enquête, Saxon ?

— Frère Eadulf a tous les droits pour s'exprimer sur l'enlèvement de son enfant, déclara Ségdae d'un ton sec.

— Cette affaire le touche de trop près. Il verra ce qu'il a envie de voir et les citations du brehon Morann ne lui seront d'aucune utilité. Cela vaut également pour Fidelma. Elle est peut-être *dálaigh*, mais la moindre investigation qu'elle entreprendra sur le rapt de son fils sera vouée à l'échec. Reposez-vous sur moi, je me charge de tout.

— N'y comptez pas.

Une jeune femme rousse s'était glissée furtivement dans la pièce. Belle et de haute stature, elle fixait le brehon Dathal de ses yeux verts où brillait une flamme inquiétante.

Aussitôt, Eadulf se leva.

— Fidelma !

CHAPITRE III

Tout le monde était pétrifié. Fidelma prit place à la table sans y être conviée. Non seulement elle était princesse de Cashel mais, en tant que *dálaigh* élevé au rang d'*anruth,* elle jouissait du privilège de s'asseoir de son propre chef en présence des rois des provinces, et même de prendre la parole avant eux. Contrarié, Eadulf se rassit. Était-il le seul à remarquer l'air hagard et les yeux rougis de sa compagne ?

— Je croyais que tu dormais à poings fermés, grommela-t-il.

Fidelma fit la grimace.

— Même tes horribles potions n'ont pas eu raison de ma vigilance. Je sais que tu avais d'excellentes intentions mais j'ai assez dormi, Eadulf. Et je crois qu'il est temps que je réagisse.

Le brehon Dathal fronça les sourcils.

— Sans aucun doute, mais en ce qui vous concerne, il me paraît essentiel que vous remettiez cette affaire entre les mains d'une personne objective.

— Vous me croyez vraiment incapable de mener des investigations sur la disparition de mon propre fils ? Et Eadulf aurait-il pour les mêmes raisons perdu la capacité de raisonner sur les événements ayant entraîné la disparition d'Alchú ? Combien d'enquêtes n'ai-je pas menées dont la sécurité du royaume dépendait ? Oseriez-vous me dire que cela importe peu ?

Dathal s'était empourpré.

— Ce rapt vous touche de trop près, protesta-t-il à nouveau.

Fidelma eut un petit sourire.

— Ce qui aiguise ma détermination à retrouver les coupables.

— Je suis le chef brehon de ce royaume et…

Colgú leva la main.

— Ne nous laissons pas distraire de l'essentiel. Frère Eadulf, vous n'étiez pas allé jusqu'au bout de votre raisonnement quand nous avons été interrompus.

Eadulf jeta un coup d'œil à Fidelma, qui fixait le brehon avec une colère non dissimulée.

— Revenons à nos premières suppositions. Nous avons tout de suite supposé qu'un individu voulant enlever Alchú avait attaqué Sárait qui était morte en essayant de protéger l'enfant.

— Je ne vois pas quelle autre interprétation donner aux témoignages qu'on nous a apportés, grommela Dathal.

Eadulf l'ignora.

— Reprenons la succession des événements. Un garçon se présente avec un message de Gobnat qui demande à Sárait de la rejoindre sur-le-champ.

— Mais ce message n'a jamais été envoyé, dit aussitôt Capa.

— Exact.

— Et la description faite par Caol de cet enfant ne correspond à personne de connu, ajouta Colgú.

— Je ne vous contredirai pas sur ces deux points. Donc l'enfant ne s'attarde pas. D'après Caol, il s'agirait d'un garçon. Peu de temps après, Sárait quitte le château avec Alchú. Elle explique à Caol qu'elle doit s'absenter brièvement et qu'elle emmène le bébé parce qu'elle n'a trouvé personne pour s'en occuper. Or...

— Voici le premier mystère, l'interrompit Fidelma.

Tous les regards se tournèrent vers elle.

— Eadulf s'apprêtait à vous dire que la nourrice n'avait nullement besoin d'emmener Alchú en pleine nuit loin du château.

— Comment en êtes-vous venue à pareille conclusion ? demanda Dathal, sceptique.

— Combien de femmes vivent ici et ont des enfants en bas âge ? Vingt ? Davantage ? Combien demeuraient à quelques pas des appartements de Sárait ?

Colgú ne répondit rien, mais il était visiblement ébranlé.

— Si Sárait répondait à un appel de sa sœur, pourquoi emmener l'enfant ? renchérit Eadulf. J'ai déjà questionné quelques femmes qui se trouvaient dans la forteresse cette nuit-là. Sárait n'en a approché aucune.

— Imaginons, déclara Fidelma dans un silence attentif, que le jeune messager ait agi selon un plan visant à éloigner Sárait de la forteresse afin d'enlever Alchú. Comment être certain que Sárait prendrait le bébé avec elle ?

— La première réaction d'une personne qui reçoit une missive réclamant sa présence pour une question urgente, ajouta Eadulf, serait plutôt de confier à une autre l'enfant dont elle a la charge. Surtout par une nuit glacée.

Capa se racla la gorge.

— Si Sárait savait que le messager ne venait pas de la part de Gobnat, alors elle a menti à Caol.

— Cela me semble une déduction logique.

— Il y a un autre point obscur, dit Fidelma, dont le regard alla d'Eadulf à son frère. N'ayant pas assisté au début de cette réunion, j'ignore si vous l'avez évoqué. Alors qu'elle avait déclaré son intention de se rendre directement chez sa sœur, Sárait a, selon moi, suivi le chemin qui contourne la ville et mène dans la forêt. Pourquoi cela ?

— Nous avons déjà traité de cette question, déclara Dathal d'un ton condescendant.

— Grâce à frère Eadulf, susurra Ségdae.

— Avez-vous trouvé la réponse ? s'enquit Fidelma d'une voix douce.

— Elle ne pourra être fournie que par le coupable quand nous l'aurons arrêté, grommela le brehon. Pour l'instant, ces interrogations ne nous mènent nulle part.

— Du moins indiquent-elles une direction, répliqua Fidelma d'une voix coupante. À moins que notre chef brehon n'ait d'autres méthodes d'investigation auxquelles nous n'aurions pas été initiés ?

Dathal avait viré au violet.

— Nous n'en avons pas terminé avec l'examen des faits, dit très vite Eadulf.

Tous se tournèrent vers lui.

— À quoi pensez-vous ? demanda Cerball, le stylet en l'air.

L'intérêt qu'il portait aux débats lui avait fait oublier la réserve attachée à sa fonction de scribe.

— Je pense que chaque action est commandée par un objectif précis. Lequel, dans l'affaire qui nous intéresse ?

Fidelma lui adressa un regard d'encouragement tandis que les autres attendaient, perplexes.

— A-t-on attiré Sárait dans les bois pour la tuer ou l'a-t-on poussée à s'éloigner du château avec l'enfant pour le lui arracher ? Le meurtre de Sárait était-il la conséquence inévitable de l'enlèvement ?

— Ou alors, une fois Sárait assassinée, ce qui était le but du meurtrier, il s'est retrouvé avec l'enfant sur les bras et l'a emmené, conclut Dathal.

L'évêque fit une grimace.

— J'imagine mal un assassin qui vient de poignarder une jeune femme pris de pitié pour un bébé.

— Vous semblez tous certains qu'il s'agit d'un homme, fit remarquer Fidelma. Êtes-vous vraiment sûrs qu'une femme soit incapable de tuer ?

L'évêque ouvrit de grands yeux.

— Nous avions supposé…

— Méfiez-vous des présomptions, elles sont dangereuses. Nous devons rester vigilants, et les problèmes soulevés par Eadulf sont capitaux.

Le brehon Dathal hocha la tête.

— Il y a une différence entre se saisir d'un bébé sous le coup d'une impulsion et organiser un rapt. J'ai connu le cas d'une femme folle qui, ayant perdu son enfant, s'est emparée d'un nourrisson pour combler le manque. Mais ici, il s'agit sans doute…

— D'un *fúatach.*

Fidelma avait usé du terme légal pour désigner un enlèvement avec usage de violence.

— Un *fúatach* est généralement suivi d'une demande de rançon, or aucune requête n'a encore été présentée dans ce sens. Donc je crois que nous pouvons éliminer cette hypothèse, qui me semble assez ridicule, lança le brehon, oubliant à qui il parlait.

Le regard de Colgú s'obscurcit et il allait se lever quand Finguine, le *tanist*, posa une main apaisante sur son bras.

— Certes, dit-il très vite, mais dans l'état actuel des choses il s'agit d'une éventualité à ne pas négliger.

— Nous avons organisé de nombreuses battues, fit observer Capa, et nous n'avons trouvé aucune trace d'Alchú ni du messager que Caol nous a décrit. Donc Alchú a dû être emmené loin d'ici.

Eadulf poussa un soupir de découragement.

— Ce bébé a été pris par une personne qui cherchait un enfant, déclara le brehon. N'importe quel enfant et pas nécessairement le fils de Fidelma. Celui ou celle qui l'a enlevé ne faisait que traverser ce territoire. Je ne vois pas d'autre explication.

Fidelma eut un sourire crispé.

— Le brehon Dathal a raison.

Eadulf baissa la tête, attendant la remarque sarcastique qui ne manquerait pas de suivre car Fidelma ne tenait pas le chef brehon de Muman en haute estime. Mais non, elle était sincère.

— Reportez-vous à trois ou quatre jours en arrière, poursuivit-elle à l'adresse de Capa, et dites-moi quels sont les étrangers qui sont passés par Cashel.

Capa fouillait sa mémoire sans succès quand Finguine intervint.

— J'avais déjà songé à l'éventualité d'une intervention extérieure, cousine, et j'ai donc mené une enquête de mon côté. Hélas, cela n'a pas débouché sur grand-chose. Trois bateaux ont remonté la Suir, des marchands venus de ports maritimes. Ils ont déchargé leurs cargaisons, en ont chargé d'autres et sont remontés à bord. Mes hommes ont fouillé ces navires de fond en comble mais en vain. J'ai également rencontré un groupe de pèlerins, une petite troupe d'invalides qui se rendaient à Imleach…

L'évêque Ségdae confirma l'information :

— Ayant appris que je séjournais à Cashel, ils se sont arrêtés ici pour me demander ma bénédiction sur le chemin du tombeau du bienheureux Ailbe. Ils espéraient le secours du saint pour les maux dont ils étaient affligés. Certains souffraient de malformations, d'autres étaient handicapés par de terribles blessures reçues à la guerre. Il n'y avait parmi eux ni enfant ni nourrisson.

Finguine acquiesça.

— Je me suis rendu dans l'auberge où les pèlerins ont passé la nuit, et je les ai interrogés pour savoir si, au cours de leurs pérégrinations, ils n'avaient pas remarqué quelque chose d'inhabituel. Ils m'ont fait de la peine et j'espère que leurs prières seront entendues.

— Donc ils n'ont rien vu ? insista Fidelma.

— Leur chef, frère Buite de Magh Ghlas, a juste dit qu'ils avaient été dérangés par les gardes qui avaient fait grand tapage. Ils étaient à la recherche de Sárait.

— Et ces pèlerins ont maintenant atteint Imleach ?

— Ils sont partis le matin suivant la découverte du corps de Sárait et je suppose qu'ils sont arrivés à bon port, dit Ségdae.

— Ils ne comptaient aucune femme et aucun enfant dans leur groupe, précisa Finguine. Et en dehors d'eux, personne n'est passé par Cashel.

— Si, un étranger accompagné d'un homme du Nord, dit brusquement Capa, ils sont arrivés la veille de l'assassinat de Sárait.

— Quel étranger ? Quel homme du Nord ? demanda Fidelma d'un ton brusque.

— Le premier s'est présenté comme étant un religieux et un guérisseur. Il venait d'une terre lointaine, en Orient.

— La Perse, confirma Colgú. Maintenant je m'en souviens.

— La Perse ? s'étonna Eadulf.

Cerball le barde releva la tête et sourit d'un petit air supérieur.

— Il s'agit d'un vieux royaume situé à la frontière de la Scythie. Hérodote, dans son quatrième livre, conte comment les Scythes ont repoussé Darius, un roi de Perse, qui avait tenté d'envahir leurs terres. Justinien a également écrit sur ce sujet, d'ailleurs…

Colgú interrompit la conférence du barde d'un geste de la main.

— J'ai été tellement bouleversé par les récents événements que je les avais presque oubliés. Ce Perse a été notre invité la nuit qui a précédé l'assassinat de Sárait. Un homme d'âge moyen qui m'a confié être en quête de connaissances dans nos contrées. Il parlait le grec et le latin et était escorté par un jeune frère d'Ard Macha, qui lui servait de guide et d'interprète au cours de ses voyages. Tous deux se déplaçaient à cheval.

— De quel côté se sont-ils dirigés ? interrogea Eadulf.

— Ils allaient vers l'ouest. Je crois qu'ils se rendaient à l'abbaye de Colmán. Cependant, ils sont partis la veille du meurtre de Sárait.

Fidelma se tourna vers Capa.

— Que faisiez-vous pendant que Finguine enquêtait sur les pèlerins et les marchands ? N'était-ce pas plutôt votre rôle de mener ces investigations ?

Capa lui adressa un regard de reproche.

— Je recherchais votre enfant, lady. Trois compagnies de ma garde sont parties de Cashel pour explorer le pays dans toutes les directions pendant une journée entière.

— Ne le prenez pas mal, Capa, mais j'ai besoin que les choses soient claires dans mon esprit pour mieux me les imaginer.

— Selon moi, un enfant d'ici ne peut être enlevé que par des étrangers, déclara le brehon Dathal d'une voix sépulcrale. J'en suis maintenant intimement persuadé. Quand la nourrice Sárait a tenté de défendre le bébé, ils l'ont tuée et se sont enfuis avec lui.

Eadulf, qui avait surpris du coin de l'œil la réaction agacée de Fidelma, s'empressa d'intervenir.

— Avec tout le respect que je vous dois, brehon Dathal, cela contredit nos précédentes réflexions.

Dathal plissa les paupières.

— Que voulez-vous dire, Saxon ?

— Si Sárait s'était simplement risquée à sortir la nuit avec Alchú, votre conclusion serait recevable. Mais il semblerait que Sárait ait été délibérément attirée hors du château. Si ce n'est pas le cas, et nous en avons déjà discuté, elle est allée retrouver une personne qu'elle connaissait. Quoi qu'il en soit, l'identité de ce sourd-muet demeure cruciale. Cet étrange garçon dont nul ne connaît le nom et qui s'est présenté avec un message pour Sárait sème le trouble. Il s'agit sans aucun doute d'une des pistes que nous devons suivre.

— Mais il n'y a aucune piste à suivre ! s'écria le brehon, ouvrant les mains dans un geste d'impuissance pour prendre les autres à témoin.

— Quand il n'y a pas de voie évidente, fit observer Fidelma d'une voix sèche, il faut suivre celle qui s'ouvre à vous, même si cela semble illogique.

Le roi fronça les sourcils.

— À quoi penses-tu ?

— Je vais me rendre à Imleach pour interroger ces pèlerins. Peut-être ont-ils entendu ou surpris quelque chose en chemin.

Elle eut un sourire d'excuse pour Finguine.

— Je suis sûre que tu les as très bien interrogés, mais je me sentirai mieux quand je leur aurai parlé de vive voix.

Le *tanist* s'inclina.

— À ta guise, cousine.

— Nous n'avons pas d'autre gibier à chasser, conclut Fidelma.

Colgú se leva et tous l'imitèrent.

— La séance du conseil est close. Finguine, tu peux renvoyer les témoins. Et mobilise quelques-uns de nos meilleurs guerriers pour fouiller à nouveau la campagne. Tu les conduiras en personne.

En tant que chef de la garde, cette prérogative aurait dû revenir à Capa, mais le roi ne lui laissa pas le temps de réagir.

— J'ai une tâche particulière à vous confier, Capa. Prévenez votre femme que vous serez absent pendant quelques jours. Je veux que vous escortiez ma sœur à Imleach avec deux hommes de confiance.

Puis il se tourna vers Fidelma et Eadulf.

— Restez, j'ai à vous parler en privé.

Quand ils furent seuls, Colgú invita le couple à s'asseoir auprès du feu.

— Voulez-vous du vin aux épices ?

Ils refusèrent. Fidelma avait encore dans la bouche le goût désagréable de l'infusion d'Eadulf, et la seule idée d'une boisson forte lui donnait la nausée.

— Tu veux vraiment te lancer à la poursuite de ces pèlerins ? lui demanda Colgú en se servant un gobelet de vin.

— Absolument.

— Et vous êtes d'accord pour l'accompagner ?

Eadulf hocha la tête.

— Pour retrouver la trace des ravisseurs d'Alchú, nous devons saisir toutes les opportunités, même si elles semblent peu prometteuses.

— Je comprends. Fidelma, tu as l'air épuisée.

— Une bonne nuit de sommeil, et il n'y paraîtra plus. Ne t'inquiète pas pour moi. Je contrôle maintenant mes émotions et ne m'y livrerai que lorsque j'aurai résolu ces mystères.

Elle jeta un regard de reproche à Eadulf.

— Quoi qu'on ait pu te raconter, je suis tout à fait en état de mener ces investigations. J'ai maintenant l'esprit clair et j'ai retrouvé ma lucidité.

Colgú hésita, et haussa les épaules.

— Très bien, mais je suis inquiet à plus d'un titre, et il te faudra demeurer très vigilante pour affronter les pièges qui t'attendent.

— Qu'est-ce donc qui te tourmente ?

— Le brehon Dathal se conduit parfois comme un imbécile, dit soudain le roi.

Fidelma fit une grimace.

— Ce n'est pas nouveau.

— Oui, et cela ne s'arrange pas avec l'âge. Il devient de plus en plus excentrique. En vérité, je crains que ce complot monté contre toi ne vise aussi notre maison. Pourquoi, et qui se cache derrière ces crimes, je l'ignore. Tous deux partagez sans nul doute mon sentiment qu'Alchú n'a pas été enlevé au hasard par une personne en manque d'enfant, comme Dathal voudrait nous en convaincre. Et cela m'étonnerait qu'il s'agisse d'une affaire de rançon.

— Tu me soulages d'un grand poids car je pensais être la seule à tenir ce raisonnement.

Eadulf pinça les lèvres, contrarié d'être tenu à l'écart de leur conversation.

— Puis-je vous rappeler que j'ai fait remarquer au brehon Dathal…

— Le problème, le coupa Colgú, c'est que tous deux vous êtes fait des ennemis à l'intérieur et à l'extérieur du royaume. On s'agite dans l'ombre pour se venger de vous.

— Nous en sommes parfaitement conscients, répliqua Eadulf d'une voix douce. D'ailleurs, tous ceux qui s'engagent à faire respecter la loi ne sont-ils pas en butte aux mêmes calomnies et aux mêmes dangers ? La réputation que Fidelma s'est acquise lui vaut bien des inimitiés, y compris en haut lieu.

— Certes. Mais il ne faut pas oublier ceux qui vous en veulent à titre personnel.

Fidelma plissa les paupières.

— Je suppose que tu fais allusion à ceux qui ont pris ombrage de ma relation avec un étranger ?

Colgú jeta un regard d'excuse au moine saxon.

— Ne le prenez pas mal, Eadulf, mais nous devons envisager toutes les possibilités. Fidelma appartient à la maison royale des Eóghanacht, elle est fille et sœur d'un souverain, comprenez-vous ce que cela signifie pour nous ? Pas seulement pour notre famille, mais pour nos mœurs et nos usages ?

Eadulf releva le menton.

— Dans mon pays, le lignage de nos rois angles et saxons est considéré comme sacré. Chaque monarque fait remonter ses origines à l'un des sept fils d'Odin. Nos peuples dans leur grande majorité croient encore à Odin, père tout-puissant et chef du clan des corbeaux. Ils l'adorent depuis des temps immémoriaux alors que la nouvelle foi ne remonte qu'à une génération. Et elle n'a pas encore atteint les lieux les plus reculés.

Colgú sourit devant tant de véhémence.

— Sachez que les Eóghanacht font eux aussi remonter leur lignage à la nuit des temps. Nos bardes, les gardiens des mots, me saluent comme le quatre-vingt-seizième descendant en ligne directe d'Adam, la quatre-vingtième génération de Gaedheal Glas, fil de Niul, qui mena les enfants des Gaels hors de la tour de Babel. J'appartiens à la cinquante-neuvième génération descendant d'Eibhear Fionn, fils de Milidh, qui a amené les enfants des Gaels sur cette terre.

— Et où veux-tu en venir ? s'impatienta Fidelma.

— À ceci : ils sont nombreux, y compris dans notre propre famille, du moins je le suppose, qui se formalisent de ta position de *ben charrthach* d'un Saxon. Et qui plus est d'un Saxon d'un rang inférieur au tien.

Il arrêta les protestations du couple d'un geste de la main.

— Je ne fais qu'exposer les faits, inutile de se voiler la face : que tu deviennes la mère de l'enfant d'Eadulf en a choqué plus d'un.

— Comment pourrais-je l'ignorer ? On me le rappelle constamment, ironisa Eadulf.

Derrière l'amertume de son compagnon, Fidelma devina la colère.

— Ces réflexions sont bien vagues, mon frère, lança-t-elle d'une voix coupante. Es-tu sûr qu'elles ne se réfèrent pas à un événement précis ? Si tu nourris des soupçons, tu dois nous en faire part.

Colgú la considéra d'un air absent, puis il secoua la tête.

— Je ne soupçonne personne en particulier. Pour l'instant, les membres de notre famille se sont conduits comme il convient. Mais il est possible que de secrètes récriminations commencent à se faire jour ; que certains estiment qu'une fille des Eóghanacht devrait engendrer des enfants avec un fils d'Éireann et non de la Saxonie.

— Alchú a… aura le choix. Il lui reviendra de décider de son avenir, et nous le laisserons libre. D'ailleurs, Alchú n'est pas un cas isolé. Oswy, roi de Northumbrie, n'a-t-il pas eu un enfant avec Fína, fille du haut roi Colmán Rímid ? Il s'appelle Aldfrith. À Beannchar, il a la réputation d'un jeune érudit plein de talent, et il est aussi à l'aise dans la culture de sa mère que dans celle de son père.

Le roi eut un sourire triste.

— Qui prétend le contraire ? Je ne faisais que souligner l'évidence. Et puis il y a autre chose.

— Un nouveau sujet de méditation ? ironisa Eadulf. Pourtant, il me semble que nous sommes servis.

— Il ne vous aura pas échappé que, en plus des considérations d'origines, vous êtes tous les deux religieux. Vous avez décidé de mettre vos talents et votre énergie au service de la nouvelle foi. Il n'y a pas si longtemps, nos savants, juges, juristes, bardes ou médecins, étaient acceptés dans les rangs des druides. Ceux qui suivent le christianisme le font, sans que cela interfère avec leurs vies personnelles. Nous acceptons que les religieux se marient et aient des enfants, comme les druides avant eux. Il y a des maisons doubles. D'ailleurs, Fidelma a été éduquée dans le *conhospitae* de Kildare, le monastère mixte fondé par l'abbesse Brigitte et l'évêque Conlaed.

— Aurais-tu quelque idée derrière la tête ? lança Fidelma. Te serais-tu converti à ces nouvelles théories prônant que les serviteurs du Christ devraient renoncer au mariage ? Même l'évêque de Rome s'oppose à en faire un dogme de la foi. Il n'est pas naturel d'interdire les relations entre les hommes et les femmes. Seuls quelques groupes d'ascètes y souscrivent. De tels adeptes de la sublimation du désir, qui permettrait de mieux se consacrer à un dieu, se recrutent dans toutes les religions.

— Rassure-toi, leurs arguments ne m'ont en rien convaincu. Cependant, plusieurs dirigeants des cinq royaumes se sont prononcés en faveur du célibat…

— Grand bien leur fasse. C'est une chose de suivre ses convictions personnelles, et une autre d'imposer ses idées par une règle censée définir l'unique façon de servir Dieu.

— Il n'en demeure pas moins, reprit patiemment Colgú, que de nombreux religieux des cinq royaumes prononcent des vœux de célibat. Leur mouvement gagne en puissance. Qu'une princesse des Eóghanacht ait épousé un moine saxon, et donné naissance à un enfant, offre un exemple aux autres religieuses qui peut être perçu comme une provocation par certains. Et puisque nous recherchons des ennemis potentiels, je pense…

— C'est idiot !

— Je comprends parfaitement vos inquiétudes, intervint Eadulf avec fermeté. Avant que nous partions pour Rath Raithlen, je me suis justement querellé avec l'évêque Petrán à ce sujet. Et…

Il s'interrompit brusquement.

— Mais où est passé Petrán ? Je ne l'ai pas vu depuis notre retour.

Fidelma fixa son compagnon d'un air inquiet.

— Allons, Eadulf, c'est un vieil homme avec des idées bien arrêtées, mais tu ne suggères tout de même pas… je le connais depuis que je suis enfant.

Brusquement très intéressé, Colgú se pencha vers Eadulf.

— Dites-m'en davantage sur cette dispute avec l'évêque Petrán.

— Cela s'est passé le jour où nous avons rencontré votre cousin, Becc de Rath Raithlen. Tu t'en souviens, Fidelma ? Petrán m'a entraîné dans une controverse dont je connaissais d'avance tous les arguments. Il veut que nous souscrivions aux décisions prises lors du concile de Whitby, et acceptions la pleine autorité de Rome pour ce qui touche à la liturgie, à la tonsure et à la date de Pâques. Jusque-là je suis en plein accord avec lui et ne m'en suis pas caché au concile. Mais Petrán va plus loin, en appuyant les principes adoptés au deuxième concile de Tours, selon lesquels les membres du clergé que l'on trouverait au lit avec leur femme seraient excommuniés pendant un an. Et il espère que le prochain concile des évêques occidentaux exigera le vœu de célibat des religieux.

Il y eut un instant de silence.

— Il ne faut pas négliger Petrán, fit observer Colgú d'une voix douce. Il est connu pour sa misogynie et un des avocats les plus fervents du célibat. Et quand il a appris que des femmes dans l'arrière-pays, ainsi qu'en Gaule et en Bretagne, étaient encore ordonnées prêtres, il m'a demandé de mener une croisade pour exterminer ces païens ! Je lui ai rétorqué que les problèmes de l'ordination concernaient les évêques et non les rois, détenteurs de la seule autorité temporelle.

Eadulf haussa les sourcils.

— Je croyais que trois siècles s'étaient écoulés depuis le concile de Laodicée, où il avait été décrété que les femmes n'étaient pas autorisées à dire la messe ?

— Il y a loin des principes à la pratique, ironisa Fidelma. Brigitte en personne avait été ordonnée prêtre par Mel, fils de Darerca, la sœur de Patrick ; plus étonnant, elle avait été élevée au rang d'évêque, de même qu'Hilda, que tu as rencontrée à Whitby. Et en Gaule, le divin sacrifice est souvent célébré par des femmes.

— Certes, Petrán est âgé, fit observer Colgú, mais il a de l'influence et de nombreux disciples.

— Difficile d'ignorer quelqu'un d'aussi pugnace que lui, soupira Eadulf. Je me suis prononcé pour la doctrine pétrine et ne m'en cache pas – j'ai assisté au concile de Whitby en tant que représentant de l'école de Rome. Cependant, je n'ai guère de sympathie pour les partisans des ascètes qui s'étaient rassemblés au concile d'Elvire et considéraient que le célibat devait être imposé à tout le clergé.

— Qu'appelez-vous la doctrine pétrine ? s'enquit Colgú.

— Il y a deux siècles de cela, les évêques de Rome, Innocent et Célestin, furent les premiers à proposer que Rome règne sur toutes les églises chrétiennes, expliqua Fidelma. Voilà pourquoi l'évêque de Rome est appelé père des fidèles, *papa* en latin.

— Cela a été débattu à Whitby. Ne nous a-t-on pas enseigné que pour construire son Église le Christ s'était appuyé sur Pierre ? Et n'est-ce pas à Rome que Pierre a fondé cette Église ? Cette ville a donc le droit…

— Eadulf, le moment est mal choisi pour nous lancer dans une discussion de ce genre ! Mon frère affirme que, pour des raisons théologiques, l'évêque Petrán et ses semblables ont des motifs de nous détester, nous et notre enfant.

— N'oublie pas, précisa Colgú, que je n'accuse pas Petrán mais ceux qui pensent comme lui. Ces fanatiques pourraient porter la haine qu'on leur inspire à des extrémités insoupçonnées.

Eadulf fit la grimace.

— Petrán lui-même est un zélateur enragé. Pour tout vous avouer, lors de notre différend nous avons failli en venir aux mains.

— Tu ne m'en avais rien dit ! s'exclama Fidelma.

— Pour étayer ses arguments sur le célibat, il s'était lancé dans des odes passionnées sur la piété des évêques de Rome. Je lui ai fait remarquer que si le bienheureux Hormisdas n'avait pas partagé la couche de sa dame, alors son fils saint Silvère ne lui aurait jamais succédé sur le trône de Rome. Rouge de colère, il a alors tenté de nier que des évêques de Rome avaient été mariés et avaient eu des enfants.

Or même Innocent Ier, qui défendait la doctrine pétrine, était le fils d'Anastase, lui aussi évêque de Rome, et…

— Petrán est-il encore à Cashel ? l'interrompit Fidelma.

Colgú secoua la tête.

— L'évêque Ségdae l'a envoyé faire le tour des îles de l'ouest. Il est parti il y a plus d'une semaine.

— Donc cela élimine Petrán, déclara Fidelma, visiblement soulagée.

— Restent ses fidèles. Je vais demander à Finguine d'enquêter chez les religieux de Cashel.

Fidelma haussa les épaules.

— Je doute qu'il trouve quoi que ce soit. Dans l'éventualité d'un complot, quelqu'un à l'esprit aussi aiguisé que Petrán aura pris soin que ses complices ne laissent rien de compromettant dans leurs appartements.

— Les hommes les plus intelligents commettent parfois des erreurs.

Fidelma se leva brusquement.

— Il faut nous mettre en route au plus vite.

— Tu tiens toujours à rattraper ces pèlerins à Imleach ?

— Nous n'avons pas d'autre piste.

— J'ai déjà demandé à Capa de se tenir prêt à vous accompagner.

Le regard de Fidelma croisa celui d'Eadulf.

— Colgú, crois-tu vraiment que nous courions un quelconque danger ?

— Oui, pour les raisons que je viens de t'exposer, insista le roi.

Eadulf craignit un instant que Fidelma ne se querelle avec son frère. Elle détestait les escortes d'hommes en armes, dont elle avait le sentiment qu'ils entravaient sa liberté. Mais elle se contenta de hausser les épaules.

— Très bien, assure-toi que Capa se présente aux portes d'ici une heure car nous partirons pour Imleach avant que sonne midi.

En quittant les appartements du roi, ils croisèrent Capa qui allait prendre ses instructions auprès de son souverain. Ils avançaient d'un pas pressé quand un jeune guerrier les arrêta dans le couloir.

— Excusez-moi, lady, dit-il d'un air embarrassé.

C'était un jeune homme aux cheveux d'un noir corbeau, à la peau claire et aux yeux sombres. Élancé et musclé, il arborait une cicatrice sur le bras, donc il avait servi sur les champs de bataille. Malgré sa jeunesse, son cou était ceint du torque d'or de la garde d'élite du roi, et sa tenue soignée. Ses traits semblaient vaguement familiers à Fidelma. Elle supposa qu'elle l'avait déjà vu au château et contrôla son impatience d'être ainsi retardée.

— Que puis-je faire pour vous, jeune homme ?

L'autre avala sa salive avec difficulté.

— Je m'appelle Gormán.

— Eh bien, Gormán ?

— Il paraît que Capa, notre commandant, recherche deux guerriers pour l'accompagner. Il doit vous escorter jusqu'à Imleach, d'où vous partirez à la poursuite du meurtrier de Sárait, le ravisseur de votre enfant. Capa a déjà choisi Caol.

— Et alors ? lança Fidelma, contrariée que la nouvelle se soit répandue aussi vite.

— J'aimerais beaucoup me joindre à vous, lady.

Fidelma fronça les sourcils.

— Adressez-vous à Capa, je ne suis pas habilitée à satisfaire votre demande.

Le jeune homme secoua la tête.

— Capa ne m'apprécie guère, bien que je ne lui aie jamais causé de tort. Et je dois absolument aller avec vous.

Fidelma ouvrit de grands yeux.

— Pour quelle raison, je vous prie ?

Gêné, Gormán se balança d'un pied sur l'autre.

— Je connaissais bien Sárait. Et il me tient à cœur de... de...

Fidelma s'adoucit devant l'embarras du jeune homme.

— Je suppose que vous étiez amoureux d'elle ?

L'autre s'empourpra et baissa les yeux.

— Je le suis... enfin, je l'étais.

— Et d'après vous, l'hostilité de Capa à votre égard nécessiterait mon intervention afin qu'il accepte que vous nous accompagniez ? Mais pourquoi vous en veut-il ?

— Sans doute estime-t-il que je manque d'expérience.

Il hésita et Fidelma comprit qu'il ne lui disait pas toute la vérité.

— Ce n'est pas la vraie raison, ou je me trompe ?

— Eh bien, mes origines ne sont pas très recommandables car ma mère était prostituée.

— Cependant, vous portez le torque d'or, fit remarquer Eadulf. Je croyais que seuls les nobles pouvaient rejoindre la garde du roi ?

— Donndubháin, l'héritier présomptif de Colgú avant Finguine, m'a promu à ce rang pour me récompenser de ma conduite lors de la bataille de Cnoc Áine, où j'avais contribué à repousser une attaque des Uí Fidgente. Mais Capa estime que seuls les nobles devraient servir dans le Nasc Niadh. J'aimerais lui prouver ma valeur.

Eadulf parut sceptique.

— Un jeune homme en quête de vengeance pour se faire valoir auprès de son commandant qui ne l'apprécie guère…

Il secoua la tête.

— Cela sonne comme une excellente recette pour un désastre annoncé.

Gormán adressa un regard suppliant à Fidelma.

— Je vous en prie, lady…

— Gormán !

C'était la voix de Capa, qui sortait des appartements de Colgú. Le capitaine de la garde leva la main en reconnaissant Fidelma et son époux.

— Je vous demande pardon, lady, mais je dois m'entretenir avec ce jeune homme.

Gormán s'était mis au garde-à-vous.

— Gormán, vous m'accompagnerez, ainsi que Caol, pour escorter leurs seigneuries. Nous partons dans une heure.

Le jeune homme le fixa avec des yeux ronds tandis que Capa s'inclinait et disparaissait dans le couloir.

— Ainsi vous n'aurez pas besoin de mon intercession, dit Fidelma qui sourit devant la confusion du jeune homme. Connaissez-vous le proverbe « *Si finis bonus est, totum bonum erit* » ?

Gormán secoua la tête.

— Tout est bien qui finit bien, traduisit Eadulf. À tout de suite.

CHAPITRE IV

Bientôt, Capa, Gormán, Caol et le couple de religieux, montés sur leurs chevaux, atteignaient la Suir à l'ouest de Cashel. Un pont traversait les eaux boueuses jusqu'à un îlot, puis se prolongeait vers l'autre rive. Sur l'île se dressait une petite forteresse destinée à défendre Cashel en temps de guerre. De part et d'autre des flots tourbillonnants s'élevait une forêt particulièrement dense.

Eadulf frissonna en se rappelant la dernière fois où il avait franchi ce pont avec Fidelma. Alors qu'ils se rendaient à Imleach, pour enquêter sur la mystérieuse disparition des reliques de saint Ailbe et de frère Mochta, qui en était le gardien, ils avaient été détenus dans la forteresse par des guerriers des Uí Fidgente. Eadulf jeta des regards nerveux autour de lui. Lors de cette aventure mémorable, il avait été forcé de se jeter à l'eau avec son cheval pour échapper à l'ennemi et il en gardait un souvenir cuisant.

Les nuages gris qui venaient de l'ouest se reflétaient dans les eaux sombres. Ils avaient pris la forme fugitive d'une enclume géante.

— Un orage ne va pas tarder à éclater, grommela Fidelma. Nous risquons d'être obligés de chercher un abri avant d'atteindre Imleach.

Eadulf se rappela qu'au-delà du pont, dans un village du nom de Puits d'Ara, le vieil Aona qui avait autrefois commandé la garde du roi tenait une auberge.

Soudain, il sursauta.

— Que se passe-t-il ? murmura Fidelma.

— Quelqu'un nous observe, dissimulé dans le fortin.

Capa les rejoignit.

— Ne vous inquiétez pas, lady. Après la découverte du corps de Sárait, j'ai aussitôt envoyé des hommes surveiller les routes. Trois d'entre eux sont postés ici pour contrôler l'identité des voyageurs.

Il enfonça les talons dans les flancs de sa jument et s'avança en premier sur le pont. Un guerrier sortit du bâtiment fortifié. Il salua Capa et ouvrit de grands yeux en reconnaissant Fidelma et Eadulf.

— Quelles nouvelles ? demanda Capa.

— Pas grand-chose, chef. Peu après notre arrivée, un groupe de pèlerins a traversé ici, et sinon seulement des gens de la région vaquant à leurs affaires et que nous connaissons tous.

Il jeta un coup d'œil à Fidelma et baissa la tête.

— Je n'ai vu personne avec un bébé.

— Vous avez veillé jour et nuit ? s'enquit Capa d'un ton sec.

— Oui, moi et mes camarades avons monté le guet à tour de rôle avec diligence, depuis le matin où Finguine nous a envoyés ici après qu'on eut sonné l'alarme. Personne n'a tenté de passer le pont la nuit.

Eadulf pinça les lèvres.

— Nul besoin de l'emprunter alcrs qu'on peut gagner l'autre rive par des gués en amont de la rivière. Et puis il y a fort à parier que le ou les coupables ont traversé la nuit où Sárait a été assassinée et l'enfant enlevé. Celui qui ferme la porte de l'écurie une fois que le cheval s'est enfui a peu de chances de récupérer sa monture.

— Vous n'avez pas tort, dit Capa. Mais en continuant de surveiller le territoire, nous espérons obtenir des renseignements qui à la longue pourraient se révéler profitables.

— Quelque chose à signaler au sujet de ces pèlerins ? demanda Fidelma.

L'homme fronça les sourcils.

— Nous les avons doublés sur la route – nous étions à cheval et eux à pied – et les avons attendus ici. Ils étaient six et ne différaient en rien du lot habituel des estropiés qui se rendent sur un lieu saint pour y chercher un soulagement à leurs souffrances. Et ils ne se distinguaient pas les uns des autres car ils étaient tous revêtus de longues robes et ils avaient rabattu leur capuchon sur la tête. On ne distinguait ni leur sexe ni leur âge. Aucun enfant ne les accompagnait, enfin… aucun bébé.

— Expliquez-vous, le pressa Fidelma.

L'homme hésita un instant et haussa les épaules.

— L'un d'eux était petit et semblait assez difforme.

— Un enfant mal formé ? s'écria la jeune femme.

— Comment vous expliquer… il avait des épaules trop larges et m'arrivait à peu près à la taille.

Capa considéra le guerrier – un homme très grand – d'un air réprobateur.

— Et vous n'avez pas pensé à vérifier l'identité de ces voyageurs ? Vous savez pourtant que nous recherchons l'enfant difforme qui a apporté un message à Sárait pour lui tendre un piège qui lui a coûté la vie !

L'homme était bouleversé.

— Non, nous ignorions tout de ce messager, on ne nous avait parlé que du petit Alchú. Sans compter que lorsqu'on s'est approchés des pèlerins pour les questionner, cet être contrefait a agité une clochette de lépreux. Et nous avons remarqué que ses compagnons gardaient leurs distances avec lui. Nous avons donc reculé et les avons laissés poursuivre leur route.

Fidelma poussa un soupir d'exaspération.

— Excusez-nous, dit l'homme d'un air désolé.

— Qui vous a donné vos ordres de mission, guerrier ? lança Capa avec irritation.

— Le seigneur Finguine.

— Eh bien, maintenant que vous avez été correctement informés des faits, tâchez d'ouvrir l'œil.

Le guerrier hocha la tête d'un air contrit.

Le grondement du tonnerre se fit entendre du côté des montagnes à l'ouest et Fidelma se redressa à regret.

— Dépêchons-nous d'atteindre le Puits d'Ara avant que la tempête n'éclate.

Sans un mot, Capa dirigea sa monture vers le pont et les autres suivirent.

Le guerrier les regarda s'éloigner, puis il haussa les épaules avec humeur. Si Capa s'imaginait que lui et ses compagnons allaient fouiller les lépreux qu'ils croisaient, il se trompait lourdement.

Quelques milles plus loin, alors que la pluie commençait à tomber à grosses gouttes et que les roulements du tonnerre se rapprochaient, le petit groupe arriva sur une éminence qui dominait un affluent peu profond de la Suir. Le Puits d'Ara s'étendait sur ses deux rives. L'eau jaillit sous les sabots des chevaux des cavaliers, qui s'arrêtèrent devant l'auberge de l'autre côté du gué.

Un garçon d'environ quatorze ans ouvrit la porte et s'avança pour les accueillir.

— Bienvenue, voyageurs.

Un large sourire éclaira son visage quand il reconnut Fidelma et Eadulf.

— Comment vas-tu, Adag ? dit Fidelma en sautant à terre.

— Bien, lady, et je suis heureux de vous revoir, vous et frère Eadulf.

Eadulf ébouriffa les cheveux d'Adag d'une main affectueuse.

— Moi aussi, ça me fait plaisir de te retrouver. Tu as grandi depuis notre dernière visite.

Le garçon de onze ans dont il avait fait la connaissance alors qu'il pêchait des truites dans la rivière avait effectivement bien changé.

— Et comment va ton grand-père ? s'enquit Fidelma en tendant les rênes de son cheval à l'adolescent.

Le garçon marqua une pause avant de s'occuper des montures des autres cavaliers.

— Il est à l'intérieur, lady. Il va être rudement content de vous voir. Avez-vous l'intention de vous arrêter ici ?

Fidelma leva les yeux vers le ciel à l'instant où un éclair le zébrait. Elle compta en silence jusqu'à quatre avant que le coup de tonnerre n'éclate.

— Nous attendrons que l'orage soit passé, déclara-t-elle d'un air résigné. À ton avis, Adag, ça prendra combien de temps ?

Le garçon observa les nuages.

— Dans une heure ce sera fini. Ça vous laisse juste le temps de prendre un bon repas arrosé de la *corma* de mon grand-père. Je vais étriller et nourrir vos bêtes.

Capa fronça les sourcils.

— Mes hommes ont pour habitude de s'occuper de leurs montures.

Fidelma leva la main.

— Adag s'en chargera, il est tout à fait compétent. Allons, venez.

L'intérieur de l'auberge n'était éclairé que par les flammes de la grande cheminée, où mijotait un ragoût de mouton dans un chaudron suspendu au-dessus du feu.

Un vieil homme qui dressait les tables se retourna en les entendant.

— Bonjour, Aona, comment vous portez-vous ?

— Lady Fidelma ! En vous voyant, j'oublie toutes mes douleurs. Et voilà notre cher Eadulf ! La vie pour moi a été bien tranquille depuis votre dernière visite.

— Puisse-t-elle continuer ainsi, Aona. Mieux vaut la paix que les conflits.

Capa avait pris un air d'ennui, contrarié d'être exclu de cet échange entre l'aubergiste et la princesse, dont il était surpris qu'ils entretiennent des relations amicales.

— Tavernier, servez-nous à manger et à boire, lança-t-il avec morgue.

Un éclair de contrariété passa sur le visage de Fidelma.

— Aona, venez, que je vous présente Capa. Il occupe aujourd'hui la position qui était la vôtre autrefois.

Capa rougit à ce qu'il prit pour une insulte. Puis il examina plus attentivement les traits du vieil homme et la mémoire lui revint.

— Êtes-vous l'Aona qui commandait la garde du roi du temps de mon grand-père ? Celui dont les hauts faits sont encore commentés aujourd'hui ?

Derrière Capa, Caol et Gormán fixaient l'aubergiste avec une stupeur mêlée de crainte. Ces deux jeunes gens, si fiers d'arborer le torque d'or de l'élite des guerriers de Cashel, avaient eux aussi été bercés par les exploits de leurs prédécesseurs. Aona comptait parmi ceux dont le courage et la ruse avaient nourri leur imagination.

Le vieil aubergiste se mit à rire devant leur étonnement.

— Oui, je suis bien cet Aona. Et votre brusque révérence ne me rajeunit point.

Une lueur de malice s'alluma dans ses yeux gris.

— Alors comme ça vous voilà à votre tour capitaine des Fianna ? J'espère pour vous que votre esprit est aussi aiguisé que votre corps est musclé, mon ami, car il s'agit là d'une tâche difficile.

Capa releva le menton.

— Je suis fier que Colgú n'ait jamais eu l'occasion de se plaindre de moi.

— Vous m'en voyez ravi.

Aona cligna de l'œil en direction de Fidelma.

— Vous qui aimez tant Publilius Syrus, lady, je me souviens justement d'une de ses maximes : « Il n'y a qu'un pas de la gloire d'un homme à sa disgrâce. »

Il avait cité l'auteur en latin et, à l'évidence, Capa n'avait rien compris. Fidelma retint un sourire en constatant qu'Aona avait eu tôt fait de repérer le point faible de Capa : son arrogance. Elle suggéra au commandant et à ses hommes de s'asseoir tandis qu'avec Eadulf elle allait s'installer près du feu. Aona posa des gobelets et une cruche d'une bière rousse appelée *leann,* distillée du seigle, devant les trois guerriers qui exprimèrent bruyamment leur approbation. Puis Fidelma fit signe à Aona de la rejoindre.

— Avant que nous goûtions votre *corma* et votre excellente cuisine, j'aimerais que vous nous disiez si vous avez remarqué quelque chose d'anormal sur cette route. Vous savez…

Aona l'interrompit d'un geste de la main.

— Inutile d'aller plus loin, lady. On m'a informé du malheur qui vous a frappée. Bien sûr, si je peux vous venir en aide, je suis à votre service. Mais je n'ai vu que peu de voyageurs qui arrivaient de Cashel.

Le visage de Fidelma exprima sa gratitude.

— Nous essayons de trouver une piste, expliqua-t-elle. Et j'aimerais interroger les pèlerins qui ont traversé le village.

Aona se passa la main dans son abondante chevelure grise.

— Je regrette, mais ces pèlerins dont vous parlez ne se sont pas aventurés jusqu'à mon auberge et, pour tout vous avouer, j'en remercie le Seigneur.

— Pourquoi donc ? s'étonna Fidelma.

— Ils ont pris la route d'Imleach et l'un d'eux, qui fermait la marche, agitait la clochette des lépreux. Je les ai regardés traverser le gué, puis le village, et à mon grand soulagement et à celui des habitants, ils ne se sont pas arrêtés.

Il leva la main pour prévenir une remontrance de Fidelma.

— Ne me réprimandez pas sur mon manque de charité, lady. Je suis aussi enclin à la compassion que n'importe qui, mais je n'ai pu réprimer un mouvement de gratitude quand ils se sont éloignés.

— Mais vous les avez vus ? intervint Eadulf. Avez-vous remarqué l'un d'eux, de très petite taille, sans doute un enfant ?

— Je les ai aperçus de loin, tous revêtus de longues robes de bure et le capuchon rabattu sur la tête. Effectivement, celui qui agitait la cloche était plus petit que les autres. En tout cas, une chose est sûre : ils n'avaient pas de bébé avec eux.

Il se pinça l'oreille d'un air pensif.

— À part ça, dans la semaine, j'ai peut-être vu une douzaine de voyageurs, que je connaissais pour la plupart. Ce sont ceux-là qui m'ont parlé de votre infortune. J'ai bien remarqué un herboriste itinérant avec sa femme et deux enfants en bas âge dans sa carriole… j'étais en train de pêcher dans la rivière quand ils sont arrivés. Mais ils venaient du nord, de Cappagh, et ont rejoint la route de Cashel près du pont.

— C'était quand ?

— Il y a quatre ou cinq jours.

— Parlez-moi des autres étrangers, dit Fidelma.

— Je me rappelle deux religieux qui ont précédé de peu l'apothicaire et son épouse. L'un d'eux était originaire du nord du royaume, et il était accompagné par un moine d'au-delà des mers. Ils montaient de belles bêtes. Ce moine, que j'ai d'abord pris pour un Grec, car plusieurs Grecs se sont déjà rendus à Imleach, n'était pourtant pas tout à fait comme un Grec…

— C'était sans doute un Perse, expliqua Eadulf. Celui qui venait du nord appartenait-il à l'abbaye d'Ard Macha ?

Aona fit la grimace.

— Possible. En tout cas, il a mentionné avec fierté qu'il était un sujet du roi Blathmac mac Máel Cobo…

— Des Dál Fiatach d'Ulaidh, confirma Fidelma. Ils sont restés longtemps ici ?

— Le temps de prendre un repas. Ils ont dit qu'ils se rendaient à l'abbaye de Colmán, sur la côte ouest.

Aona jeta un coup d'œil aux guerriers.

— Si vous voulez bien m'excuser, lady, il faut que je retourne à ma cuisine. Je suppose qu'Adag s'occupe de vos chevaux ?

Fidelma acquiesça et Aona s'éclipsa. Il réapparut bientôt avec du pain frais, et servit dans les écuelles un ragoût qui embaumait et mit l'eau à la bouche des convives qu'Eadulf avait rejoints.

Pendant qu'ils mangeaient, Aona remplit leurs gobelets de *corma*, la boisson forte qu'il distillait lui-même de l'orge. La première fois qu'Eadulf en avait bu ici même, il avait failli s'étouffer avec cette puissante liqueur, et il avait demandé de l'eau pour apaiser son palais en feu.

— Je vois que vous avez appris à apprécier ma *corma*, frère Eadulf, ironisa Aona.

Fidelma, assise près de la fenêtre, regardait tomber la pluie tout en grignotant les quelques fruits qu'Aona lui avait apportés en la suppliant de se sustenter.

Après le repas, alors que dehors la tempête faisait rage, Fidelma et Eadulf rejoignirent Aona auprès du feu pour parler du bon vieux temps. Adag, qui avait fini de s'occuper des chevaux, ouvrit la porte, secouant les gouttes de pluie de sa lourde cape sur le seuil.

— Il semblerait que la tempête dure plus d'une heure et ne respecte pas tes prévisions, l'interpella Capa en riant.

Adag sourit sans se formaliser.

— La montagne me dissimulait l'étendue des nuages, mais on distingue déjà des bouts de ciel bleu et bientôt le soleil brillera.

Les discussions à la table et au coin du feu allaient bon train quand un ange passa, et on n'entendit plus que le craquement des bûches.

Puis Aona dit d'une voix sourde :

— J'ai été très triste d'apprendre l'assassinat de Sárait. Elle était issue d'une famille qui a connu bien des drames.

— Vous connaissiez sa famille ? s'enquit Eadulf.

— Celle de son mari, corrigea Aona. Cathchern, natif du Puits d'Ara, était un de mes hommes et le père de son époux. J'ai vu grandir Callada et ne fus pas surpris qu'il suive les traces de son père en entrant dans la garde des rois de Cashel. Callada et Sárait s'étaient mariés ici même, il y a trois ou quatre ans de cela.

— Je ne connaissais Callada que très vaguement, avoua Fidelma.

— Normal, puisqu'il avait une dizaine d'années de plus que vous, lady.

— Mais pourquoi vous sentez-vous tellement désolé pour sa famille ? s'enquit Eadulf.

— Eh bien, mon vieux compagnon Cathchern a été tué dans une bataille contre les Uí Néill alors que Callada avait à peine atteint l'âge du choix. Puis la femme de Cathchern est décédée de la peste jaunc. Quant à Callada… il a trouvé la mort à la bataille de Cnoc Áine, il y a à peine deux ans.

— Je suppose que Cathchern et son fils avaient embrassé la carrière de guerrier de leur plein gré, fit remarquer Eadulf. La mort était donc leur compagne. Quant à la peste jaune, elle a emporté bien des gens. En quoi cette famille vous semble-t-elle frappée par un sort funeste ?

— Il y a eu de vilaines histoires.

— Quel genre ?

Aona eut un geste maladroit de la main.

— Ce n'est ni le lieu ni l'heure de vous entretenir de cela.

Eadulf poussa une exclamation de dépit.

— Maintenant que vous avez commencé votre récit, vous ne pouvez pas vous arrêter en si bon chemin.

Aona hésita, haussa les épaules et parla plus bas :

— Deux guerriers qui étaient à Cnoc Áine m'ont rapporté que Callada n'avait pas été tué par les Uí Fidgente mais par un de ses hommes.

Eadulf ne fut pas surpris, il en avait entendu d'autres sur les horreurs des champs de bataille.

— Vous voulez dire que, saisi de terreur, il a tourné le dos à l'ennemi ? Cela arrive souvent et une telle attitude met en danger la vie des autres.

— Je sais, mais Callada n'avait rien d'un couard et il descendait d'une lignée de guerriers illustres. Non, il a été assassiné. Et maintenant c'est le tour de Sárait. Dans les familles en proie à des morts violentes, il ne reste personne pour chanter les louanges et les hauts faits des générations passées.

Fidelma resta un instant silencieuse, puis elle fit la grimace.

— Je crois, Aona, que nous avons eu notre lot de violence. Ce serait tellement plaisant d'aller vivre dans une vallée isolée, haut dans la montagne, pour y vivre en paix avec nous-mêmes et la nature environnante.

Aona s'assombrit.

— Il n'existe pas de sanctuaire contre la violence des hommes. Je crains qu'il ne s'agisse d'une condition permanente, lady.

Fidelma se leva, imitée par Aona, et regarda par la fenêtre. Le ciel s'éclaircissait.

— Finalement, Adag avait raison. L'orage est passé et nous allons nous remettre en route pour Imleach.

— Je vous souhaite de tout cœur de mener à bien votre enquête, lady, de retrouver votre fils et d'amener le meurtrier de Sárait devant la justice.

Capa les avait rejoints.

— Je vais préparer les chevaux, dit-il à Aona, pas besoin de déranger votre petit-fils.

Adag était parti travailler dans la distillerie qui jouxtait l'auberge.

Les guerriers étaient déjà sortis quand un homme d'âge moyen pénétra dans la taverne. Il avait un visage avenant et dégageait une certaine autorité.

— Bien le bonjour, Aona. Je vois que tes hôtes sont sur le point de te quitter, des guerriers si j'en crois…

Remarquant la présence d'Eadulf et Fidelma, il s'arrêta net, l'air confus. Aona se tourna vers Fidelma avec un sourire.

— Quand on parle du loup… je vous présente Cathalán, lady.

Le nouveau venu traversa la pièce et s'inclina respectueusement.

— J'ai eu l'honneur de servir votre frère à Cnoc Áine. Je sais déjà quelles terribles épreuves vous traversez, et vous m'en voyez désolé.

— Je vous remercie de l'intérêt que vous me portez, Cathalán. Il y a juste quelques minutes nous nous entretenions de la façon dont le mari de Sárait avait trouvé la mort.

— Avez-vous été le témoin de sa fin ? demanda Eadulf.

Cathalán secoua la tête.

— Non, mais j'ai entendu des rumeurs. Au cours de la bataille, elles se répandent à la vitesse de l'éclair. Cependant, en ce qui concerne celle qui prétendait que Callada avait été tué par un de nos guerriers, elle m'est parvenue de deux sources distinctes, ce qui tend à confirmer les faits. La première venait d'un Uí Fidgente, et la deuxième d'un de nos hommes. Mais les choses en sont restées là car, comme souvent, aucun témoin direct ne s'est manifesté.

— Cette affaire a-t-elle été signalée à un brehon ? s'enquit Fidelma.

— Oui, mais le brehon Dathal a déclaré qu'il n'avait rien découvert permettant d'entamer une action en justice.

— Et vous, vous n'avez fait que répéter ce que d'autres vous ont rapporté ?

Cathalán marqua un temps d'hésitation.

— Je tenais mes informations du *cenn-feadhna* de Callada, dit-il enfin.

Eadulf se rappela qu'un *cenn-feadhna* dans l'armée d'Éireann était le commandant d'un *buden*, qui représentait une centaine de guerriers.

— Dans le feu de la bataille de Cnoc Áine, nous nous sommes perdus de vue. Plusieurs des hommes de ma compagnie – quatorze en tout – ont péri ce jour-là car nous avions été envoyés en première ligne.

Il réfléchit.

— La veille des combats, alors que nous étions assis autour du feu, je m'aperçus que quelque chose troublait Callada. Je lui demandai ce qui le tourmentait et il parut réticent à se confier. Comme j'insistais, il finit par m'avouer qu'il avait de bonnes raisons de croire que Sárait lui était infidèle.

— Elle avait une liaison avec un autre homme ? demanda Eadulf, qui n'était pas sûr d'avoir bien compris.

— Ce n'était pas certain mais probable, le corrigea l'ancien guerrier, le visage grave. Et vu son embarras pour s'exprimer sur le sujet, j'en ai déduit que j'étais son premier confident.

Il fronça les sourcils.

— Cette histoire serait-elle liée à la mort de Sárait ? poursuivit-il avant de secouer aussitôt la tête.

Non, c'est impossible. Sárait était la nourrice de votre fils, et le bébé a été enlevé. Qu'en pensez-vous ?

— Toutes les possibilités doivent être envisagées, répondit Fidelma. Sárait ne parlera plus. Elle a été attirée hors du château pour y trouver la mort. L'a-t-on utilisée pour m'arracher mon enfant ? Dans ce cas…

En se rendant compte qu'elle pensait à voix haute, elle s'interrompit et fixa Cathalán.

— Callada vous a-t-il donné le nom de celui qui excitait sa jalousie ?

— Hélas…

— Et quand vous avez appris de quelle façon il avait perdu la vie, qu'en avez-vous conclu ?

Cathalán haussa les épaules.

— Un *cenn-feadhna* n'a pas pour tâche de laisser libre cours à son imagination. Je me suis contenté de rapporter les faits au vieux brehon Dathal. Et voilà tout.

Gormán passa la tête par l'entrebâillement de la porte sans prêter attention au nouveau venu.

— Les chevaux sont prêts, lady.

Fidelma sourit à l'ancien guerrier.

— Je vous suis très reconnaissante pour vos informations, Cathalán. Peut-être nous serviront-elles, on ne sait jamais.

Elle se tourna vers Aona.

— Une fois de plus nous vous remercions pour votre hospitalité, mon cher ami.

Elle glissa quelques pièces dans sa main, qu'il accepta avec réticence.

— Je suis toujours heureux de vous servir, lady. Il n'y a personne dans ce royaume qui ne soit en pensée avec vous et ne vous souhaite de retrouver bientôt votre fils.

Eadulf pinça les lèvres.

— Une personne au moins dans ce royaume ne nous souhaite aucun bien, Aona.

Puis il se détourna et suivit Fidelma. Le temps qu'Aona comprenne ce qu'il avait voulu dire, le couple de religieux avait disparu.

Ils suivirent la rive nord de la rivière Ara. Sur l'autre rive, la forêt sombre et dense de Slievenamuck se détachait sur le ciel clair. Les nuages annonciateurs de tempête avaient été repoussés vers l'est et l'après-midi s'annonçait ensoleillé. Eadulf se creusait la tête pour essayer de retrouver les noms des collines au nord, distantes de quelques milles.

Fidelma, comme si elle lisait dans ses pensées, se pencha vers lui et lui toucha le bras.

— Les Slieve Felim, lui dit-elle en pointant le doigt. Au-delà commencent les terres des Uí Fidgente. Un endroit où mieux vaut ne pas se risquer sans escorte.

Quand ils sortirent des bois et se retrouvèrent dans un espace ouvert et vallonné, Eadulf reconnut aussitôt les lieux : Imleach Iubhair, la « frontière des ifs ». De grands murs de pierre entouraient l'abbaye de saint Ailbe, premier religieux à prêcher la foi chrétienne à Muman. Ils dominaient le petit village et Eadulf se remémora que c'était là qu'il avait failli perdre la vie avec Fidelma. Il respira profondément devant ce beau paysage, avec ses verts pâturages bordés par les grands ifs à la ramure en coupole.

La première fois qu'il avait vu Imleach, le village était désert. Mais aujourd'hui, la place du marché située juste devant l'abbaye était noire de monde. Des gens se pressaient dans les stalles et les enclos où le bétail attendait d'être vendu. Les chèvres, les cochons et les moutons bêlaient et grognaient, des paysans annonçaient leurs prix d'une voix de stentor. Des fromagers, des boulangers, des forgerons et toutes sortes d'artisans rivalisaient d'ingéniosité pour attirer les clients.

— Ça nous change de la dernière fois où nous sommes venus ici, dit Eadulf.

— Oui, la vie est redevenue normale, commenta Fidelma tout en s'ouvrant un chemin dans la foule.

Ils arrivèrent devant un if géant à moitié calciné qui s'était autrefois élevé à onze toises. La petite troupe s'arrêta et se recueillit un instant. Il avait été détruit, l'arbre de vie, le totem sacré des Eóghanacht, dont on proclamait qu'il avait été planté par Eibhear Fionn, fils de Milidh, dont descendait la famille régnante. Eadulf était présent quand les ennemis des Eóghanacht s'étaient attaqués à ce symbole célèbre dans tout le royaume. Depuis l'abbaye où ils s'étaient réfugiés, Fidelma avait assisté au désastre, pétrifiée par l'angoisse. Mais les Uí Fidgente avaient été arrêtés.

— Malgré nos ennemis, fit remarquer Gormán avec un large sourire en désignant les branches les plus hautes où poussaient des surgeons d'un vert tendre, notre arbre s'est ranimé.

Eadulf n'en revenait pas que l'if ait survécu. Ainsi, il demeurait l'emblème du pouvoir des Eóghanacht. Selon une vieille croyance, cet arbre représentait la dynastie. S'il mourait, alors elle s'éteindrait. Mais il avait repris, et la dynastie avait surmonté l'épreuve, après cinquante-neuf générations de règne depuis Eibhear Fionn. Enfin, si on en croyait les bardes.

Tandis qu'ils progressaient vers le monastère, le gardien les repéra dans la foule. Les portes s'ouvrirent et une silhouette familière apparut : frère Madagan, le *rechtaire* ou intendant d'Imleach.

CHAPITRE V

Ils se tenaient dans les appartements de Madagan, d'où il administrait la grande abbaye. En tant que *rechtaire*, il suppléait à l'absence de Ségdae, évêque et abbé d'Imleach. Dans une atmosphère pesante, Madagan écouta Fidelma tandis qu'elle lui exposait les raisons de sa présence en ces lieux. De temps à autre, il portait la main à la cicatrice à son front, dont Fidelma et Eadulf n'ignoraient pas l'origine, car elle remontait à la blessure qu'il avait reçue lors de l'assaut mené contre Imleach.

Un lourd silence succéda au récit de Fidelma. On n'entendait plus que les craquements du feu auprès duquel ils s'étaient assis. Puis l'intendant assura Fidelma de sa sympathie et demanda en quoi il pouvait l'aider. Elle le lui expliqua.

— Donc vous désirez interroger les pèlerins qui sont venus prier dans la chapelle de saint Ailbe ?

— Oui, j'espère qu'ils sont encore ici ?

Frère Madagan hocha la tête.

— Mais les religieux que vous avez mentionnés, frère Tanaide et l'étranger d'au-delà des mers, ont poursuivi leur voyage vers l'ouest après une seule nuit passée au monastère.

— Qui est frère Tanaide ? s'enquit Eadulf.

— Le jeune moine qui sert de guide et d'interprète à l'étranger de Perse.

— Que cherche ce religieux perse ?

— Il dit s'appeler frère Basil Nestorios et il parle le grec et le latin aussi bien que sa langue maternelle. C'est un homme intéressant, qui m'a longuement entretenu de sa terre natale et de ses croyances. J'étais triste qu'il ne s'arrête pas plus longtemps sur le chemin de l'abbaye de Colmán. De toute façon, je ne pense pas que ces deux hommes vous auraient été d'une grande utilité.

Il hésita.

— En quoi auraient-ils pu vous assister dans l'affaire de l'enlèvement de votre enfant et de l'assassinat de sa nourrice ?

— Vous avez certainement raison, acquiesça Fidelma. C'est juste que j'aurais aimé savoir s'ils avaient observé quelque détail qui aurait pu nous intéresser. Certains éléments qui semblent sans importance peuvent parfois s'avérer cruciaux pour dénouer les fils d'une énigme.

— Où est l'abbaye de Colmán ? demanda Eadulf.

— Au bord de la mer à l'ouest, à l'embouchure de la Maighin, la rivière de la plaine. Elle est située à une journée de chevauchée si on ne traîne pas en route.

— Elle a été édifiée sur le territoire des Corco Duibhne, précisa Fidelma. Pour l'atteindre, il faut passer par les terres des Uí Fidgente.

— Les Corco Duibhne sont-ils sujets de ton frère ?

— Leur petit roi Slébéne paie un tribut à Cashel. Mais ils sont jaloux de leur indépendance et ils continuent de se réclamer d'une déesse païenne du nom de Duinech qu'ils considèrent comme leur mère nourricière. Elle se serait régénérée sept fois afin de protéger les tribus éparpillées des Múscraige. L'abbaye de

Colmán se dresse à la frontière du pays, gardée par un seigneur de guerre des Uí Fidgente, un homme peu recommandable qui s'est adjugé le nom de « seigneur des défilés ». Très franchement, je préférerais éviter le petit royaume de Slébéne.

Madagan remarqua l'air étonné d'Eadulf.

— Ce royaume n'est pas vraiment chrétien, mon frère. Il a la forme d'une langue de terre montagneuse et sauvage, et la capitale de Slébéne est tellement isolée, tout au bout de la péninsule, que peu de gens s'aventurent jusque-là. On raconte que c'est un endroit maudit.

Eadulf fit la moue.

— Si j'en crois ma longue expérience des païens, je ne leur accorderais pas trop d'importance. Quand j'étais à Rome, je suis allé voir une pièce, *Asinaria*. Selon la morale de cette histoire, l'orgueil et l'avarice sont des explications beaucoup plus convaincantes des dysfonctionnements d'une communauté que les différences de croyances. L'homme est un loup pour l'homme.

— *Lupus est homo homini*, murmura Fidelma d'un ton amer. Pourtant, Plaute s'est trompé sur un point : les loups ne s'attaquent pas entre eux.

Elle se leva brusquement. En ce moment même, les pèlerins de Cashel priaient dans la chapelle qui abritait les reliques du bienheureux Ailbe. L'intendant se proposa d'aller chercher leur chef, frère Buite, pendant que Fidelma et Eadulf attendraient dans ses appartements.

— Vous les laissez prier dans la chapelle ? intervint Eadulf. Vous ne craignez pas que le malheureux affecté par la lèpre contamine les religieux de cette abbaye ?

Frère Madagan parut surpris.

— Qu'est-ce qui vous fait croire qu'un de ces pèlerins souffre de la lèpre ?

Fidelma se tourna vers lui.

— On nous a rapporté qu'à Cashel, ils comptaient parmi eux un enfant difforme agitant une clochette.

Frère Madagan secoua la tête.

— Je n'ai vu personne qui corresponde à la description de cet infirme. Mais d'après frère Buite, ce groupe est bien passé par Cashel.

Fidelma croisa le regard d'Eadulf et revint à Madagan.

— Peut-être frère Buite nous donnera-t-il la clé de ce mystère. Nous vous attendons ici.

Fidelma et Eadulf étaient seuls, ce qui ne leur était pas arrivé depuis longtemps. Fidelma se renversa dans son confortable fauteuil en bois tandis que ses doigts tambourinaient sur les accoudoirs.

— À un moment ou à un autre, il faudra qu'on parle, lança Eadulf.

Fidelma ferma les yeux et il se prépara à un accès de colère.

— À quel propos ? demanda-t-elle d'une voix faible.

— Il y a tellement de silences entre nous !

Un sourire triste apparut sur les lèvres de la jeune femme.

— Je reconnais que nous nous sommes bien gardés d'aborder certains sujets depuis notre retour de Rath Raithlen. C'est ma faute, je le sais. Mais je t'en conjure, sois patient. Pour l'instant, j'ai besoin de ta force.

Eadulf contempla les flammes et se retrancha dans un silence prudent.

Fidelma lui fut reconnaissante de sa compréhension. À sa culpabilité pour la disparition de son fils, s'ajoutait celle d'avoir depuis plusieurs mois remis en question sa relation avec Eadulf. Depuis la naissance d'Alchú, elle était envahie par un sentiment d'abattement. Elle avait longtemps réfléchi avant d'accepter d'être la *ben charrthach*, l'épouse d'Eadulf pour un an et un jour.

Fidelma avait longtemps repoussé l'issue inévitable de son attirance pour Eadulf. Auparavant, elle avait été très marquée par une liaison malheureuse avec un guerrier du nom de Cian, et s'était persuadée qu'elle ne tomberait plus jamais amoureuse. Quand elle avait rencontré Eadulf au concile de Whitby, il avait réveillé en elle des désirs qu'elle croyait définitivement éteints. Le fait qu'il soit saxon et se soit prononcé pour les enseignements de Rome n'avait pas facilité leurs relations. Sans compter que, selon les lois des cinq royaumes, aucune union ne favorisait Eadulf. En tant qu'étranger issu d'un milieu plus modeste que celui de Fidelma, car il n'était pas de sang royal, il serait désavantagé sur le plan du droit et des richesses.

Par la suite, tout sembla s'arranger. Elle avait pris sa décision et, au cours de son mariage temporaire, elle était tombée enceinte et son fils Alchú était né. Avait-elle inconsciemment tenu rigueur à Eadulf de la naissance d'Alchú ? Force lui était de reconnaître qu'elle avait mal supporté les entraves à sa liberté : l'idée d'une vie confinée entre les murs de Cashel ne lui plaisait guère. C'est alors qu'à la demande de son frère, elle s'était rendue à Rath Raithlen pour résoudre le mystère des jeunes filles assassinées à la pleine lune. Cette mission, qu'elle avait menée à bien avec la maîtrise qu'on lui connaissait, tombait à pic et l'avait momentanément distraite de ses angoisses. Sur le chemin du retour, alors qu'elle chevauchait sur la route de Cashel avec Eadulf, ses tourments étaient revenus la hanter car elle devrait bientôt confirmer ou annuler son mariage. Sur ces entrefaites, on leur avait appris la disparition de leur fils.

Elle poussa un soupir.

— Que se passe-t-il ? s'inquiéta Eadulf.

— Je pensais à une maxime de Publilius Syrus…

En d'autres circonstances, Eadulf l'aurait taquinée sur sa manie de citer à tout propos cet ancien esclave de Rome dont elle semblait connaître les écrits par cœur. Mais il se contenta d'attendre.

— Malheureux sont ceux qui se révèlent incapables de se pardonner, dit-elle dans un souffle.

Eadulf s'apprêtait à répondre quand frère Madagan réapparut en compagnie d'un religieux de taille moyenne, revêtu de la robe de bure et qui boitait. Son bras droit pendait, inerte, à ses côtés. Il n'était pas très âgé, mais son visage portait les stigmates des épreuves qu'il avait traversées. Ses longs cheveux bruns étaient striés de mèches blanches et son regard sombre semblait refléter les horreurs dont il avait été le témoin.

— Je vous présente frère Buite de Magh Ghlas, annonça l'intendant.

Frère Buite s'inclina devant Fidelma.

— En quoi puis-je vous aider, lady ?

Elle l'observa d'un air pensif.

— Vous semblez me connaître.

— J'ai servi dans l'armée de votre frère à Cnoc Áine et c'est là que…

Il porta la main à son bras et haussa les épaules.

— Oui, je vous connais, lady, et aussi le chagrin dont vous êtes affligée. J'étais à Cashel avec mes frères la nuit où le drame s'est déroulé.

— Asseyez-vous, frère Buite.

L'homme claudiqua jusqu'à une chaise tandis que l'intendant reprenait possession de son siège sur un regard de Fidelma.

— Donc vous vous trouviez à Cashel quand ma nourrice a été assassinée et mon fils enlevé. Parlez-moi de vos compagnons.

L'autre rougit.

— En ce qui concerne mes compagnons, je préférerais que vous les interrogiez vous-même. Nous nous sommes tous rencontrés en chemin, non loin de Cashel, et j'ai offert de les conduire jusqu'au tombeau d'Ailbe, qui repose dans cette abbaye. Nous avons dormi la nuit à l'auberge située en bas des remparts du château et, le lendemain matin, j'ai appris ce qui s'était passé. Mais comme nous n'avions pas d'enfant avec nous, le noble prince Finguine nous a autorisés à poursuivre notre chemin.

— Donc c'est Finguine qui s'est déplacé pour questionner votre groupe ?

— Oui, lady.

— Et vous avez escorté vos compagnons jusqu'ici ?

— C'est exact.

— Mais pas tous, n'est-ce pas ?

Frère Buite parut surpris.

— N'avez-vous pas voyagé avec un lépreux ? Quand vous êtes arrivés ici, il s'était éclipsé.

— Ah oui, vous avez raison.

— Quand vous a-t-il quittés ?

— Juste avant que nous n'atteignions l'abbaye. Nous étions cinq plus lui, qui est parti vers l'ouest.

— Cette sixième personne était petite et usait d'une clochette de lépreux ?

— Oui, c'était un nain. À cause de sa maladie nous le tenions un peu à l'écart, mais il ne semblait pas s'en formaliser.

— Comment s'appelait-il ?

— Il s'est présenté sous le nom de Forindain.

— Il parlait ? s'étonna Eadulf.

Il en était resté à la description de Caol, qui le pensait muet.

— Oui, il parlait ! dit Fidelma en jetant un coup d'œil d'avertissement à Eadulf pour qu'il tienne sa langue. Et où Forindain vous a-t-il rejoints ?

— À Cashel même.

— Demeurait-il à l'auberge ?

— Non, non, j'ai eu l'impression qu'il avait dormi dans une grange.

— Pourquoi cela ?

— Je l'ai vu manger à l'auberge avant que nous nous retirions pour la nuit. À ce moment-là, il n'avait pas encore manifesté qu'il était un lépreux. Ce qui, d'ailleurs, est contraire aux règles de la foi. Ce n'est qu'au matin, alors que nous partions, que je l'ai trouvé avec de la paille sur ses vêtements. C'est alors qu'il a agité la clochette signalant son affliction. Ai-je manqué à mes devoirs en l'autorisant à nous accompagner ?

Fidelma l'observa avec attention.

— Comme vous semblez troublé par mes questions, frère Buite, je vais vous expliquer pourquoi je vous les pose. Sárait, ma nourrice, a été attirée hors du château de mon frère : d'après la sentinelle, quelqu'un s'est présenté avec un message, et il a déclaré qu'il devait voir Sárait de toute urgence. Le message était un faux. Le garde, Caol, pensait avoir affaire à un enfant mais moi, je pense qu'il a vu le nain qui voyageait avec vous. Il faut absolument que nous nous entretenions avec ce Forindain.

Frère Buite cligna des paupières.

— C'est donc Sárait, la femme de Callada, qui a été tuée ?

— Vous la connaissiez ? s'enquit aussitôt Eadulf.

L'autre hocha la tête.

— En quelque sorte. J'étais un ami de Callada, un homme populaire qui s'est battu à Cnoc Áine où il a perdu la vie. Et j'ai rencontré Sárait quand elle est venue chercher le corps. J'ignorais qu'elle était la nourrice assassinée.

— Ce Callada, comment est-il mort ?

L'ancien guerrier considéra Eadulf d'un air suspicieux.

— Vous voulez savoir si j'ai eu vent des rumeurs qui ont couru après la bataille ? On a raconté qu'on l'avait trouvé avec une dague des Eóghanacht plantée dans le dos. Nous étions sous le commandement de Cathalán, qui nous a fait remarquer qu'une épée ne prêtait pas allégeance, contrairement à l'homme qui délivre le coup. N'importe qui, Uí Fidgente ou Eóghanacht, a pu ramasser l'épée qui a tué Callada. Cependant, les rumeurs ont persisté.

— Peu importe. Revenons à votre groupe de pèlerins et à la façon dont vous êtes entrés en contact avec ce nain, intervint Fidelma.

— Eh bien, arrivés à Cashel, nous avons appris que l'évêque Ségdae était là. Nous nous sommes donc rendus à la forteresse où nous avons demandé une bénédiction et la permission de poursuivre notre pèlerinage jusqu'aux saintes reliques d'Ailbe. Puis nous sommes allés manger et dormir à l'auberge. C'est là, comme je vous l'ai déjà expliqué, que nous avons vu le nain pour la première fois. Au matin, le prince Finguine s'est présenté et a demandé si nous avions été dérangés pendant la nuit. Certains d'entre nous avaient été réveillés par des guerriers qui s'affairaient dans la cour. Finguine nous a alors appris qu'il y avait eu un meurtre et qu'un enfant avait été enlevé.

« Après son départ, nous sommes sortis dans la cour et nous avons découvert le nain. Il était petit, difforme, et portait des vêtements qui le couvraient de la tête aux pieds. Il m'apprit qu'il s'appelait Forindain et que lui aussi se rendait à Imleach. Quand je lui ai dit que telle était notre destination, il a voulu se joindre à nous. Mais il m'a averti de ne pas l'approcher de trop près vu qu'il avait été maudit par la lèpre, sans compter des malformations remontant à l'enfance. Je lui ai alors déclaré qu'il était le bienvenu dans notre groupe, car nous sommes tous égaux devant Dieu.

Il marqua une pause et sembla se rappeler un détail.

— Le nain nous a demandé quand nous partions pour Imleach. Lorsque je lui ai répondu que nous allions d'abord briser notre jeûne, il a répliqué que cela tombait bien car il avait quelque chose à faire avant de quitter Cashel. Après notre repas, nous l'avons trouvé devant la porte de l'auberge et il nous a suivis en gardant ses distances.

— Ce Forindain ne vous a pas confié d'où il venait ? s'enquit Eadulf.

Buite secoua la tête.

— Non, mais il était certainement originaire de Laigin.

— Avez-vous appris autre chose sur lui ?

— Il s'est montré fort discret et, chaque fois que quelqu'un allait l'aborder, il agitait sa clochette.

— Quel genre de personne était-il ? insista Fidelma. Gai, triste, morose, vif, sombre, plaisant ?

Frère Buite haussa les épaules.

— Difficile à dire. Il était peu loquace et gardait son capuchon sur la figure. D'ailleurs, je n'ai jamais vu son visage. À part ça, il se déplaçait vite malgré une démarche saccadée. Ses mains étaient larges et courtes, des mains puissantes. Oh… j'allais oublier. Il zézayait, comme si sa langue était trop épaisse pour sa tête.

— De quelle façon a-t-il pris congé de vous ?

Le chef des pèlerins passa sa main valide dans ses cheveux.

— Quand Forindain nous avait dit qu'il se rendait à Imleach, j'avais cru que lui aussi voulait se recueillir sur le tombeau de saint Ailbe. Mais à l'entrée de la ville, il nous a annoncé qu'il nous quittait. Je lui ai demandé où il allait et il m'a répondu qu'il continuait vers l'ouest. Nous nous sommes donc séparés à la croisée des chemins.

— Cela se passait quand ?

— Il y a trois jours.

Fidelma réfléchit. Puis elle sourit.

— Vous m'avez été d'un grand secours, frère Buite. Je n'aurai pas besoin d'interroger vos compagnons.

Buite hésita.

— Vous croyez que ce Forindain était impliqué dans le meurtre de Sárait et l'enlèvement de…

Il ne finit pas sa phrase.

— En tant que *dálaigh* et bien que je n'en aie pas la preuve formelle, je crois que vous m'avez dit la vérité, lança Fidelma d'une voix dépourvue d'émotion. Pour le reste, je n'ai pas d'opinion.

Le moine s'empourpra et Eadulf, qui se sentait désolé pour lui, se hâta d'intervenir.

— Frère Buite, nous suivons toutes les pistes, aussi ténues soient-elles. Et maintenant, espérons qu'avec un peu de chance nous en déduirons des faits incontestables. Merci encore de votre amabilité.

Buite lui sourit et Madagan le raccompagna à la porte tandis qu'Eadulf se tournait vers Fidelma.

— Nous avons au moins appris que le nain Forindain n'est pas l'enfant vu par Caol.

Fidelma haussa les sourcils.

— Ah bon ?

— Quoiqu'il ait un cheveu sur la langue, Forindain parlait, alors que l'autre était muet.

— Parce qu'il a tendu une écorce de bouleau où il était écrit qu'il ne pouvait pas parler ? Te voilà bien crédule. Dans l'éventualité où un enfant ou un nain ferait partie d'un complot, rien ne l'empêcherait de mentir. Il nous faut vérifier toutes les hypothèses, c'est la règle des brehons.

— Ou un axiome du brehon Morann ? répliqua Eadulf. Je t'accorde cependant que ce point n'est pas clair, et nos données peu fiables. Et maintenant, qu'allons-nous faire ?

Ils avaient oublié la présence de frère Madagan, qui toussota.

— Puis-je vous faire une suggestion ? Je crois que votre première priorité est de vous reposer. Le ciel s'obscurcit, à votre place je dormirais ici cette nuit.

Fidelma lui adressa un sourire las.

— Excellente idée, mon frère. Puisque nous sommes trop épuisés pour élaborer des raisonnements logiques, autant nous détendre, nous restaurer, et chercher le repos dans la contemplation.

— Je vais demander qu'on vous prépare un bain et une chambre. Vos guerriers seront hébergés dans le dortoir des invités. La cloche vous préviendra quand le repas du soir sera servi.

Arrivé à la porte, il marqua un temps d'arrêt et se retourna.

— J'ai surpris votre conversation au sujet d'un nain…

— Et alors ? dit très vite Fidelma.

— Eh bien… une troupe de *drúth* est passée il y a quelques jours, et ils comptaient plusieurs nains.

— Des *druí* ? s'étonna Eadulf, qui se demandait ce que des druides venaient faire dans cette histoire.

— Non, des *drúth* – des jongleurs, des comédiens et des bouffons qui sillonnent le pays pour divertir les gens avec de la musique, des contes et des acrobaties.

— Quand cela ? demanda Fidelma. Avant ou après l'arrivée des pèlerins ?

— La veille. Ils ont donné un spectacle en ville et s'en sont allés. Un de nos frères a assisté à la représentation et il m'a raconté qu'ils jouaient l'histoire de Bebo et Iubdán, et qu'ils n'étaient pas dépourvus de talent.

— Un excellent choix, Bebo et Iubdán, dit Fidelma d'une voix rêveuse avant de se reprendre. Mais d'après tous les témoins, le petit homme que nous recherchons était un lépreux et un religieux.

Frère Madagan haussa les épaules.

— Ça m'a juste traversé l'esprit. Ils devaient se rendre à la colline du Navire, où une foire se tiendra demain. Ce n'est pas très loin d'ici.

— Je connais cet endroit, dont le chef est un de mes lointains cousins. Merci, frère Madagan, je vais y réfléchir.

— Pourquoi l'histoire de Bebo et Iubdán te semblait-elle un choix approprié ? demanda Eadulf un peu plus tard alors qu'ils se trouvaient dans leur chambre.

Fidelma arrêta de peigner ses longs cheveux cuivrés.

— J'ai toujours aimé cette légende. Iubdán était le roi des Faylinn…

— J'ai entendu mentionner de nombreux peuples, mais pas les Faylinn.

— Les « petites personnes » sont une race qui vit dans un monde parallèle. Voici le conte : Un beau jour, Iubdán se rend à Emain Macha, la capitale du royaume d'Ulaidh. Sa femme Bebo l'accompagne. Iubdán, qui est maladroit, tombe dans le porridge qui a été préparé pour le repas du matin du roi d'Ulaidh, Fergus mac Léide. Malgré ses efforts, il ne parvient pas à sortir du bol et il est capturé par Fergus. Puis ce dernier tombe amoureux de Bebo qui le supplie d'épargner la vie de son époux. Bebo est très belle et le roi la séduit tout en gardant le mari prisonnier. Bebo et Iubdán restent captifs pendant un an et un jour avant que le roi ne leur offre la liberté en échange du bien le plus précieux de Iubdán.

— Qui était ?

— Une paire de souliers magiques qui permit au roi de voyager sur l'eau aussi facilement que sur la terre.

— Ces deux Faylinn, ont-ils gagné leur liberté ?

— Oui, après un an et un jour…

Gênée, Fidelma changea de position en songeant à leur propre mariage. La date fatidique approchait et comment prendre une décision alors qu'ils étaient accablés par les épreuves ? La disparition d'Alchú les avait bouleversés et leurs relations difficiles étaient passées au second plan.

— J'ai remarqué qu'ici, on ne se moque pas des nains comme c'est l'usage dans d'autres pays, dit Eadulf, qui feignit de ne pas avoir remarqué le trouble de Fidelma.

Elle se ressaisit et se brossa les cheveux avec une énergie redoublée.

— Pourquoi devraient-ils être considérés différemment du commun des mortels ? Après tout, ils demeurent nos semblables. Deux des anciens dieux d'Éireann, les enfants de Danu, étaient des nains :

Luchta forgeait des boucliers, des épées, et façonnaient des carquois. Quant à Abcán, il composait des poèmes pour les dieux et les déesses. Il naviguait dans un curieux bateau de métal pour passer Eas Ruadh, la cascade rouge, sur une rivière au nord d'ici. Voilà pourquoi les petites personnes trouvent souvent un emploi de musicien ou de poète auprès des cours royales. Fionn Mac Cumhail entretenait un harpiste célèbre, un nain du nom de Cnú Deireóil. Il était très beau, avec des cheveux d'or, et possédait une voix merveilleuse qui vous plongeait dans une délicieuse torpeur. Les petites personnes ne sont pas nécessairement stupides et incapables.

Eadulf demeura un instant silencieux.

— J'ai remarqué qu'en parlant d'eux tu utilises le terme d'*abacc*, alors que d'autres préfèrent *droich* ou *drochcumtha*.

— *Abacc* est le terme qui convient le mieux car il n'implique aucune critique sur d'éventuelles malformations ou des défauts de caractère.

Eadulf alla à la fenêtre. Dans la cour du cloître, un des moines était en train d'allumer les torches fichées dans des supports en métal scellés aux murs. Eadulf leva les yeux vers le ciel sombre.

— Le mois de *Cet Gaimred*… le ciel couvert dérobe à nos yeux la première des lunes d'hiver.

Il frissonna.

— Je n'aime guère cette période de l'année.

Fidelma lui jeta un coup d'œil en biais.

— La renaissance est toujours précédée d'une période d'obscurité. N'est-ce pas dans l'ordre des choses ? Voilà pourquoi l'année commence avec l'hiver. Il nous pousse au repos et à la contemplation, tout comme la nature qui se recueille avant de ressusciter avec la lumière.

Eadulf lui sourit.

— Je n'avais jamais compris pourquoi votre fête de Samain marquait le début de l'année.

— La méditation prépare l'action, non ? Les graines dorment, les gens réduisent leurs activités et attendent dans leurs foyers les premiers signes du printemps. Ainsi, l'enfant, dans la matrice de sa mère, gagne en vigueur avant de naître au monde.

— L'inactivité, même aux heures sombres, peut sembler pesante.

Eadulf s'appuya à la vitre et rejeta en arrière une mèche de ses cheveux blonds.

— Dans la période que nous traversons, cela ne servirait à rien d'attendre que les brebis donnent du lait. Mieux vaut remettre la contemplation et le délassement à plus tard.

En voyant Fidelma tressaillir, il regretta aussitôt ses paroles et s'avança vers elle, mais elle refusa ses mains tendues, détourna la tête et se leva.

— Tu as raison, bien sûr.

— Je ne voulais pas t'offenser.

— La cloche du réfectoire ne va pas tarder à sonner. Il temps de décider ce que nous entreprendrons demain.

Eadulf s'éclaircit la voix, puis il haussa les épaules d'un air découragé.

— Pourquoi ne pas tenter de retrouver le petit lépreux ? insista Fidelma.

— C'est une option possible. Cependant, même s'il s'agit bien de l'enfant étrange décrit par Caol, nous ignorons où il se cache. Une vague direction me semble insuffisante et il ne se rendait pas nécessairement à la fête. Bref, autant chercher une aiguille dans une meule de foin. Il a dit à frère Buite qu'il cheminait vers l'ouest, mais il a pu aussi bien prendre une autre direction, ou même revenir sur ses pas. Certes, nous devons nous accrocher à la moindre piste, mais celle-ci risque de nous faire perdre un temps précieux.

— Pourtant, je ne vois pas d'autre alternative.

— Si, admettre que cette quête n'a rien donné.

Fidelma renifla.

— La vie est toujours gouvernée par le principe du choix entre deux actions.

— Laquelle choisis-tu ?

À cet instant, la cloche retentit et Fidelma se dirigea vers la porte sans répondre.

— Arrête ! s'écria Eadulf.

Surprise, elle se tourna vers lui.

— Il me semble, lança-t-il d'un ton acerbe, que tu pourrais au moins me faire part de tes intentions. Même si tu ne me respectes pas en tant qu'époux, j'exige que tu prennes en considération le fait que je suis le père d'Alchú. Il est tout autant mon fils que le tien.

Fidelma s'empourpra. En proie à une colère mêlée de frustration, elle s'apprêtait à rétorquer vertement quand elle sentit tout son corps se glacer. La culpabilité la submergea.

Elle comprit qu'elle était en faute. Elle avait toujours présumé que la solidité d'Eadulf et sa présence réconfortante lui étaient dues. Pour dissimuler ses insuffisances, elle avait fait preuve d'arrogance à son égard. Eadulf avait raison. Aurait-elle abusé de sa bonté ? Elle fixa son visage résolu. Jamais elle ne l'avait vu aussi froid et aussi distant.

— Eadulf…

Il attendit, mais rien ne venait.

— Et alors ? Je t'écoute ! Quelle décision as-tu prise ? À moins que tu ne daignes pas m'en informer ! Quelle importance après tout ? J'ai l'habitude avec tous ces courtisans à Cashel qui se poussent du coude en ma présence et m'adressent des sourires ironiques. Voilà l'étranger, qui ne vaut pas davantage qu'un serviteur, et qui a osé épouser notre princesse !

Fidelma n'en croyait pas ses oreilles.

— Mais qui te traite ainsi ? balbutia-t-elle.

— Serais-tu aveugle ? ricana Eadulf. Sourde aux murmures et aux récriminations dans les couloirs du château de ton frère ? Il est évident qu'on m'estime indigne de toi et tu as souvent prouvé que tu partageais ces sentiments. J'ai l'impression d'être traité comme… comme…

Il se tut, incapable d'exprimer les souffrances que lui avaient infligées des mois d'humiliation.

Fidelma était pétrifiée. Elle avait l'impression d'être soudain confrontée à un étranger. Cette passion, cette rage… Il la dévisageait, attendant sa réaction. Elle poussa un profond soupir.

— J'allais suggérer que nous poursuivions vers l'ouest, jusqu'à Cnoc Loinge, la colline du Navire, dit-elle d'une voix douce. Là, nous pourrions tenter d'en apprendre davantage sur le nain Forindain.

— Très bien, je te donne mon accord, répliqua Eadulf d'un ton sec.

Il passa devant elle et sortit de la pièce tandis qu'elle le suivait des yeux, abasourdie.

CHAPITRE VI

Le lendemain matin, le petit groupe se rassembla et Fidelma annonça qu'ils se dirigeraient vers l'ouest.

Depuis leur altercation de la veille, Eadulf et Fidelma s'étaient à peine adressé la parole. Tous sautèrent à cheval, puis Fidelma dit à Capa quels étaient ses projets.

— Il ne nous faudra pas plus de quelques heures pour atteindre Cnoc Loinge.

— Mais là-bas, il n'y a rien du tout, protesta le commandant de la garde.

— Si, une fête à laquelle je veux assister.

Capa n'osa insister. Les explications que Fidelma condescendit à lui donner ne suscitèrent guère son enthousiasme.

— Vous dites que ce nain, Forindain, pourrait être le messager qui a attiré ma belle-sœur hors du palais ? Un lépreux ? Et nous nous rendons à Cnoc Loinge pour parlementer avec une bande de forains à laquelle ce Forindain appartiendrait ? Cela me semble une perte de temps.

— Nous verrons bien.

Capa jeta un coup d'œil à Eadulf, demeuré silencieux, et il comprit qu'il valait mieux s'en tenir là.

La colline dont les courbes rappelaient un navire était située à cinq milles à peine de l'abbaye d'Imleach. Jusqu'à ce qu'ils arrivent au village niché au pied de cette colline, ce fut une plaisante chevauchée dans la campagne boisée. Mais un peu avant qu'ils n'atteignent leur destination, plusieurs personnes les rejoignirent. Bientôt le chemin fut encombré d'une foule de gens, à pied, à cheval, conduisant des carrioles tirées par des ânes robustes… Tous se dirigeaient vers le champ de foire où se dérouleraient les festivités.

Des tentes avaient été dressées sur l'esplanade ou *faithche*, entourée de bâtiments en bois. Dans tout le pays, des jeux et des célébrations étaient organisés et présidés par le chef local. Sur le terrain préalablement nettoyé, des clôtures et des remblais marquaient l'endroit où on installait les échoppes. Un espace était réservé aux épreuves physiques telles que le saut, la course et les combats à l'épée ou à mains nues. Sur un promontoire herbeux, le *cluichi mag*, s'affronteraient des champions du jeu de *camán*. Ce genre de festivité s'appelait un *oirecht*, par opposition aux *feís*, les fêtes de plus grande importance.

Cet *oirecht* avait attiré beaucoup de monde. La majeure partie de la population de la région s'y était donné rendez-vous.

Dans les baraques et les enclos, le commerce allait bon train, et les gourmands se régalaient de gâteaux et de confiseries. De la musique dominait le vacarme de la foule. Les joueurs de tambourin, de *cruit* – la harpe – et de *cuirsig* – pipeau, flûte et cornemuse – s'en donnaient à cœur joie. Sans oublier le *cnamh-fhir*, des percussions à base d'osselets dont les habitants des cinq royaumes usaient en virtuoses.

Fidelma fut aussitôt attirée par des tréteaux dressés pour les comédiens. Elle lut l'annonce suivante sur un écriteau cloué à un poteau : « Ici sera jouée l'histoire des amours de Bebo des Faylinn. » Donc les nains étaient encore là. Cela ne garantissait en rien la présence du lépreux Forindain, mais Fidelma avait l'intuition qu'elle le trouverait.

Elle arrêta son cheval et héla un homme qui se tenait en bordure du champ de foire, près d'un ruisseau où les gens faisaient boire leurs chevaux. Il avait un chien loup en laisse qui se désaltérait.

— Bien le bonjour, mon ami. Où est le *suide-dála* abritant votre chef ?

L'homme aux cheveux roux ressemblait davantage à un forgeron qu'à un fermier. Il fixa sur elle des yeux d'un bleu de myosotis, puis son regard se promena sur les guerriers de son escorte et les torques d'or qui brillaient à leur cou. Reconnaissant l'élite de la garde royale de Cashel, il s'inclina respectueusement devant Fidelma, dont il avait tout de suite compris qu'elle n'était pas une religieuse ordinaire.

— Bienvenue à Cnoc Loinge, lady. Si vous suivez ce ruisseau, vous arriverez à la tente bleue près du *camán* où notre chef Fiachrae se repose avant d'inaugurer les jeux.

— Merci.

Fidelma allait enfoncer ses talons dans les flancs de sa monture quand Capa la retint.

— Désirez-vous que nous recherchions les nains et que nous nous renseignions sur ce lépreux ?

— Excellente idée. Pendant que je m'entretiendrai avec Fiachrae, un cousin éloigné des Eóghanacht, vous nous ferez gagner du temps en essayant de retrouver Forindain, dont vous connaissez déjà le signalement.

— Comment fait-on pour approcher un lépreux ? s'inquiéta Gormán.

Fidelma eut un sourire amusé.

— On s'y prend de la même façon que pour un homme ordinaire. Dites-lui qu'un *dálaigh* désire lui parler. Je vous rejoindrai plus tard.

À cet instant, et pour une raison qui échappa à son cavalier, l'étalon d'Eadulf se cabra et hennit. Le Saxon, peu féru d'équitation, s'accrocha à la crinière de son cheval qui se mit à ruer, heurtant la jument de Fidelma qui rua à son tour, glissa dans la boue, perdit l'équilibre, et précipita Fidelma dans le ruisseau.

Aussitôt Capa maîtrisa la jument de la jeune femme tandis que Gormán faisait de même avec l'étalon. Les deux bêtes se calmèrent. Puis Eadulf et Capa se précipitèrent vers Fidelma qui toussait, le souffle coupé.

— Ça va ? demanda Eadulf avec anxiété.

Elle le foudroya du regard, les joues roses de colère.

— Tu n'as pas encore appris à contrôler un cheval, depuis le temps ?

Il recula comme si elle l'avait frappé.

— Excuse-moi, murmura-t-elle, honteuse de son mouvement d'humeur. Je suis endolorie et trempée jusqu'aux os, mais c'est ma fierté qui a le plus souffert.

Les deux hommes lui tendirent la main pour la remettre sur pied.

— Voilà une bien piètre tenue pour saluer mon cousin, grommela-t-elle.

— Votre tenue n'a que peu d'importance, cousine ! lança une voix grave et sonore.

Un homme d'âge moyen et au visage poupin s'était approché, accompagné de quelques serviteurs. Richement vêtu, il arborait une chaîne d'or, symbole de sa fonction.

Fidelma cligna des yeux.

— Fiachrae ?

— Bienvenue dans mon *oirechtas*, cousine. Avant que vous n'attrapiez la mort, un de ces gaillards va vous mener à ma maison des bains et vous apportera des vêtements secs. Puis vous me rejoindrez dans ma tente pour y prendre quelques rafraîchissements, vous aurez alors tout le temps de m'expliquer ce qui vous amène ici.

Fidelma acquiesça de mauvaise grâce. Puis elle désigna Eadulf.

— Permettez-moi de vous présenter mon *fer comtha*, Eadulf de Seaxmund's Ham.

Le chef tourna ses yeux pâles vers le moine saxon.

— Je... j'ai beaucoup entendu parler de vous, dit-il d'une voix hésitante avant de revenir à Fidelma. Ne vous inquiétez pas, je prends votre compagnon sous mon aile.

Fidelma hocha la tête, puis s'adressa à Capa et à ses hommes.

— Nos plans demeurent inchangés. Allez.

Eadulf comprit que, pour l'instant, elle voulait tenir Fiachrae à l'écart de ses préoccupations. Le chef fit signe à un de ses serviteurs d'emmener les chevaux de ses invités, puis il s'avança vers la grande tente bleue où il se tenait pendant la fête.

La foule s'était déjà rassemblée autour des nouveaux venus, puis, comprenant qu'ils ne participaient pas aux festivités, elle se dispersa rapidement. Fiachrae se tourna alors vers une servante.

— Cette femme va s'occuper de vous, cousine.

Il désigna des bâtiments derrière la tente.

— Elle satisfera à tous vos désirs.

Fidelma s'éclipsa tandis que le chef prenait Eadulf par le bras et lui parlait de choses et d'autres tout en l'entraînant. À cette période de l'année, il faisait froid même par beau temps et, au centre de la tente, des braises se consumaient dans un brasero en fer pour donner un peu de chaleur. La fumée s'élevait en volutes avant de s'échapper par le trou ménagé près du pilier central, qui maintenait la structure en place.

— Et maintenant, cher ami saxon, ou devrais-je dire cher cousin par alliance, vidons un gobelet d'hydromel pour nous réchauffer.

Eadulf sourit d'un air las et se laissa tomber sur le siège que le chef lui indiquait.

— J'accepte avec joie.

Le chef était un homme des plus loquaces. Rien ne l'arrêtait et l'intérêt que lui portait son auditoire lui importait peu.

— C'est votre première visite à Cnoc Loinge, ami saxon ? commença-t-il. Je ne me souviens pas de vous et cela faisait très longtemps que je n'avais pas vu ma cousine.

Eadulf but une gorgée du liquide sucré.

— Dans cette partie du pays, je ne me suis jamais avancé plus loin qu'Imleach.

— Ah oui, je me rappelle fort bien à quelle occasion. C'était quand frère Mochta et les reliques de saint Ailbe avaient disparu.

Eadulf hocha la tête.

— Eh bien, vous découvrirez que tout comme l'abbaye, mon petit *rath* est très renommé. C'est ici que l'ancêtre des rois Eóghanacht se libéra de l'injuste tutelle du haut roi.

Eadulf hocha la tête avec un sourire poli.

— Lady Moncha donna naissance à un fils quelques mois après que son seigneur Eóghan, ancêtre de tous les Eóghanacht, fut tué au cours des combats. Ce fils s'appelait Fiachrae Muilleathan et ce nom, « roi des batailles », n'était pas usurpé, comme vous allez bientôt le comprendre.

— Je savais que Fiachrae signifie « roi des batailles », mais j'aurais traduit Muilleathan par « à la grande couronne ».

Le chef eut un geste d'impatience.

— Un astrologue avait prédit que si l'enfant naissait un certain jour, il deviendrait le chef des bouffons des cinq royaumes. Par contre, s'il venait au monde le lendemain, la position des étoiles lui permettrait de devenir le plus puissant monarque du royaume. Quand Moncha ressentit les premières douleurs, le jour le plus favorable n'était pas encore arrivé. Elle quitta le palais de Cnoc Rafoan et alla marcher le long de la rivière Suir toute proche. Alors elle s'assit sur une pierre pour s'efforcer de retarder la venue du bébé. La journée s'écoula, puis la nuit, et l'enfant naquit le jour qui devait lui valoir une grande renommée. Malheureusement, les efforts de Moncha pour différer l'accouchement l'avaient épuisée et elle mourut. Quand le bébé sortit du ventre de sa mère, elle l'avait tellement pressé sur la pierre que son front en resta aplati, ce qui lui valut le sobriquet de Muilleathan, « à la grande couronne ».

Le chef s'exprimait avec une gravité qui donna à Eadulf une violente envie de rire, et il réprima son accès d'hilarité.

— Poursuivez, je vous en prie.

— Fiachrae, ou Fiacha, le diminutif plein d'affection que lui donnait son peuple, devint un grand roi. Il régnait à l'époque du haut roi Cormac mac Art, il y a environ quatre siècles de cela. Les Uí Néill, du clan des Dál Riada, réussirent à chasser Cormac de Tara mais Fiachrae vola à son secours, et Cormac regagna la haute royauté. Les relations entre les deux hommes étaient excellentes jusqu'à ce que Cormac tombe sous l'emprise d'un conseiller malveillant. Cet homme ambitieux lui souffla que, le royaume de Muman étant le plus vaste des cinq royaumes, il serait normal que Fiachrae paye un double tribut au haut roi. Fiachrae refusa tout net.

« C'est alors que Cormac, poussé par son âme damnée, entra avec son armée dans Muman. Celle de Fiachrae se rassembla ici même, sur cette colline en forme de navire, et se retrouva encerclée par les hommes de Cormac. Une fois de plus, Cormac prit la mauvaise décision. Ses généraux lui ayant suggéré de brûler les guerriers de Fiachrae, il ordonna qu'on mît le feu aux arbres et aux buissons. Mais Mag Ruith, le druide, fit se lever un vent contraire qui enfuma les guerriers de Cormac. Ils battirent en retraite, toussant et crachant, et Fiachrae se lança alors à la poursuite de Cormac qui fut défait et obligé de payer des réparations à Fiachrae.

Eadulf étouffa un bâillement.

— Et ensuite tout le monde vécut heureux dans la paix retrouvée ?

Le chef secoua la tête, inconscient de l'ironie de son interlocuteur.

— La vie n'est pas un conte de fées, Saxon. Cormac eut sa revanche.

Eadulf se demanda si Fidelma tarderait encore longtemps. Puis il réalisa qu'il était censé donner la réplique à son hôte.

— De quelle manière ? dit-il très vite.

— Eh bien, Cormac avait un frère de lait du nom de Connla, fils de Tadhg seigneur d'Éile, un rival au trône de Muman et un cousin de Fiachrae. Connla avait contracté la lèpre alors qu'il séjournait à Tara...

Eadulf changea de position.

— Ah bon ?

— Comme je vous le dis. Cormac élabora un stratagème très habile. Il persuada Connla qu'en se baignant dans le sang d'un roi qui lui serait apparenté, il parviendrait à guérir de son affliction. Connla se rendit à la cour de Cnoc Rafoan où il fut très bien traité par Fiachrae. Connla attendit patiemment son heure et un jour qu'il était allé nager avec son cousin dans la Suir, à Áth Aiseal, le gué de l'âne, il plongea son épée dans le corps de Fiachrae.

— A-t-il été guéri de la lèpre ? demanda Eadulf avec un petit sourire.

Le chef fronça les sourcils d'un air fâché.

— Bien sûr que non ! Connla fut emmené par les gardes de Fiachrae mais, dans une émouvante démonstration de sa grandeur d'âme, le roi à l'article de la mort ordonna qu'on épargne sa vie et qu'on l'envoie dans la maison des lépreux sur les terres des Corco Duibhne. Le roi décéda et son *tanist* Ailill Flann Bec lui succéda. Notre roi Colgú descend de cette noble lignée. Colgú et bien sûr votre épouse, Fidelma.

Le visage du chef s'éclaira et il jeta un coup d'œil en coin à Eadulf.

— On m'a rapporté que Fidelma avait donné le jour à un fils. Comment se porte l'enfant ? Il s'appelle Alchú, c'est bien cela ?

Eadulf profita de cette opportunité pour raconter à Fiachrae ce qui les amenait dans son fief, et le chef se rembrunit.

— Mais… mais c'est horrible. Vous auriez dû me prévenir. Quelle tragédie ! Vous me voyez bouleversé par cette nouvelle.

Eadulf eut l'impression que la réaction de Fiachrae manquait de sincérité, et il se retint de lui faire remarquer qu'il n'avait pas vraiment eu le loisir d'exposer la raison de sa visite. Il avait presque terminé son récit quand il se rappela qu'au bord du ruisseau Fidelma avait préféré cacher le motif de leur présence en ces lieux.

— En tout cas, déclara Fiachrae en reposant son gobelet, aucun colporteur ou lépreux d'aucune sorte n'a été signalé sur mon territoire.

— Fidelma pensait qu'il avait pu rejoindre les nains qui sont ici…

Fiachrae secoua vigoureusement la tête.

— Ces *crossan* ne comptent aucun religieux ni aucun lépreux parmi eux.

— Ces *crossan* ?

— Oui, ces *drúth*… des bouffons, des saltimbanques. Ils vont jouer une pièce et on accourra de tout le pays pour y assister. Ces petites personnes arrivent directement de la fête de Tailltenn, où ils ont remporté un grand succès en donnant une représentation pour le haut roi.

— Aucun d'eux n'a été vu avec un bébé ?

Fiachrae fronça les sourcils.

— Soupçonneriez-vous des comédiens d'avoir enlevé votre fils ?

— Nous soupçonnons un nain d'être impliqué dans ce complot, résuma brièvement Eadulf, peu convaincu de partager les intuitions de Fidelma sur le sujet.

— En tout cas, aucun d'eux n'a été vu avec un bébé. Sans compter qu'ils n'arrivaient pas de Cashel mais de Cluain Mic Nois et de Tír dhá Ghlas, le territoire des deux cours d'eau, au nord d'Imleach.

— Vous semblez très bien informé de leurs déplacements.

Fiachrae eut un petit sourire.

— Bien obligé, mon ami. Si je vous emmenais en haut de la colline du Navire derrière nous, vous comprendriez pourquoi.

— Vous êtes si proche du territoire des Uí Fidgente ?

Eadulf avait toujours associé les Uí Fidgente avec un territoire au nord-ouest.

— Cnoc Áine, où nous avons battu les Uí Fidgente l'année dernière, n'est qu'à cinq milles au nord. Nous surveillons de près la frontière de ce clan rebelle qui ne cesse de comploter contre la loi des Eóghanacht. Voilà pourquoi je m'intéresse aux voyageurs. Et mon peuple ne manque jamais de rapporter les allées et venues des étrangers en provenance du territoire des Uí Fidgente.

Eadulf se pencha vers son interlocuteur.

— Donc vous savez qui est passé par ici ces derniers jours ?

L'autre afficha un air complaisant.

— Absolument. Par exemple, je peux vous dire qu'un homme très étrange s'est présenté ici. Il voyage avec un religieux des Uí Néill du Nord et connaît à peine notre langue, mais il parle le grec et le latin.

— Nous avons entendu parler d'eux.

— Il s'appelle frère Basil Nestorios. Son compagnon, frère Tanaide, m'a conté que ce Basil Nestorios est un guérisseur des terres d'Orient. Frère Tanaide s'est même vanté que son protégé pouvait guérir la lèpre, grâce à ses potions et ses simples. Un fou, si vous voulez mon avis, mais la plupart des étrangers ne sont-ils pas…

Réalisant soudain ce qu'il venait de dire, il fixa Eadulf d'un air confus.

— Quelqu'un d'autre ? le pressa Eadulf, ignorant la bévue de Fiachrae, qui secoua la tête.

— Non, et je n'ai remarqué personne avec un enfant en bas âge.

À cet instant, Fidelma réapparut, fraîche et rose dans ses vêtements propres.

— Surtout ne vous levez pas et excusez-moi d'avoir été si longue, dit-elle en prenant un siège auprès du feu.

— Ne vous inquiétez pas pour nous, cousine, j'ai diverti notre ami saxon en le renseignant sur notre généalogie.

Fidelma croisa le regard d'Eadulf.

— Je vois. L'histoire de notre ancêtre Fiachrae, fils d'Eóghan, et celle du siège de Cnoc Loinge, qui est l'une des sagas du royaume. Vous avez toujours été passionné par la généalogie.

Ravi, le chef lui proposa de l'hydromel pour se remettre de ses émotions.

— Non merci. Je manque d'entrain et je crains de ne pas être une convive très plaisante. Capa et ses hommes sont bien longs. Pourtant, ce champ de foire me paraît assez peu étendu.

— Il grandit en même temps que notre prospérité. Mais à trois, vos guerriers ne devraient pas avoir trop de mal à repérer un lépreux.

Fidelma fronça les sourcils.

— Nous avons eu une longue conversation, Eadulf et moi, poursuivit le chef. Il m'a informé des raisons de votre visite. Si je peux vous venir en aide de quelque manière que ce soit, je serai ravi que vous me mettiez à contribution.

Fidelma sembla se détendre.

— Je vous remercie du fond du cœur.

— Comme je le disais à Eadulf, cela fait partie de mes attributions de savoir si des étrangers assistent à la fête. Votre frère a bien insisté sur ce point après la victoire de Cnoc Áine. Et donc vous ne trouverez ici aucun lépreux et les nains ne sont que des *crossan*.

Fidelma jeta un regard réprobateur à Eadulf.

— Si je comprends bien, mon *fer comtha* s'est empressé de vous demander si des étrangers étaient passés par ici et s'ils avaient un bébé avec eux ?

— Vous avez toujours l'esprit aussi vif, cousine, gloussa le chef.

Il se dirigea vers une table basse et tendit un second gobelet d'hydromel à Eadulf, qui le prit machinalement.

— Et qu'avez-vous répondu ? demanda Fidelma avec impatience.

— Que je n'avais vu personne avec un bébé qui n'était pas le sien.

Elle allait se lever quand un des hommes de Fiachrae entra dans la tente sans se faire annoncer, et se dirigea à grands pas vers le chef.

— Il y a eu un meurtre, lança-t-il sans autre préambule.

Le chef haussa les sourcils d'un air ahuri.

— Hein ? Mais de qui s'agit-il ? Parle !

— Capa de Cashel m'a envoyé vous chercher ainsi que lady Fidelma. Ils ont découvert un corps de l'autre côté du champ de foire.

— Un de mes hommes est-il blessé ? s'écria Fidelma en sautant sur ses pieds, aussitôt imitée par Eadulf et Fiachrae.

Le messager secoua la tête.

— Non, lady, d'ailleurs ils n'étaient en rien impliqués dans cette affaire.

— Nous vous suivons.

Le messager les entraîna à sa suite. Le petit groupe se faufila entre les stalles et les échoppes, et franchit une passerelle en planches au-dessus du ruisseau où s'abreuvait le bétail. Puis ils s'avancèrent vers la forêt d'ifs, de houx et de prunelliers dépouillés de leurs feuilles. Caol, qui se tenait à la lisière de la forêt, leur fit de grands signes.

— Par ici, lady !

Ils suivirent un étroit sentier et tombèrent sur Capa et Gormán, qui semblait très affecté.

Sur le bas-côté du chemin, au milieu de souches de frênes recouvertes de champignons noirs et de cornouillers aux feuilles rouge sang, gisait un cadavre.

Capa le désigna d'un index accusateur.

— Nous l'avons trouvé, lady.

Le cadavre était celui d'un très petit homme à la grosse tête revêtu de la robe de bure des religieux. Il fixait le ciel, étendu sur un tapis de pézizes orangées qui lui prêtaient une qualité surnaturelle.

Inutile de demander comment le nain était mort. La cordelière habituellement attachée autour de la taille des moines avait servi à l'étrangler. Son visage s'était figé en une grimace. La peau d'un gris bleuté était marbrée et la langue pointait entre les dents.

CHAPITRE VII

Tout le monde parlait en même temps.

— Taisez-vous ! lança Fidelma avant de s'agenouiller auprès du cadavre.

Le nain était jeune, il avait des cheveux noirs qui ne portaient pas trace de tonsure, et sous le corps encore chaud apparaissait un objet en métal. Elle tira dessus et il céda avec un tintement musical. C'était une clochette de bronze avec une poignée en bois. Elle l'examina avant de la poser près d'elle, puis elle se concentra sur les mains et le visage du défunt.

C'est alors qu'à la surprise de tous elle entreprit avec précaution de déshabiller la victime. Elle étudia sa peau dans un silence attentif, puis elle remit les vêtements en place, enveloppant avec soin le petit homme.

— Y a-t-il un médecin à Cnoc Loinge ? demanda-t-elle à Fiachrae en se relevant.

Le chef, visiblement choqué, secoua la tête.

— Non, mais nous avons un herboriste et un homme chargé de la toilette des morts pour les enterrements. Le médecin le plus proche réside à l'abbaye d'Imleach.

— Je veux que l'herboriste fasse transporter le corps dans son officine et qu'il me rende ses conclusions dans une heure.

— Que doit-il chercher ?

— Des traces de mauvais traitements ou d'affections quelconques.

Fiachrae fit signe à son aide de camp qui partit en courant.

Fidelma se tourna vers ses guerriers.

— Comment l'avez-vous découvert ?

Gormán se balança d'un pied sur l'autre d'un air gêné.

— C'est moi qui l'ai trouvé, lady.

— Pourtant, il était dissimulé par la végétation. Et cet endroit est à l'écart du champ de foire, où vous étiez censé vous cantonner.

— Quand vous nous avez quittés, Capa a voulu qu'on se sépare pour accélérer les recherches. Alors que j'errais dans le secteur qui m'avait été attribué, Capa m'a rejoint et m'a rapporté qu'une femme avait aperçu un nain. Il portait la robe des religieux et secouait une clochette de lépreux tout en rôdant dans les bois. Capa m'a chargé de vérifier ce témoignage.

Capa allait intervenir quand Fidelma l'arrêta.

— Poursuivez, Gormán.

— En arrivant ici, j'ai commencé à regarder autour de moi. Le nain n'était qu'à moitié caché et je l'ai remarqué assez facilement.

— Il reposait dans cette position ?

— Oui. J'ai bien pris garde de ne toucher à rien et, m'étant assuré qu'il était mort, je suis parti à la recherche de Capa qui continuait d'arpenter le champ de foire avec Caol. Nous sommes venus ici constater les faits, et Capa s'est absenté un moment pour demander à quelqu'un d'aller vous avertir.

Caol s'avança.

— J'ai guetté votre arrivée pendant que Capa et Gormán restaient auprès du cadavre.

— Quand vous vous en êtes approché, Gormán, avez-vous perçu une présence ?

— Non, lady. Dès que j'ai compris que le petit homme avait été assassiné, je me suis empressé de fouiller les environs mais je n'ai vu personne.

Fidelma hocha la tête.

— Capa, j'aimerais éclaircir certains points. Comment cette femme savait-elle que vous traquiez un religieux de petite taille avec une clochette de lépreux ? Et quand elle vous a dit qu'elle avait aperçu un nain à la lisière de la forêt, pourquoi n'êtes-vous pas parti vous-même à sa recherche ?

Capa lui adressa un sourire désarmant.

— Pour gagner du temps, j'ai interrogé quelques personnes, et cette femme, la fille d'un fermier de la région, je suppose, m'a raconté qu'elle allait puiser de l'eau au ruisseau pour ses bêtes quand elle avait croisé un individu correspondant au signalement. Tout de suite après, j'ai vu Gormán, et je l'ai prié de vérifier ces allégations. Quant à moi, j'ai continué mon enquête jusqu'à ce que Gormán vienne m'avertir. Vous connaissez la suite.

Fidelma poussa un profond soupir.

— Retournons à votre tente, Fiachrae. Vous attendrez ici l'herboriste, ajouta-t-elle à l'adresse des trois guerriers. Expliquez-lui que je veux un rapport complet et, dès qu'il en aura terminé, prévenez-moi. Je viendrai moi-même lui parler.

Capa porta la main à sa tempe et Fidelma, Eadulf et le chef rebroussèrent chemin.

— Je ne comprends pas ce qui se passe ! protesta Fiachrae.

— Ce qui n'a rien d'étonnant, répliqua Fidelma d'un ton sec.

Eadulf se racla la gorge. Après tout, ils se trouvaient dans le fief de Fiachrae, et le chef pouvait prendre offense de l'attitude désinvolte de Fidelma.

— Je pense qu'il s'agit du nain que nous recherchions, se radoucit la jeune femme, et selon moi, il n'a jamais souffert de la lèpre.

— Pourtant, il portait une clochette, fit observer Eadulf.

— Voilà pourquoi j'ai exigé l'avis d'une tierce personne qui ne manquera pas de confirmer mes soupçons.

De retour dans la tente, Fiachrae se versa aussitôt de l'hydromel, puis, se rappelant ses invités, il leur proposa de se joindre à lui.

Cette fois, Eadulf s'abstint tandis que Fidelma acceptait la moitié d'un gobelet.

— Voilà qui assombrit notre fête, cousine, grommela Fiachrae. Qui est ce religieux et qui l'a assassiné ? Ce meurtre est intervenu sur mon territoire et je dois retrouver le coupable.

— Ne craignez rien, en tant que *dálaigh*, je prends la responsabilité de cette affaire.

Brusquement, Fiachrae se redressa.

— Ne faudrait-il pas informer les *crossan* de ce drame ? Peut-être s'agit-il d'un de leurs amis ?

— Excellente suggestion ! s'écria Fidelma. J'avais presque oublié… Demandez-leur de se rassembler devant l'officine de l'herboriste. Mais ne les laissez surtout pas entrer avant que je me sois entretenue avec lui.

Après le départ de Fiachrae, Eadulf se pencha vivement vers Fidelma.

— Ne crois-tu pas que le jeune Gormán avait de bonnes raisons de tuer le nain et qu'il a saisi l'opportunité qui se présentait à lui ?

— Comment cela ?

— Il a insisté pour nous accompagner, et il a reconnu qu'il était amoureux de Sárait et désirait se venger.

Soudain, Eadulf ouvrit de grands yeux.

— Et si Aona avait raison ? Et si Gormán était responsable de la mort de Callada, le mari de Sárait, et si…

— Tu t'emballes. Où sont les preuves pour étayer tes hypothèses ? Comme je le dis souvent, les spéculations gratuites ne mènent nulle part. Pour quelles raisons Gormán se serait-il débarrassé du nain alors que rien ne l'accuse du meurtre de Sárait ? Caol a cru voir un enfant difforme apporter un message à notre nourrice qui s'est absentée pour répondre à un appel dont nous ignorons la teneur.

Eadulf se rembrunit.

— J'avais oublié que notre seul témoin était Caol. Peut-être Caol a-t-il reconnu le nain et…

Fidelma secoua la tête.

— Attendons avant de nous prononcer.

Quelques instants plus tard, Caol les invitait à le suivre chez l'herboriste. Il travaillait dans une chaumière en bois où séchaient toutes sortes de fleurs et de plantes. Un feu ardent flambait dans la cheminée. L'atmosphère saturée d'arômes provoqua une toux irrépressible chez Eadulf et Fidelma avait du mal à respirer. Bien qu'il fasse encore jour, l'intérieur était éclairé par des lanternes car les petites fenêtres ne laissaient filtrer qu'une lumière parcimonieuse.

— Bon, le nain est mort, annonça le vieux guérisseur d'un ton sec en les fixant avec une intensité qui trahissait une vue déficiente. Pourquoi venez-vous m'embêter ?

— N'importe quel idiot se rendrait compte qu'il n'est plus de ce monde, répliqua Fidelma. J'avais demandé que vous recherchiez des signes d'affection.

— Le nanisme en est une, non ?

— Oui, je vous remercie de ce renseignement. Souffrait-il de la lèpre ?

— Pardon ? s'énerva le vieillard irascible. Exigeriez-vous que je vous donne un cours de médecine élémentaire ?

Fiachrae s'avança.

— Je vous présente la sœur du roi Colgú, *dálaigh* des cours de justice, annonça-t-il d'une voix douce. Je vous prie de répondre à ses questions avec la courtoisie requise, ou il se pourrait bien qu'il vous soit désormais interdit d'exercer votre office sur mes terres.

L'autre cligna des yeux et s'attarda sur le visage de Fidelma.

— Le nain ne souffrait pas de la lèpre, lady.

— Peut-être en était-il guéri ?

— Non, il ne porte aucune trace de cicatrice. Sans compter qu'il s'agit d'une maladie dont on ne se relève pas, même si certains étrangers se vantent de la guérir par des cures miraculeuses.

Fidelma pinça les lèvres.

— C'est bien ce que je pensais.

Puis elle fronça les sourcils.

— À quels étrangers vous référiez-vous ?

Le vieillard renifla avec mépris.

— Il y a un jour ou deux, un homme est venu ici qui parlait fort mal notre langue. Son compagnon traduisait ses propos et il m'a expliqué que son ami était un médecin dans son pays. Et il a affirmé que diverses plantes peuvent guérir cette maladie. L'étranger me les a énumérées mais, en dehors de la bardane, je n'en connaissais aucune. Chez nous, la bardane ne sert qu'à traiter les brûlures et les plaies.

— Et on mange les jeunes pousses en salade, ajouta Eadulf, qui avait étudié l'art de la médecine et était versé dans l'utilisation des simples. Vous souvenez-vous des autres plantes qu'il a citées ?

Le vieillard le toisa d'un air courroucé.

— Il s'agissait de noms bizarres que j'aurais été bien incapable de retenir. Même saint Fintan de Teach Munna à Laigin, qui avait contracté la lèpre, ne put en réchapper. L'évêque Petrán a dit devant moi que Fintan avait été maudit car pendant le synode de Magh Lene, qui s'est tenu dans ma jeunesse, il avait défié l'autorité de Rome. Il avait critiqué certaines déclarations des évêques, dont leur approbation de l'édit de Lyon : cet édit stipulait que les lépreux devaient être rejetés de la société et prévenir de leur présence par une clochette, afin que les autres s'écartent de leur chemin.

Fidelma ne put contenir son impatience.

— Votre exposé est très intéressant mais, pour l'instant, les bons et les mauvais côtés de nos mœurs et de notre Église nous intéressent d'assez loin.

Elle jeta un coup d'œil au cadavre, maintenant revêtu de sa robe de bure et prêt pour l'ensevelissement. Le petit corps étendu sur la table avait quelque chose de pathétique.

— Très bien, reprit Fidelma. Nous avons besoin de rester seuls dans votre maison pendant quelques minutes. Soyez assez aimable pour attendre dehors avec mes guerriers. Fiachrae, restez avec moi. Eadulf, demande à Capa d'introduire les *crossan*.

Eadulf escorta le vieillard fort mécontent jusqu'à la porte, et il vit Capa et ses hommes entourés de six petites personnes portant des vêtements aux couleurs criardes.

— Laissez-les entrer, lança-t-il à Capa.

Les saltimbanques s'avancèrent, pleins de curiosité, et regardèrent autour d'eux.

À peine avaient-ils fait quelques pas à l'intérieur de la chaumière qu'un des nains pointa un doigt en direction de la table en poussant un hurlement. Aussitôt, des cris angoissés retentirent et Fidelma n'eut pas besoin de demander s'ils reconnaissaient le petit religieux.

L'un d'eux se précipita vers lui et le secoua, comme pour s'assurer qu'il était bien mort. Fidelma réalisa que ce nain ressemblait au trépassé de façon frappante. À l'évidence, il ressentait une profonde détresse.

Elle s'avança et posa une main sur son épaule.

— Pardonnez-moi de ne pas vous avoir prévenu. Je voulais simplement savoir si l'un d'entre vous pouvait identifier le corps.

Le nain leva sur elle de grands yeux noyés de larmes.

— C'était mon frère et il appartenait à notre compagnie.

Comme certains de ses compagnons, il zézayait.

— Et il s'appelait Forindain ?

Le nain la regarda d'un air étonné et secoua la tête.

— Pas du tout, il s'appelait Iubdán. Et moi je suis Forindain.

— Mais alors…

— Aucun d'entre nous n'utilise son vrai nom, nous préférons celui de notre personnage préféré. Or je joue Forindain dans notre pièce sur Bebo.

— Donc vous n'êtes pas un religieux ?

— Là encore, il s'agit d'un emprunt à mon personnage – frère Forindain le lépreux qui trahit les Faylinn dans le conte. Pourquoi me demandez-vous cela ?

Le petit homme remarqua le vêtement que portait son frère.

— Ah, je vois.

Fidelma pinça les lèvres.

— Je ne peux pas en dire autant, Forindain. Je suis sincèrement désolée pour le deuil qui vous frappe. Mais je suis un *dálaigh* et il me faut découvrir comment et pourquoi votre frère a été tué.

— Parce qu'il a été assassiné ? murmura le nain, prenant conscience des marques bleuâtres autour du cou du cadavre. Mais qui voudrait éliminer un *crossan*, un saltimbanque itinérant qui n'avait pas un seul ennemi au monde ?

— Voilà ce que je veux découvrir. Venez avec moi dans la tente de Fiachrae. Il faut que nous parlions. Et je vous promets qu'ensuite je vous laisserai pleurer et enterrer votre frère avec vos compagnons.

Le *crossan* hésita, contempla le cadavre avec une infinie tristesse et se tourna vers les autres.

— Nous devons contenir notre chagrin pour l'instant. L'un de nous va aller prévenir les gens que nous ne donnerons pas de représentation ce soir. Un autre demandera que le corps de mon frère soit enveloppé d'un *recholl*, un linceul, et il faut préparer le *fuat*, le cercueil, pour le porter dans sa tombe. Je dois aussi m'entretenir avec le chef, Fiachrae, afin qu'il nous désigne un emplacement au cimetière. Pendant que vous serez occupés à ces tâches, je m'entretiendrai avec ce *dálaigh* érudit. Puis, tous ensemble, nous veillerons Iubdán et attendrons que le jour se lève en chantant le *caoine* traditionnel.

Fidelma, étonnée de son éloquence et du timbre de sa voix, se rappela que Forindain était comédien.

Fiachrae ramena sa cousine, Eadulf et le nain à la tente. Fidelma avait envoyé Capa et ses hommes se rafraîchir et se détendre en attendant qu'elle leur assigne de nouvelles tâches. Le chef proposa de la *corma,* qu'à sa grande surprise ses invités refusèrent.

Il se versa une bonne rasade de liqueur et se tourna vers Fidelma.

— Je vous laisse mener cette affaire à votre guise, cousine. Vous êtes plus qualifiée que moi.

— Je vous remercie, dit Fidelma, qui n'aurait pas toléré qu'il en fût autrement.

Puis elle s'adressa au nain.

— Comment dois-je vous appeler ? Forindain ?

Le *crossan* hocha la tête.

— Oui, ma sœur, c'est le nom que je porte depuis que j'ai rejoint les comédiens itinérants. Dès qu'ils en ont eu la possibilité légale, nos parents se sont débarrassés de moi et de mon frère. Nous avons été pris en charge par un *obláire*, le chef d'une compagnie de forains. Il nous a appris des tours d'adresse et enseigné le métier d'acteur. Ainsi nous avons pu utiliser les attributs dont la nature nous avait dotés pour divertir le public. Depuis le temps que je réponds au nom de Forindain, j'ai oublié celui que l'on m'a donné à la naissance.

— Très bien. Je vous présente Fiachrae, le chef de Cnoc Loinge, et voici frère Eadulf de Seaxmund's Ham, une ville dans les terres des South Folk, au-delà des mers.

— Et vous, vous êtes un *dálaigh* ?

— Oui, et je m'appelle Fidelma de Cashel.

Forindain cligna des yeux.

— Seriez-vous la sœur du roi Colgú ? s'enquit-il d'une voix posée.

— Vous me connaissez ?

— On raconte que vous êtes un juriste célèbre.

— Autre chose ?

Le nain fronça les sourcils.

— Que voulez-vous dire ?

Fidelma demeura un instant silencieuse, puis elle reprit :

— Parlez-moi de Iubdán.

— Jusqu'à ce qu'il nous soit cruellement arraché, sa vie ressemblait beaucoup à la mienne. Depuis que l'*obláire* nous avait recueillis, nous vivions avec les mêmes *crossan*. Nous dirigions ensemble notre petite compagnie de baladins.

— Et quand Iubdán vous a-t-il rejoint à Cnoc Loinge ?

— Mais il n'a pas quitté la compagnie. C'est moi qui ai retrouvé ici mes compagnons et…

Il s'interrompit et la fixa intensément. Puis il pâlit et porta la main à son front.

— Quelque chose vous a troublé, Forindain.

Alors que Fidelma tentait de lire les pensées du petit homme dans ses yeux couleur d'ambre, elle fut traversée par une intuition subite :

— C'est vous et non votre frère qui arriviez de Cashel, c'est bien cela ?

— Je vais vous raconter ce qui s'est passé, Fidelma de Cashel, dit le nain d'une voix éteinte. Et maintenant je boirais bien un peu de *corma*.

Fiachrae se leva et le servit dans un gobelet que le nain vida d'un trait avant d'entamer son récit.

— Après notre représentation à Tailltenn, devant le haut roi en personne, nous avions prévu une tournée passant près des abbayes de Cluain Mic Nois et de Tír dhá Ghlas avant de rejoindre Cnoc Loinge. Ensuite, nous devions nous rendre à Ros Cairbre et dans d'autres villes sur la route d'Ard Mhór, sur la côte, et remonter à Cluain Meala et enfin à Cashel, la capitale.

Fidelma se renversa sur son siège.

— Pourquoi me préciser votre itinéraire ?

— Parce que, à Tír dhá Ghlas, le pays des deux rivières, où nous avons joué au pied du monastère, j'ai quitté la troupe.

— Pourquoi cela ?

— Comme nous n'avions jamais joué à Cashel, j'avais décidé de m'y rendre afin de préparer notre venue. Je voulais trouver un bon emplacement. Malheureusement, le jour tombait quand je suis entré dans la ville, et bien que pressé par le temps je dus remettre mes explorations à plus tard. Le lendemain, Cashel était en ébullition, il s'était produit un drame et j'ai préféré partir avec un groupe de pèlerins qui se dirigeaient vers l'ouest. Après avoir jeté un bref coup d'œil au centre de la ville, je les ai rejoints à l'auberge.

— Et vous avez voyagé sous votre déguisement de frère Forindain le lépreux ?

Il fit la grimace.

— Cela me permet de voyager plus facilement. Comme ça, les gens se tiennent à distance, et cela les empêche de me faire du tort au cas où l'idée leur viendrait de me chercher noise. Nous vivons dans un monde imparfait.

— Je comprends, dit Eadulf.

— Pourquoi votre frère avait-il revêtu votre costume ? demanda Fidelma avec brusquerie.

Forindain battit des paupières.

— Nous nous préparions à la représentation de ce soir. Nous ne jouons que des histoires de Faylinn, car cela convient à notre condition. Moi, je me réserve toujours le rôle de frère Forindain le lépreux. Mais Iubdán aimait apprendre d'autres rôles que le sien, afin de s'assurer que si l'un d'entre nous tombait malade, il pourrait le remplacer. Nous procédons souvent ainsi. Et donc ce matin, Iubdán a revêtu ma robe de bure et a pris ma clochette pour aller répéter dans les bois.

— Et il l'a payé de sa vie, soupira Fidelma d'une voix lasse. On l'a confondu avec vous.

Eadulf était choqué. Il n'avait pas pensé à cette éventualité.

— Vous avez l'esprit vif, ma sœur, euh… lady, conclut le nain, qui avait été plus rapide qu'Eadulf. Mais je ne comprends toujours pas les raisons de cet assassinat.

— Cela remonte à ce que vous avez fait à Cashel, répliqua Fidelma.

— Mais il ne s'est rien passé à Cashel !

— Réfléchissez.

— Après avoir gagné un *screpall*, j'ai dormi dans une grange avant de rejoindre les pèlerins qui se rendaient à Imleach. Je préfère voyager seul mais avec toute cette agitation dans Cashel, j'ai préféré l'anonymat en me mêlant à ce groupe. Enfin, pas tout à fait, puisque j'ai pris soin de garder mes distances en agitant ma clochette. Vous n'imaginez pas comme on voyage vite en tant que lépreux. Personne ne vient vous importuner.

— Revenons à Cashel, insista Fidelma. Comment avez-vous gagné ce *screpall* ?

Le nain haussa les épaules.

— On m'a simplement chargé de porter un message au château de votre frère, lady. Je devais aller trouver une femme du nom de Sárait et lui dire que sa sœur la réclamait pour un problème urgent. Voilà tout.

— Pourquoi vous a-t-on choisi pour cette mission ?

— Eh bien, je traversais la place principale au crépuscule, et comme il n'y avait pas grand-chose à voir, je suis allé à l'auberge. Un chien s'est mis à aboyer après moi. Cela arrive souvent, vous savez, et le hasard n'y est pour rien. Certains lâchent exprès leurs bêtes sur nous. Toujours est-il que, dans le cas qui nous intéresse, une femme a rappelé ce chien.

Elle se tenait dans l'ombre et elle m'a interpellé pour me proposer un *screpall* si je portais un message au château. Je devais me présenter chez la nourrice Sárait et lui dire que Gobnat désirait la voir au plus vite. J'ai cru qu'elle voulait me dédommager de la peur que m'avait causée son animal. Comme il était trop tôt pour dormir et que je ne voulais pas m'attirer des commentaires désagréables en pénétrant dans l'auberge à cette heure, j'acceptai. Après tout, un *screpall* est un *screpall* !

— La femme vous a-t-elle pris pour un lépreux ?

— Non, j'avais rangé ma clochette car je voulais manger tranquillement à l'auberge.

— Vous a-t-elle dit pourquoi il lui était impossible de porter elle-même ce message ?

— Non, et je ne m'en suis pas inquiété.

— Comment vous êtes-vous acquitté de votre mission ?

— Elle m'a prévenu que les gardes du château me poseraient beaucoup de questions. Je devais prétendre que j'étais muet. J'avais déjà interprété des rôles de muet auparavant. Je lui ai cependant fait remarquer que si j'usais de ce stratagème, je ne pourrais pas m'expliquer avec les gardes. Elle a alors tiré de son *marsupium* un morceau d'écorce avec quelques mots écrits dessus et me l'a tendu.

— Que disait ce texte ?

— Quelque chose comme « Il faut que je voie Sárait ».

— Et le garde vous a laissé passer ?

— Oui.

— Comment l'avez-vous persuadé que vous étiez muet ?

Le nain sourit.

— Je me suis exercé au mime, cela fait partie de mon art.

— Comment avez-vous trouvé Sárait ?

— Le garde m'a indiqué le chemin et personne ne m'a arrêté. Comme elle était seule, j'ai été en mesure de lui transmettre le message de vive voix.

— Qui était ?

— Qu'elle devait sans délai se rendre auprès de sa sœur pour un motif urgent.

— Comment vous y seriez-vous pris si elle n'avait pas été seule ? demanda Eadulf.

— Je me serais débrouillé. Vous savez, je sais aussi lire et écrire. Les comédiens prennent le temps de s'instruire.

— Et avez-vous attendu Sárait pour l'accompagner au village ? s'enquit Fidelma.

— Non, ayant gagné mon *screpall*, je suis retourné à l'auberge. J'ai été tenté de le dépenser pour une chambre, mais je me suis contenté de commander de la *corma* et un bol de soupe.

— C'est alors que vous avez avisé les pèlerins ?

— Oui, je les ai entendus qui parlaient de se rendre à Imleach. Puis je suis allé dormir dans une grange où j'ai trouvé de la paille fraîche, et je me suis réveillé en entendant des gens qui discutaient dans la cour. Des guerriers s'entretenaient avec les pèlerins. Après leur départ, j'ai demandé à leur chef si je pouvais me joindre à eux et il a accepté. J'ai juste eu le temps de jeter un coup d'œil à la ville avant que nous nous mettions en route. À ce moment-là, j'ai décidé de reprendre mon rôle de lépreux, qui est pratique pour voyager mais pas pour l'hébergement.

— Vous n'avez pas entendu de cris ?

Le nain se frotta le menton.

— Non, rien en dehors de l'agitation provoquée par les guerriers qui semblaient rechercher quelqu'un. Je ne me suis pas vraiment intéressé à leur quête. Je me conduisais à nouveau comme un lépreux et ne parlais à personne. Pourquoi me demandez-vous cela ?

Fidelma fit un signe de tête à Eadulf, qui répondit :

— Quand Sárait a quitté le palais, elle s'est acheminée vers sa perte.

Forindain battit des cils.

— Je ne l'ai pas tuée, je vous assure, je ne la connaissais même pas.

— De plus, précisa Fidelma, elle était la nourrice de mon bébé et, n'ayant trouvé personne pour en prendre soin, elle l'avait emmené avec elle. Depuis, l'enfant a disparu.

Le nain poussa un gémissement de désespoir.

— Je ne suis pas impliqué dans ce meurtre, lady, je me suis contenté de transmettre un message…

Fidelma ne prit pas la peine de le réconforter.

— Je m'intéresse à la femme qui vous a abordé, qui était-elle ?

— La sœur de Sárait ! C'est elle que vous devez interroger.

Fidelma l'observa d'un air pensif.

— La sœur de Sárait nie avoir envoyé un tel message. Pouvez-vous me décrire cette femme ?

— Il faisait sombre et elle est restée dans l'ombre… mais à un moment donné, quand elle m'a remis le morceau d'écorce, elle s'est approchée du cercle de lumière de la lanterne au-dessus de l'enseigne. Elle portait une cape dont le capuchon était rabattu sur les yeux mais j'ai eu l'impression qu'elle était bien proportionnée, assez petite pour une femme normale. Sa voix n'était pas celle d'une jeune fille. Cependant…

Forindain s'anima.

— Je me rappelle bien la couleur de sa cape qui m'a semblé inhabituelle à cette heure et en ce lieu.

— Qu'entendez-vous par là ? s'étonna Eadulf.

— C'était une longue mante de soie verte enrichie de broderies grenat, et fermée avec une broche en argent incrustée de pierreries. Et elle avait des bagues aux doigts, que j'ai senties quand elle m'a tendu l'argent.

— Voilà qui ne correspond pas à la sœur de Sárait, qui porte des vêtements très ordinaires. Donc Gobnat n'est pas concernée par l'assassinat de Sárait, conclut Eadulf.

— Moi non plus, déclara Forindain en se tordant les mains.

— Cette femme s'était embusquée dans l'ombre pour trouver un messager, murmura Fidelma. Et c'est tombé sur vous de façon fortuite.

— De façon fortuite ?

— Elle ne pouvait pas savoir que vous passeriez par là.

Le nain grimaça.

— C'était peut-être une diseuse de bonne aventure ?

Fidelma lui sourit et changea brusquement de sujet.

— Votre troupe de saltimbanques va-t-elle poursuivre son périple ?

Forindain poussa un profond soupir.

— Malgré la disparition de mon frère, la vie continue. Nous n'avons pas d'autre moyen de gagner notre pain et nous reprendrons notre tournée.

— Donc vous passerez par Cashel ?

— Oui, car on y donne une fête à la fin de la semaine prochaine. Et si vous ne nous interdisez pas de nous y rendre, nous y assurerons une représentation.

— Je vous y invite, au contraire, dit Fidelma en se levant. Vous serez les bienvenus. Et maintenant vous pouvez rejoindre vos compagnons, Forindain, et croyez bien que je suis profondément attristée par la perte que vous avez subie.

Forindain se leva à son tour avec des gestes maladroits.

— Sera-t-il rendu justice à mon frère, lady ?

— On vous a confondu avec lui et vous devez garder le secret sur cette méprise. Cependant, maintenant que vous vous êtes entretenu avec moi, à mon avis vous êtes hors de danger. L'assassin voulait vous empêcher de me transmettre les informations que vous m'avez fournies. Mais mieux vaut ne pas vous exposer inutilement, et je vous conseille de prendre l'identité de Iubdán jusqu'à ce que vous veniez me voir à Cashel.

Le nain hésita, puis s'inclina et disparut.

Fiachrae semblait perdu.

— Je ne comprends rien à tout cela, cousine.

— Cela vaut mieux, déclara Fidelma d'un ton solennel. Rien de ce qui s'est passé sous cette tente ne doit filtrer au-dehors. Je vous tiendrai informé des avancées de l'enquête. En attendant, midi approche et je ne refuserais pas de me restaurer.

Déjà le chef s'avançait vers la cruche de *corma*.

— Et comme nous devons retourner à Cashel, s'empressa-t-elle d'ajouter, mieux vaudrait ne pas trop arroser notre repas.

Fiachrae parut surpris.

— Mais… et l'assassin du nain ? Vous n'avez pas l'intention de l'arrêter ?

— Ne vous inquiétez pas, cousin, nous retrouverons la personne responsable du meurtre à Cashel.

Dès que Fiachrae fut sorti afin de donner des ordres pour la collation, Eadulf se tourna vers Fidelma.

— Peux-tu m'expliquer pourquoi tu penses que le meurtrier de Iubdán s'est enfui à Cashel ?

— J'ai dit qu'on y retrouverait la personne responsable de ce meurtre, ce qui n'est pas tout à fait la même chose.

Eadulf poussa une exclamation d'impatience.

— Nous sommes dans une impasse. Quelqu'un s'est donné beaucoup de mal pour se déguiser et envoyer au château ce malheureux nain. Cette personne le chargeait d'une tâche infâme dont il ignorait tout. Mais au moins savons-nous que le message ne demandait pas à Sárait de prendre Alchú avec elle. N'ayant personne pour le garder, elle l'a emmené par un caprice du destin.

Fidelma lui adressa un regard songeur.

— C'est un point important.

— Il n'en demeure pas moins que nous n'avons aucune piste.

— Au contraire. Je crois que la description des vêtements de cette femme dans l'ombre me mènera directement à celle qui portait des atours aussi originaux.

CHAPITRE VIII

Fidelma et Eadulf chevauchèrent jusqu'à Cashel sans s'adresser plus de quelques mots. Bien qu'à Cnoc Loinge leurs relations se soient un peu détendues, la tension demeurait. Et puis Fidelma n'avait pas exprimé le fond de sa pensée en ce qui concernait la femme aux riches vêtements décrite par Forindain. En entendant le nain, elle avait été saisie d'un profond accablement car elle avait identifié cette femme qu'elle considérait comme une amie. Cette découverte, elle ne pouvait la confier à quiconque, et surtout pas à Eadulf. Du coup, elle se sentait doublement coupable en se rappelant leur querelle à Imleach. Elle lui jeta une ou deux fois un regard en biais. Eadulf, le sourcil froncé, semblait absorbé par de sombres pensées. Fidelma, en plus d'avoir été trahie par cette femme qui avait conduit Sárait à sa mort, ne s'était pas remise de la colère soudaine d'Eadulf. Elle avait toujours considéré sa placidité et son indulgence comme allant de soi. Et de multiples examens de conscience lui avaient révélé qu'elle s'était habituée à ce qu'on plie devant elle. L'autorité qu'elle exerçait grâce à son rang avait été renforcée par sa position de *dálaigh*, durement acquise. Elle aimait Eadulf parce qu'il l'acceptait telle qu'elle était, avec ses qualités et ses nombreux défauts. Jusqu'à récemment, ses accès d'humeur et son ton acerbe ne semblaient pas l'affecter. Puis il s'était retourné contre elle, la laissant désemparée, et cela la tourmentait d'autant plus qu'elle était fragilisée par l'enlèvement de son fils.

Elle décida de pousser son introspection plus avant et de regarder la réalité en face.

Elle ne s'était jamais vraiment considérée comme une religieuse. Sa passion était la loi. Un de ses cousins éloignés, l'abbé Laisran de Durrow, l'avait persuadée d'entrer dans la maison double de sainte Brigitte à Kildare. Il faut préciser que les personnes versées dans la loi, les lettres et les arts se recrutaient principalement chez les religieux. Et quelques générations auparavant, leurs prédécesseurs appartenaient tous à l'ordre des druides. Mais Fidelma n'avait pas tardé à comprendre que la vie monastique ne lui agréait pas vraiment, et quand, lors d'un conflit, l'abbesse de Kildare s'était placée au-dessus des lois, Fidelma avait quitté l'abbaye et rejoint Cashel, la capitale de son frère.

Elle se regardait d'abord comme un *dálaigh*, puis une princesse des Eóghanacht, et enfin une religieuse. En même temps qu'elle se formulait ces pensées, elle réalisa qu'elle avait oublié son rôle d'épouse et de mère. Elle pinça les lèvres. Ses connaissances en matière d'Écritures, de théologie et de philosophie la plaçaient au-dessus de la plupart de ceux qui travaillaient à promouvoir la nouvelle foi. Elle parlait le latin et le grec aussi bien que le celte d'Éireann, et grâce à Eadulf elle maîtrisait la langue des Britons et celle des Saxons. Mais elle en revenait toujours à la justice, qui absorbait une bonne partie de son énergie et de ses recherches.

Que valait-elle en tant que mère et épouse ?

Eadulf n'était pas son premier amour. Avant lui, elle avait connu Cian, qui l'avait trahie. Pour surmonter cette épreuve, il avait fallu un curieux pèlerinage à Saint-Jacques-de-Compostelle, en Ibérie, qui l'avait définitivement libérée de Cian. Des événements imprévus l'avaient empêchée d'aller se recueillir sur la tombe de saint Jacques, mais elle avait mesuré les sentiments qui l'attachaient à Eadulf. L'engagement qu'elle avait contracté à son égard ne pouvait être écarté à la légère, contrairement à celui qu'elle avait pris en entrant dans les ordres. Elle savait bien qu'elle était devenue religieuse afin de poursuivre sa carrière de juriste.

Aujourd'hui, même si elle n'était qu'une *ben charrthach*, elle était contrainte de s'interroger sur ses relations avec Eadulf, et sur ses qualités de mère. Une vague de culpabilité la submergea. Comment pouvait-elle se montrer aussi égoïste ? Elle n'avait pas eu le temps d'établir un lien solide avec le petit Alchú. Son accouchement avait été pénible, et elle avait tenu rigueur à l'enfant de la garder enfermée dans le château de son frère. Eadulf s'en doutait… et elle lui en voulait d'autant plus.

Eadulf avait tenté de lui faire boire des tisanes infectes à base de *brachlais*, le millepertuis ou herbe de Saint-Jean en saxon. Fidelma n'ignorait pas qu'on utilisait cette plante pour rasséréner les femmes en proie à des idées noires après les couches.

Son enfant avait été enlevé ou pire, sa nourrice tuée, et maintenant elle tentait d'analyser ses angoisses et la façon dont son esprit fonctionnait. Alors que d'autres femmes seraient restées prostrées, accablées par le chagrin, Fidelma ne se départait pas de son calme. C'était sa force… à moins qu'il ne s'agisse d'une malédiction. « Tu as un don pour la logique, lui avait dit son mentor, le brehon Morann. Mais en ce qui concerne les affaires personnelles, il faut développer son intuition, car la logique est une dague à double tranchant. »

Au fond d'elle-même, elle avait envie de hurler comme n'importe quelle femme à qui on aurait arraché son enfant. Mais elle se maîtrisait à force de raisonnements. À quoi bon donner libre cours à ses émotions en un moment pareil ? Elle devait d'abord résoudre l'énigme à laquelle elle était confrontée. Plus tard, elle aurait tout loisir de laisser déborder son chagrin.

Une maxime d'Euripide lui revint en mémoire : « La logique peut défier et vaincre la terreur. »

Elle respira profondément.

Oui, sa peine pouvait attendre.

Colgú, qui les avait vus grimper le chemin escarpé menant au château, était descendu les attendre aux portes. Finguine, le *tanist*, se tenait à ses côtés. Ils avaient à l'évidence une nouvelle importante à leur communiquer et le cœur de Fidelma se mit à cogner dans sa poitrine.

— Tu es rentrée juste à temps ! s'écria Colgú.

Fidelma sauta à terre.

— Que se passe-t-il ? Des nouvelles d'Alchú ?

— Le bébé est vivant, dit le roi en posant la main sur le bras de sa sœur. Nous venons de recevoir une missive exigeant une rançon pour sa restitution.

— Où est cette lettre ?

— Dans mes appartements.

Tandis que les palefreniers s'affairaient autour d'eux, ils se dirigèrent vers le château, suivis par Eadulf, Finguine et Capa. Caol et Gormán s'étaient rendus aux écuries.

— Donc il s'agissait bien d'un enlèvement ? s'enquit Capa.

— Apparemment, oui, répondit Finguine.

— Comment a-t-on fait parvenir ce message ? lança Fidelma d'une voix entrecoupée par l'émotion. Que dit-il ?

— On l'a trouvé attaché à la poignée de porte de l'auberge et il m'était adressé, expliqua Colgú. Les exigences sont simples. Comme vous le savez, après la bataille de Cnoc Áine, nous avons fait plusieurs prisonniers Uí Fidgente dont trois chefs, cousins du précédent petit roi Eoganán. Nous les gardons en otage afin de nous assurer que leur peuple se tiendra tranquille.

— Quel est le rapport ? s'agaça Fidelma.

— D'après le message, si nous les libérons, Alchú nous sera rendu sain et sauf.

Il y eut un bref silence.

— Un nouveau complot des Uí Fidgente ! s'écria Capa sur un ton triomphant.

— En tout cas, cela y ressemble beaucoup, admit Finguine.

Colgú les emmena dans ses appartements privés. Sur une table était posé un morceau d'écorce dont Fidelma se saisit.

— La missive confiée au nain Forindain se présentait sous la même forme, dit-elle à mi-voix à Eadulf.

Colgú, qui connaissait sa sœur, préféra attendre qu'elle lui fournisse d'elle-même des explications.

L'écorce de bouleau était un support courant pour l'écriture. Les anciens scribes avaient découvert que cette écorce souple et blanche pouvait être séparée en fines pellicules qui, soigneusement aplaties puis séchées, servaient de feuilles.

— La main qui a rédigé ce texte n'est pas très habile à former des lettres, dit Fidelma. L'écriture est enfantine, comme si quelqu'un avait recopié des hiéroglyphes peu familiers.

Capa eut un rire cynique.

— Depuis quand les Uí Fidgente sont-ils instruits ?

Fidelma ignora cette remarque. Eadulf, qui regardait par-dessus l'épaule de Fidelma, fit remarquer que cette maladresse n'était peut-être qu'un moyen pour l'auteur de déguiser son identité.

— Dans quel but ? répliqua Finguine. Loin de se cacher, les Uí Fidgente revendiquent leurs actes.

Fidelma reposa la feuille sur la table.

— Qui nous prouve que ce document est authentique ? lança-t-elle avec force. Où sont les preuves ?

Tous la fixèrent avec étonnement.

— Tu doutes de sa provenance ? s'exclama Colgú.

— Personne n'ignore que mon bébé a été enlevé, répliqua Fidelma. Pourquoi attendre plus d'une semaine pour formuler des exigences ? Quelqu'un a très bien pu tirer avantage de la situation.

Finguine secoua la tête.

— Je comprendrais s'il s'agissait d'une demande de rançon en pièces sonnantes et trébuchantes, mais nous sommes confrontés à une exigence politique. Pourquoi réclameraient-ils la libération des chefs Uí Fidgente s'ils n'étaient pas en mesure de nous rendre l'enfant ?

— Il pourrait être dangereux de considérer ce document comme un faux, ajouta Capa. La vie de l'enfant est en jeu.

— Je suis la mère de l'enfant en question, lui rappela Fidelma d'un ton sec. Et cela ne m'empêche pas de m'efforcer de procéder avec logique.

En même temps que le mot « logique » franchissait ses lèvres, le sentiment de culpabilité qui ne la quittait plus revint la tarauder. Elle se raidit, reprit le morceau d'écorce et scruta le texte avec une attention redoublée.

— Ils exigent que les trois chefs des Uí Fidgente soient relâchés dans deux jours.

— Puis on doit leur donner le temps de rejoindre le pays des Dál gCais, et c'est seulement à ce moment-là qu'ils libéreront Alchú, conclut Colgú.

— Voilà un pari risqué, grommela Eadulf. Tout comme Fidelma, je tends à penser que nous avons besoin d'une preuve que l'enfant est en bonne santé. Si quelqu'un peut être assez corrompu pour saisir pareille occasion afin d'exiger des bénéfices financiers, un autre peut bien profiter de ces circonstances pour obtenir un avantage politique. L'argent et le pouvoir font très bon ménage.

Fidelma lui adressa un regard reconnaissant. On pouvait faire confiance à Eadulf dès qu'on abordait le domaine de la logique.

— Oui, je suis d'accord avec vous, acquiesça Finguine.

— Quelles que soient les personnes impliquées, elles doivent nous donner un gage de leur bonne foi avant que nous relâchions ces prisonniers, conclut Eadulf d'un ton ferme.

— Allons, allons, c'est de votre fils que nous parlons, s'énerva Capa dont le beau visage s'était empourpré. Nous devons tout tenter afin de le ramener sain et sauf à Cashel.

Eadulf le toisa.

— Croyez-vous que je ne suis pas conscient que le sort de mon fils est en jeu ? Si je puis me permettre, je suis concerné au premier chef.

Fidelma rougit et un silence embarrassé suivit cette déclaration. Elle faillit expliquer qu'il avait tort si on se situait d'un point de vue purement juridique. En temps normal, la responsabilité pour le bien-être et l'éducation d'un enfant incombait aux deux parents, mais si le père était un *cúl glas*, un étranger, elle revenait à la mère et à la mère uniquement. Cependant, la jeune femme estima à juste titre qu'il valait mieux s'abstenir de provoquer une telle discussion en cet instant.

— Comme l'a souligné Fidelma, poursuivit Eadulf, les revendications de nos ennemis ne nous offrent aucune garantie en retour. Il nous faut donc un complément d'information.

— C'est extrêmement risqué ! s'indigna Capa.

Des murmures s'élevèrent et Fidelma leva la main.

— Eadulf a tout à fait raison. Les chefs Uí Fidgente dont on exige la libération sont des adversaires acharnés de notre peuple, des parents de leur chef Eoganán qui a tenté de renverser mon frère et l'a payé de sa vie. Nous ne pouvons pas agir à la légère, il nous faut des preuves qu'ils détiennent Alchú.

— Et comment entreras-tu en contact avec l'inconnu qui a rédigé ce message, cousine ? lança Finguine sur un ton sarcastique. Il n'est pas signé et ne porte pas d'adresse…

— Un peu d'imagination, cousin, répondit Fidelma sur le même ton. Celui qui a écrit cette lettre a certainement des oreilles à Cashel ou dans les environs. Ne crains rien, notre réponse parviendra très vite à son destinataire.

Colgú pinça les lèvres.

— Je propose une annonce sur la place publique de Cashel qui posera nos conditions.

Fidelma hocha la tête.

— Nous pouvons aussi placarder un message similaire sur la porte de toutes les auberges situées entre Cashel et la frontière des Uí Fidgente, renchérit Finguine, et en envoyer un au chef des Uí Fidgente.

— Mais quelles preuves exiger ? demanda Capa.

— Un vêtement que l'enfant portait lors de son enlèvement, proposa Eadulf. Fidelma et moi le reconnaîtrons.

Fidelma acquiesça aussitôt.

— À qui dois-je demander de se rendre chez les Uí Fidgente ? s'enquit Capa, mal à l'aise.

— Et si vous vous portiez volontaire ? proposa Finguine avec un petit sourire.

Fidelma eut le sentiment que ces deux-là ne s'appréciaient guère.

Le beau guerrier prit aussitôt la mouche.

— Je ne suis pas un *techtaire*, un simple héraut, protesta-t-il, mais le commandant de l'armée et du *Nasc Niadh*, l'élite de la garde des rois de Cashel.

Un large sourire éclaira le visage de Finguine.

— Et puis vous pourriez courir de graves dangers chez les Uí Fidgente.

Colgú les toisa avec colère.

— Vous savez très bien tous les deux que la sécurité d'un héraut est sacrée. Même les ennemis les plus malveillants le traitent avec respect. Ce n'est pas seulement une question de droit mais d'honneur. Capa, c'est parce que vous êtes le commandant de mon armée que je vous choisis pour cette mission. Je demanderai à Cerball le scribe de vous confier plusieurs exemplaires de notre réponse que vous emporterez avec vous. Assurez-vous qu'elle soit placée en évidence sur la porte de toutes les auberges jusqu'à la frontière avec le pays des Uí Fidgente.

Il se tourna vers sa sœur pour quêter son approbation, qu'elle lui donna. Et Capa, qui estimait la fonction de *techtaire* au-dessous de sa dignité, dut s'incliner devant les ordres de son roi.

— Ainsi, conclut Fidelma, nous découvrirons qui a exigé cette rançon, et s'il s'agit ou non d'un stratagème pour nous obliger à libérer nos ennemis.

Aussitôt, Finguine alla quérir le scribe.

— En attendant, j'aimerais que vous alliez chercher un de mes étendards, dit Colgú à Capa. Plusieurs sont entreposés dans la pièce au bout du corridor qui mène chez ma sœur.

Restés seuls avec Colgú, Fidelma et Eadulf l'informèrent des résultats de leur expédition à Imleach et Cnoc Loinge, puis ils retournèrent dans leurs appartements. Alors qu'ils passaient sous les voûtes d'une cour cloîtrée, Eadulf s'arrêta net et Fidelma suivit son regard.

— Personne ne nous a avertis qu'il était de retour, murmura Eadulf.

La haute silhouette décharnée d'un religieux se tenait de l'autre côté de la cour. Il discutait avec un frère de la foi, comme lui très âgé.

— Ton ami l'évêque Petrán, ironisa Fidelma.

— Ton frère a évoqué d'éventuels ennemis à l'intérieur du royaume. Crois-tu que Petrán et ses fidèles soient capables d'un enlèvement ?

— L'évêque n'est qu'un être humain et quand le fanatisme s'en mêle, nous sommes tous capables du pire. Je doute cependant que Petrán ait comploté pour faire relâcher des chefs Uí Fidgente. Il a toujours été loyal aux Eóghanacht et n'apprécie guère les Dál gCais. Mais mon frère ne nous avait-il pas assuré que Petrán était parti, il y a une semaine environ, pour les îles de l'ouest ? Il ne peut pas avoir déjà terminé ses visites. Pour quelles raisons est-il déjà rentré à Cashel ?

À cet instant, l'évêque Petrán remarqua leur présence. Aussitôt, il prit congé de son interlocuteur et traversa la cour.

— Dieu vous protège, Fidelma, et vous aussi, frère Eadulf.

La voix caverneuse du vieil évêque et son visage lugubre donnaient à sa bénédiction des résonances funèbres.

Eadulf s'était figé.

— Dieu et Marie vous guident, évêque Petrán, répondit Fidelma d'un ton détaché. Qu'est-ce qui vous ramène si vite à Cashel ? Je vous croyais dans les îles de l'ouest.

L'évêque renifla d'un air hautain.

— Un événement imprévu dont on m'a informé à l'abbaye de Colmán m'a obligé à remettre mon voyage. Je n'ai même pas eu le temps de poser le pied sur un bateau.

— Rien de sérieux, j'espère ?

Le prélat secoua la tête et s'éclaircit la voix.

— Je viens d'apprendre le malheur qui vous a frappée. Mes… euh… condoléances. Je vais dire une messe pour le repos de l'âme de Sárait, une jeune femme très chrétienne, et…

Il marqua un nouveau temps d'hésitation.

— Et je prierai pour qu'on vous rende l'enfant sain et sauf.

— Si vous priez pour *notre* fils Alchú, ma femme vous en sera très reconnaissante.

L'évêque battit des paupières devant l'attitude agressive d'Eadulf.

— Je ne ferai qu'accomplir mon devoir de serviteur de la foi.

— Cependant, vous désapprouvez notre union et donc la naissance de notre fils, poursuivit Eadulf d'un ton ironique.

Fidelma le fixa d'un air courroucé pour tenter de le ramener à la raison, mais il évitait son regard. Les joues de l'évêque Petrán s'étaient colorées.

— Je m'en tiens à ce que je crois, Eadulf de Seaxmund's Ham. Ce qui ne m'empêche pas de me tourmenter pour le sort du neveu de mon roi ici-bas.

— Vous parlez de mon fils ? Vous me surprenez. Je croyais que pour vous les unions entre religieux étaient inspirées par le démon, surtout quand elles sont contractées entre une Celte d'Éireann et un étranger.

Fidelma n'en revenait pas. Cette attaque contre le vieil évêque la remplissait de consternation. Ce nouvel aspect de la personnalité d'Eadulf, avec sautes d'humeur et crises de colère, commençait à l'inquiéter.

— Ce n'est pas le moment de discuter de différends théologiques, le morigéna-t-elle. Remercions plutôt l'évêque de la compassion qu'il manifeste pour le drame que nous vivons.

Eadulf poussa une exclamation de dégoût.

— Je n'ai pas à le remercier pour ce qui me semble une réaction des plus naturelles. Petrán et moi savons très bien que nos points de vue sont irréductibles et ses paroles moralisatrices manquaient de sincérité.

L'évêque Petrán recula d'un pas, les yeux écarquillés. Le sang lui était monté à la tête et les traits de son visage s'étaient durcis.

— J'ignore comment votre peuple traite ses évêques, Saxon, mais je sais qu'il n'y a guère plus d'une génération il n'avait jamais entendu parler des Évangiles ni des dignitaires de l'Église. Vos congénères ont été éduqués grâce à nos missionnaires. Peut-être êtes-vous encore en apprentissage ? Ici, je suis respecté.

Une lueur dangereuse s'alluma dans les yeux d'Eadulf.

— Le respect chez les Saxons, qu'il s'agisse d'un évêque ou d'un roi, doit se conquérir, monseigneur Petrán. J'ai passé suffisamment de temps à Rome et en Gaule pour savoir que votre vision de la foi est des plus étroites. J'ai soutenu Rome au concile de Whitby et pas même l'évêque de Rome, qui est le père de la foi, ne prêche ce que vous enseignez.

L'évêque Petrán grimaça un sourire.

— Je suppose que vous faites allusion au célibat des religieux, unique voie vers la vérité de Dieu ? Dans ce cas, je vous rappelle que le grand Grégoire de Rome a dit que le désir sexuel était un péché en soi.

Eadulf fut saisi d'un rire nerveux.

— Donc tout désir serait intrinsèquement mauvais. Mais alors pourquoi Dieu a-t-il créé l'homme et la femme ? Aurait-il commis une erreur ?

— Je vous interdis de mettre en doute les paroles d'un saint comme Grégoire.

— Donc vous condamnez Colomba, le glorieux abbé et missionnaire qui l'a défié ? Colomba avait adopté les coutumes ecclésiastiques et les enseignements des cinq royaumes d'Éireann, et quand Grégoire l'attaqua, il écrivit un texte pour se défendre. Comment osez-vous prétendre que la foi est fermée à ces controverses ?

— Colomba de Laigin aurait dû se contenter de son rôle d'abbé de Bangor. Ses querelles avec Grégoire étaient indignes et il a fait preuve d'un orgueil condamnable.

Eadulf secoua tristement la tête.

— Vos préjugés font de vous un fanatique.

Le visage de l'abbé Petrán se déforma sous l'effet de la haine.

— Héraclite a écrit que le fanatisme était une maladie sacrée.

— Et aussi que le préjugé est fils de l'ignorance.

— Selon Aristote, certains hommes sont aussi sûrs de posséder la vérité que s'ils en avaient fait l'expérience tangible, s'interposa Fidelma en élevant la voix.

— Quand je me suis rendu à Rome, poursuivit Eadulf sans lui prêter attention, j'ai appris que même les fidèles du Christ en Judée croyaient que le mariage symbolisait la relation de Dieu avec son peuple. Le mariage et la famille étaient placés au centre de la vie et on n'accordait aucune valeur religieuse au célibat. Les évêques de Rome qui ont jusqu'ici prôné que le célibat était la seule voie vers Dieu se comptent sur les doigts d'une main.

— L'assemblée des évêques, répliqua Petrán, s'achemine lentement vers la conviction qu'une vie de célibat est la meilleure protection contre les tentations du monde, et la plus sincère dévotion à Dieu. Les religieux qui y parviennent se haussent au niveau du martyre.

— Quant à moi, le célibat ne me tente guère et le martyre pas davantage. Jamais le Christ n'a prôné l'abandon d'une existence ordinaire. Il y a plusieurs siècles, ceux qui ont pratiqué l'abstinence sexuelle croyaient qu'il s'agissait d'un rituel transitoire avant que n'advienne le royaume de Dieu de leur vivant.

— Je sais que j'ai raison, Saxon, et je lutte pour protéger la vérité ! Je la tiens serrée dans mes poings !

Et Petrán joignit le geste à la parole, écrasant dans ses mains une vérité invisible.

— Faites attention à ne pas l'étouffer, se moqua Fidelma. Et maintenant, que chacun retourne à ses méditations, des problèmes urgents nous réclament. Petrán, soyez remercié pour vos prières.

Elle se détourna et jeta un regard courroucé à Eadulf qui la suivit à regret.

— Qu'est-ce qui te prend de provoquer l'évêque de façon aussi outrageuse ? murmura-t-elle alors qu'ils s'engageaient dans le couloir menant à leurs appartements.

Une ombre se tenait près de la porte. Celle du guerrier Gormán.

— Vous avez un message pour nous ? demanda Fidelma.

Le guerrier parut embarrassé.

— Non, lady, mais le roi s'impatiente. Capa s'est absenté pour aller chercher un étendard et…

— La pièce où sont rangées les oriflammes se trouve au bout du couloir, sur votre gauche. Je suppose que Capa y est déjà.

— Merci, lady, dit l'homme en portant la main à sa tempe.

Eadulf ouvrit la porte et s'effaça pour laisser passer Fidelma. Il ne s'était pas calmé.

— Cet hypocrite ! Si jamais il est derrière l'enlèvement d'Alchú, je veux qu'il sache qu'il le paiera.

— Si jamais il est impliqué dans cette affaire, maintenant il se méfie, le réprimanda Fidelma.

Une servante, qui mettait des bûches dans le feu, se redressa à la hâte et fit la révérence.

— Je finissais le ménage, dit-elle d'une voix oppressée. Avez-vous besoin de quelque chose, lady ?

— Un pichet de vin ! ordonna Eadulf avant que Fidelma ait eu le temps de répondre.

La servante regarda Fidelma, qui hocha la tête, et elle disparut. Eadulf se laissa tomber sur un siège auprès du feu.

— Il y a des moments où je donnerais cher pour vivre la foi selon les préceptes de Petrán, grommela-t-il.

Fidelma sursauta.

— Qu'entends-tu par là ?

Il la fixa d'un air exaspéré.

— L'évêque prend les Écritures à la lettre, et donc il souscrit certainement aux Épîtres de Paul, par exemple celle aux Éphésiens : « Femmes, soyez soumises à vos maris comme au Seigneur : en effet, le mari est chef de sa femme, comme le Christ est chef de l'Église, lui le sauveur du Corps ; or l'Église se soumet au Christ ; les femmes doivent donc, et de la même manière, se soumettre en tout à leurs maris.[1] » Il semblerait que vos lois contredisent les Saintes Écritures. Ici, les femmes ne sont pas soumises à leurs maris, mais les maris à leurs femmes.

Fidelma fronça les sourcils.

— Qu'est-ce que tu racontes ? Ici, aucun homme n'est soumis à son épouse.

Eadulf eut un rire amer.

— Sauf quand une femme épouse un étranger. Alors il n'est que toléré dans la famille de sa femme. On ne lui accorde aucun droit et on ne lui témoigne aucun respect. Je ne peux même pas demander un pichet de vin à une servante sans qu'elle quête ton approbation.

Fidelma s'empourpra. Eadulf n'avait pas tout à fait tort, et elle en avait conscience, mais qu'y pouvait-elle ? Apparemment, les coutumes de son peuple pesaient de plus en plus à Eadulf, qui le manifestait avec une hostilité croissante.

— Jamais tu n'avais parlé comme ça auparavant, murmura-t-elle.

— Je me suis peut-être montré trop accommodant. Et je regrette de ne pas avoir exprimé mon mécontentement plus tôt.

— Tu ne penses pas ce que tu dis. Je te connais trop bien pour croire que tu ajoutes foi aux préceptes de Paul de Tarse.

Eadulf se tassa sur lui-même.

— Fidelma, je suis un Saxon, pas un Éireannach. On m'a appris que mes ancêtres étaient nés des reins d'Odin, que personne ne surpassait les South Folk,

1. Épître aux Éphésiens, 5, 22-24. *(N.d.T.)*

les meilleurs de tous les Saxons. Les peuples tremblaient devant nous. N'étions-nous pas de la race de Wegdaeg, fils d'Odin, et d'Uffa, nous qui avons chassé les Britons des terres que nous occupons aujourd'hui ?

Gênée, Fidelma se détourna.

Elle avait déjà entendu pareilles diatribes dans la bouche de princes et de guerriers saxons, glorifiant les exploits de leur peuple, mais jamais sur les lèvres d'Eadulf, qui la fixait d'un air angoissé.

— Ce que j'essaie de te dire, c'est que j'ai dû faire beaucoup d'efforts pour endosser le manteau de la charité et de la fraternité qui est la marque de la foi. Fursa, un moine errant de ta race, m'a enseigné les préceptes du christianisme alors que j'avais à peine atteint l'âge d'homme. Je n'ai pas été élevé dans la foi, mais j'ai renoncé aux anciens dieux des South Folk le jour de mon vingtième anniversaire. J'étais un *gerefa*, un magistrat héréditaire, du thane de Seaxmund's Ham. J'ai ma fierté, Fidelma, et aussi la vanité de ma race. Ici, je me sens parfois déplacé, un étranger dans un pays bizarre.

— Je croyais que tu aimais ce pays, murmura-t-elle, accablée par sa tristesse.

— Mais je l'aime, sinon je n'y aurais pas passé autant de temps. J'y suis venu pour apprendre les préceptes du christianisme bien avant de te rencontrer. Mais c'est difficile de tourner le dos à ses origines, à ses mœurs et à ses coutumes. Au cours de l'année qui vient de s'écouler, j'en suis venu à regretter bien des choses.

— Tu veux dire depuis que nous sommes mariés et que j'ai donné naissance au petit Alchú ?

Eadulf eut un geste d'impuissance.

— Tu veux retourner chez toi ?

— Je ne sais pas… je crois que oui.

— Moi, je ne pourrais jamais vivre là-bas. Voilà pourquoi j'ai toujours mis une certaine distance entre nous.

— Je sais.

Elle hésita, puis s'avança vers lui.

— Eadulf…

On frappa à la porte et la servante entra avec un pichet de vin gaulois et des gobelets. Le moment d'intimité était passé.

— Désirez-vous autre chose, lady ? demanda la servante.

Fidelma secoua la tête puis son regard tomba sur un vêtement qui dépassait d'un petit coffre en bois, à côté du berceau d'Alchú. Elle frissonna.

— Rangez ça avant de partir, dit-elle à la jeune fille. Je n'aime pas le désordre. Quand vous faites le ménage, assurez-vous de ne pas laisser traîner des affaires.

La servante voulut parler puis elle se ravisa, et exécuta l'ordre qu'on lui avait donné dans un silence pesant.

Quand elle fut sortie, Eadulf se servit généreusement du vin avec des gestes brusques.

— Eadulf, nous sommes tous les deux fragiles, nous nous laissons gagner par nos émotions et traversons une crise grave. Si nous voulons la surmonter, nous devons faire la paix pour l'instant.

Il haussa les épaules.

— Je ne peux pas continuer ainsi, dit-il simplement. Quand nous n'étions pas officiellement mariés, je ne souffrais pas de l'hostilité à laquelle je suis maintenant soumis de la part de ton entourage. Et ce que je ne supporte pas, c'est ton indifférence au mépris dont je suis l'objet.

— Je ne peux pas changer ma façon d'être. Pendant longtemps, tu es bien placé pour le savoir, j'ai refusé de reconnaître l'attirance que nous éprouvions l'un pour l'autre. Je savais que si je rendais publique notre relation et que tu t'installais à Cashel, tu serais considéré comme un étranger sans terre et que tu ne jouirais pas des mêmes droits que moi. Selon nos lois, je dois prendre certaines décisions sans te consulter.

— Tes lois ne sont pas les miennes. Tout cela ne laisse présager rien de bon pour l'avenir.

— Je te demande de remettre ces questions à plus tard. Pour l'instant, nous devons retrouver notre fils.

Eadulf pinça les lèvres.

— Très bien, je ne t'ennuierai plus. Mais dès qu'Alchú nous sera rendu sain et sauf et que nous aurons découvert qui se cache derrière ce complot, nous parlerons en toute franchise. *Absit invidia*, sans vouloir offenser personne.

Fidelma eut un sourire triste.

— *Mox nox in rem*, le temps presse, mettons-nous au travail.

— Qu'allons-nous faire en attendant une preuve quelconque de l'authenticité de cette demande de rançon ?

— Souviens-toi, j'ai une investigation à mener sur une cape de soie verte. Et cette fois il faut que je résolve seule cette affaire, qui me concerne personnellement.

Eadulf était contrarié.

— Dis-moi au moins où tu vas. Je crains que tu ne coures un réel danger en sortant de cette forteresse.

— Ne t'inquiète pas, si j'étais menacée je te le dirais. Je garde cette démarche secrète car il se peut que je me trompe. Mais je peux t'assurer d'une chose : je ne m'aventurerai pas au-delà des limites de la ville et cette visite ne me prendra pas longtemps.

Eadulf ne répondit rien.

— Dès mon retour, nous mangerons en tête à tête et je te raconterai jusqu'où mon enquête m'a menée.

Eadulf savait quand il devait accepter l'inéluctable.

CHAPITRE IX

Fidelma partit seule malgré les protestations des gardes, aux portes, qui voulaient lui imposer un guerrier comme escorte. Depuis que le nom des Uí Fidgente avait été prononcé, une menace latente planait sur le château. Elle chevaucha jusqu'en bas de la colline et pénétra dans la ville. La nuit tombait et un léger brouillard s'était levé. Le froid la saisit, les passants se faisaient rares. Elle traversa la place déserte. De loin, elle distingua le parchemin exigeant des ravisseurs d'Alchú une preuve qu'ils tenaient l'enfant en leur pouvoir. Il était cloué à la porte de l'auberge, et éclairé par la lanterne que chaque taverne devait allumer dès le crépuscule. Donc Cerball avait terminé son travail et les parchemins étaient déjà placardés selon les instructions que Capa avait reçues.

De la musique et des rires s'échappaient de la grande salle. Les clients semblaient gais et insouciants. En y repensant, peut-être aurait-elle dû prévenir Eadulf de l'endroit où elle se rendait. Trois enfants jouaient dehors, attendant que leurs parents veuillent bien les rejoindre. Fidelma prit une brusque décision.

— Lequel d'entre vous aimerait gagner un *pingín* en portant un message au château ?

Le garçon le plus âgé leva les yeux vers elle.

— Seulement un *pingín* ? protesta-t-il. La dernière fois, vous m'aviez promis un *screpall.*

Surprise, Fidelma le fixa.

— La dernière fois ?

— Oui, vous m'aviez promis un *screpall* pour la même course. C'était la semaine dernière.

— Tu te souviens de moi ?

— Il me semble bien... c'était une femme avec une jolie mante, mais elle se tenait dans l'ombre, là au coin.

— Tu as accepté sa proposition ?

— J'allais le faire quand mon père est sorti de l'auberge et il a fallu que je le ramène à la maison. Il avait bu trop de *corma.*

Ses compagnons rigolèrent et Fidelma poussa un soupir de satisfaction. Un détail qui la tourmentait venait d'être résolu. Si la femme mystérieuse avait choisi le nain, c'était par hasard. Elle voulait quelqu'un qui ne pose pas de question, et ce garçon ayant décliné son offre, elle avait arrêté le *crossan* qui passait par là.

— En tout cas, pérora l'enfant, je ferai pas cette course pour moins d'un *screpall.* Il y a pas de raison.

Sans un mot, Fidelma lui jeta une pièce en bronze d'un *pingín* et repartit. Aux limites de la ville, elle se dirigea vers une maison à l'écart des autres. Elle était assez vaste et dotée d'une grange et de dépendances. Au-delà s'étendait la campagne où le brouillard s'épaississait.

Fidelma tira sur les rênes de sa monture en voyant un cheval attaché à un pieu. Alors qu'elle se demandait à qui il pouvait bien appartenir, la porte s'ouvrit et la lanterne accrochée au-dessus du porche éclaira la silhouette d'un grand guerrier aux larges épaules et aux cheveux noirs. Elle reconnut Gormán. Il tint un instant la main d'une femme demeurée dans l'ombre.

— Fais attention à toi, Gormán. Surtout, ne prends pas de risque.

Fidelma ne comprit pas la réponse du jeune homme, qui se pencha vers la femme, l'embrassa et sauta sur son étalon avant de disparaître dans la nuit. Par chance, il était parti dans la direction opposée à l'endroit où Fidelma s'était arrêtée. Elle attendit quelques instants, glissa de la selle et alla attacher sa monture au pieu destiné à cet effet.

Son pas fit craquer les planches du porche et la porte s'ouvrit en coup de vent.

— Gormán, tu as oublié…

En voyant Fidelma, la femme s'arrêta net.

— Bonsoir, Della.

L'embarras qui se lisait sur le visage de Della fut bientôt balayé par un sourire de bienvenue. Âgée d'une quarantaine d'années, elle était petite, jolie, avec une magnifique chevelure dorée. Sa robe suivait les courbes de son corps, que l'âge n'avait pas alourdi.

Della prit les mains de son amie dans les siennes.

— Fidelma ! Je suis si contente de vous voir !

— Cela faisait bien longtemps que je ne vous avais rendu visite.

La femme plongea son regard plein de sympathie dans les yeux de Fidelma.

— J'ai appris le drame qui vous a touchée. Avez-vous des nouvelles d'Alchú ?

Fidelma secoua la tête et entra dans la maison tandis que Della la recevait avec empressement.

— Prenez un siège, là, près du feu. Vous boirez bien quelque chose ? De la *corma* ? À moins que vous ne préfériez un rafraîchissement à base de fleurs de *trom*, de sureau ? Une recette à moi…

Fidelma choisit la boisson sucrée.

— Je suis triste pour vous et aussi pour mon amie Sárait qui a été assassinée, dit Della en s'asseyant près de Fidelma après l'avoir servie.

— Votre amie ? s'étonna Fidelma. J'ignorais que vous la connaissiez.

— Je croyais que vous étiez venue me voir à cause d'elle, s'étonna Della.

— Non, mais le motif de ma visite peut attendre. Vous fréquentiez Sárait depuis longtemps ?

— Depuis le décès… ou plutôt le meurtre de son mari.

— Mais… par qui avez-vous été informée des rumeurs qui ont couru à Cnoc Áine ?

— Par Sárait en personne.

— Elle tenait pour certain que sa mort était suspecte ?

— Pas tout à fait mais… je vais vous dire ce que je sais. Sárait s'était toujours montrée très gentille avec moi, même du temps où je travaillais comme *bétáide*, comme prostituée. Sa sœur, Gobnat, était bien trop soucieuse des convenances pour me prêter attention. D'ailleurs, son attitude à mon égard n'a pas changé. Mais Sárait était une personne charmante et affectueuse. Quelques mois après la mort de son mari, elle est venue me trouver dans un état d'angoisse indescriptible. Et pour tout vous avouer, elle avait été battue.

Fidelma se pencha vers elle.

— Vous êtes sûre ?

— Elle portait des marques et des contusions sur le corps. Et elle voulait que je lui donne des conseils, car elle pensait que je connaissais le pire et le meilleur des hommes.

— Elle ne vous a pas dit qui l'avait maltraitée ?

— Hélas, non. Il s'agissait d'un homme épris d'elle qui lui répugnait profondément. Elle s'était persuadée qu'il avait tué son mari, Callada, avant de s'imposer à elle par la force, car il l'avait bel et bien violée malgré ses vaines tentatives pour se défendre.

Fidelma se renversa en arrière.

— Voilà une terrible nouvelle, car si cet homme se trouvait à Cnoc Áine, il ne peut s'agir que d'un guerrier de Cashel.

— En tout cas, Sárait avait été victime d'un *forcor*.

— C'est un crime très grave.

La loi reconnaissait deux types de viol : le *forcor* quand l'homme usait de violence physique, et le *sleth* qui couvrait les autres situations, par exemple l'abus d'une femme ivre. Le *sleth* était considéré comme une offense à peine moins sérieuse que le *forcor*.

— Elle ne m'a pas révélé l'identité de l'homme, elle voulait juste s'entretenir avec une personne qui l'écouterait sans la condamner. C'est à cette occasion que nous sommes devenues très proches et, de temps à autre, elle passait me voir et nous bavardions en buvant de l'hydromel. Mais que puis-je faire pour vous, lady ? Je ne reçois pas souvent votre visite. Cela concerne-t-il votre enfant ?

Fidelma se sentait embarrassée. Un lien étrange la liait à Della, même si elles se rencontraient rarement tout en vivant à un quart d'heure à cheval l'une de l'autre. Fidelma ayant défendu Della pour une affaire de viol, elle n'était pas autrement surprise d'apprendre que Sárait avait sollicité son aide lors d'une épreuve similaire. Fidelma se rappela la réaction d'Eadulf quand elle lui avait raconté l'histoire de Della. Il reprochait à Della d'être une prostituée, une *bé-táide*, une « femme aux secrets » comme on disait par euphémisme dans la langue des Éireannach. Fidelma avait été irritée par les réflexions sarcastiques d'Eadulf à l'idée qu'une prostituée puisse être violée. Or selon les lois des cinq royaumes, le viol d'une femme, *bé-táide* ou pas, était puni de compensations s'élevant à la moitié du prix de l'honneur de la victime. Après avoir gagné son procès, Della avait changé de vie, en partie grâce à cette maison où elle vivait et qu'elle avait héritée de son père. Cependant, Fidelma n'ignorait pas que bien des gens en ville continuaient de la traiter avec mépris, et Della était devenue une recluse, prisonnière de sa propre demeure. D'ailleurs, Fidelma ne lui rendait visite qu'à la nuit tombée et elle se sentit coupable de ne pas le faire plus souvent.

— Vous souvenez-vous de notre dernière rencontre ? demanda soudain Della.

— Mais oui.

Elle poussa un soupir.

— Vous avez eu la bonté de m'obtenir des compensations quand ma maison a été en partie détruite par les guerriers de Donennach, alors que je cachais frère Mochta et les saintes reliques d'Ailbe.

— Et vous, vous souvenez-vous de vos dernières paroles alors que je prenais congé ?

— « Pour moi, la solitude est préférable à la fréquentation de mes semblables et, quand je l'oublie, la réalité a tôt fait de me le rappeler. » Je le pense toujours.

Fidelma hocha la tête.

— Et je vous ai répondu que nous sommes tous condamnés à la solitude mais que les murs derrière lesquels nous nous abritons, c'est notre peau. Dans cette vie, il n'y a pas d'issue pour échapper à notre isolement.

Della lui adressa un regard plein de compassion.

— La disparition de votre enfant a-t-elle renforcé ce sentiment ?

Fidelma ressentit un brusque accès d'angoisse, mais elle refusa d'y céder.

— Je dois vous poser une question, Della.

— Je vous écoute.

— Quand je vous ai défendue devant le tribunal, vous vous êtes présentée dans une tenue très élégante. Vous portiez une cape de soie verte à broderies grenat, qui s'attachait par un fermoir en argent.

Della acquiesça d'un air pensif.

— Cette cape est-elle toujours en votre possession ?

Della hésita un instant et hocha la tête.

— Je ne la porte plus depuis que j'ai décidé de renoncer à mon office de *bé-táide*.

— Voulez-vous me la montrer, je vous prie ?

Della se leva et se dirigea vers un coffre en bois dans un coin de la pièce. Il était plein de vêtements qu'elle sortit un par un et posa sur le sol. Ils étaient magnifiques et Fidelma n'avait nul besoin de demander à Della comment elle se les était procurés. Des souvenirs de sa vie passée…

Soudain, Della émit une brève exclamation de surprise.

— Que vous arrive-t-il ?

— Quelqu'un a fouillé dans ce coffre ! Une des robes est déchirée et l'ourlet a été arraché. Or, lorsque j'ai rangé ces affaires, elle était intacte.

— Cela remonte à quand ?

— Juste après le procès. Depuis, je n'ai plus jamais porté une seule de ces tenues.

— Trouvez-moi cette cape ! lança Fidelma d'un ton impérieux.

Della lui jeta un regard surpris avant de se plonger à nouveau dans le coffre. Puis elle s'assit par terre d'un air découragé.

— Elle n'est pas là.

Fidelma poussa un profond soupir.

— Je m'en doutais.

— Dans ce cas, je pense que vous me devez des explications.

— Della, où étiez-vous la nuit où Sárait a été tuée ?

La femme tressaillit.

— De quoi m'accusez-vous ?

— Je vous en prie, murmura Fidelma d'une voix caressante. Je vous expliquerai de quoi il s'agit si vous répondez à une ou deux questions.

Avec quelqu'un d'autre, elle aurait usé de son autorité mais avec Della, cela n'aurait servi à rien.

— J'étais sûrement ici, je m'absente rarement.

— Quelqu'un peut-il le confirmer ?

Della sembla hésiter.

— J'étais seule, dit-elle enfin.

Quelque chose souffla à Fidelma que son amie ne disait pas la vérité, mais elle préféra ne pas insister pour l'instant.

— Quand avez-vous vu cette cape pour la dernière fois ?

— Il y a à peu près trois ans, depuis, je n'ai plus ouvert ce coffre.

— Pourquoi garder ces vêtements ? Vous auriez pu les vendre. Ils valent cher.

Della haussa les épaules.

— Je suppose qu'ils représentent une part de moi-même… et me rappellent ce que j'ai été.

— Quelqu'un serait-il entré chez vous par effraction ? Cette cape a pu vous être volée.

Della fit la moue.

— Je ne vois pas pourquoi on s'introduirait chez moi en cachette. Ma porte est toujours ouverte.

Fidelma savait qu'à Cashel pratiquement personne ne fermait sa porte, même si les nobles et ceux qui occupaient des fonctions importantes sécurisaient la leur par des verrous en fer – des *glais iarnaidhi*. Quand le bienheureux Colomba voulut convertir le roi païen Brude des Pictes, ce dernier barricada toutes les entrées de sa forteresse. Colomba se mit alors à prier et les verrous tombèrent. Pourquoi Fidelma se rappelait-elle cette histoire en cet instant ? Elle n'en avait aucune idée.

— Cependant, poursuivit Della, je m'enferme la nuit.

— Donc n'importe qui a pu vous dérober cette cape ?

— Sans doute. Et maintenant expliquez-moi de quoi il retourne.

— Eh bien, la nuit où Sárait a trouvé la mort et où mon bébé a été enlevé, elle a été attirée hors du château par un message. Un nain s'est présenté à elle pour lui dire que sa sœur voulait la voir de toute urgence, mais il s'agissait d'un piège.

— Gobnat et Sárait s'adressaient à peine la parole.

— Vous connaissez Gobnat ?

— Tout le monde la connaît, ici. C'est une de ces femmes vertueuses qui ne me saluent pas. Elle se prend pour un pilier de la foi chrétienne.

Fidelma s'étira devant le feu.

— Vous ne l'aimez guère.

— Son attitude m'irrite, et je ne suis pas la seule dans ce cas.

— Que voulez-vous dire ?

— Je veux parler de son orgueil démesuré. Elle se croit supérieure aux autres femmes. Et ses prétentions ne connaissent plus de bornes maintenant que Capa commande la garde royale.

— Mon mentor, le brehon Morann, disait que l'orgueil n'est qu'un masque pour dissimuler ses fautes.

Della sourit.

— Si quelqu'un peut garder la tête haute, c'est bien vous, Fidelma. Vos exploits sont célèbres dans les cinq royaumes, ainsi que votre sagesse et votre érudition.

Fidelma secoua la tête.

— Quand je suis entrée à l'école de droit du brehon Morann, il m'a d'abord appris à corriger mon arrogance. J'ai dû admettre, et ce ne fut pas sans mal, que le savoir accumulé par une vie de contemplation et d'études ne représente pas grand-chose. À partir de là, j'ai entrepris de réviser les connaissances très imparfaites que je croyais posséder.

— Pour en revenir à ce qui vous préoccupe… avez-vous réussi à retrouver ce nain dont vous m'avez parlé ?

— Oui, et sa version des faits m'a convaincue. Le frère de ce pauvre diable a payé de sa vie la véracité de son témoignage.

— Racontez-moi son histoire.

— Cette nuit-là, ce nain passait par Cashel quand une femme – revêtue d'une cape en soie verte richement brodée de motifs grenat – lui demanda de porter un message à Sárait au château.

Alors qu'elle surveillait avec attention le visage de Della, elle fut surprise de constater qu'il exprimait un certain soulagement.

— Donc le nain pourra identifier celle qui portait ce vêtement, dit Della.

— Malheureusement non, car la lumière de la lanterne n'éclairait pas ses traits. Il a seulement constaté qu'elle n'était pas très jeune mais avait une jolie silhouette. La femme l'a payé pour le service qu'elle lui demandait.

Della s'assombrit.

— Je comprends maintenant pourquoi vous êtes venue me rendre visite. Cependant, d'autres femmes possèdent une cape pouvant correspondre à cette description.

Fidelma indiqua le coffre.

— Le fait que vous n'ayez pas retrouvé la vôtre tend plutôt à prouver qu'elle vous appartenait.

— Ce qui ne veut pas dire que je la portais.

— Je vous l'accorde. Où étiez-vous cette nuit-là ?

À nouveau, Della marqua un temps d'hésitation.

— Fidelma, vous vous êtes montrée juste et généreuse alors que les autres me fuyaient. Vous m'avez défendue quand tous auraient été ravis de me voir condamnée. Par l'amitié qui nous unit, je vous jure que je ne suis pas la femme que vous cherchez. J'avais une cape en soie verte et maintenant elle a disparu. C'est tout ce que je sais.

Fidelma détourna les yeux.

— En tant qu'amie, je ne mets pas votre parole en doute. Mais en tant que *dálaigh*, je dois essayer de découvrir quand cette cape vous a été volée et ce que vous faisiez la nuit où Sárait a été assassinée.

Della leva les bras en un geste d'impuissance.

— J'entends bien, mais je n'ai rien à ajouter qui puisse vous être d'un quelconque secours.

— Vous ne pouvez pas me préciser où vous étiez ni me donner le nom d'une personne qui témoignerait en votre faveur ?

— Non, c'est impossible, répliqua Della avec fermeté.

Fidelma poussa un profond soupir.

— Très bien, je vous crois, mais vous comprendrez que je ne reculerai devant rien pour retrouver mon enfant.

— Si j'étais à votre place, j'agirais de même. Moi aussi, je suis une mère. Quand j'étais jeune, je n'avais qu'une ambition : me marier et avoir des enfants. Cela me fut refusé. Mon problème, c'est que je m'éprenais de vauriens. Je donnais mon amour et ma confiance à des hommes qui me quittaient, ne laissant derrière eux que des souvenirs amers. Voilà pourquoi je suis devenue une *bé-táide* : pour me venger des hommes.

— Pour vous, la prostitution était une revanche sur les hommes ?

Della eut un rire sans joie.

— Ils viennent le chapeau à la main implorer vos faveurs et ils payent pour ce privilège. Cela change de la façon dont ils s'imposent à leur femme pour la simple raison qu'ils sont leur mari.

— Les femmes n'ont pas à accepter un tel traitement, la réprimanda Fidelma. Selon la loi, elles ont le droit de se séparer d'un mari brutal et de demander le divorce.

— La logique est impuissante devant la nature humaine. Ce qui se passe entre un homme et une femme dans une chambre à coucher se situe souvent au-delà de la loi.

— Mais pourquoi une femme aurait-elle peur ? Si un homme la menace ou lui inflige des violences physiques, cela suffit pour exiger un divorce immédiat. De même, si un homme répand des mensonges sur le compte de sa femme et la ridiculise…

— Vous ne comprenez pas, la coupa Della, parce que vous êtes heureuse en ménage. Parfois, il arrive qu'une femme supporte une situation à laquelle il serait facile de remédier en apparence. La vie n'est pas aussi simple.

Fidelma fut soudain submergée par une vague de lassitude. Les larmes lui montèrent aux yeux.

Della la fixa avec surprise.

— Que se passe-t-il, lady ?

Elle posa une main sur le bras de son amie.

— Je vous demande pardon de me montrer aussi égoïste, j'oubliais que vous étiez venue me voir à cause du rapt de votre enfant. Comment ai-je pu être aussi insensible ?

— Oh, Della, il ne s'agit pas seulement d'Alchú ! En ce moment, j'ai l'impression d'être plongée dans un abîme dont je ne pourrai jamais sortir.

— Le moine saxon serait-il la cause de votre chagrin ?

— Disons plutôt que je l'ai offensé par mon indifférence et ma vanité, répliqua Fidelma d'une voix entrecoupée.

La femme hocha la tête.

— Racontez-moi ce qui vous tourmente.

Fidelma parla tout d'abord d'une voix hésitante, puis avec un abandon croissant. Tandis qu'elle exposait ses difficultés avec Eadulf, les mots se bousculaient sur ses lèvres. Cela faisait si longtemps qu'elle ne s'était pas confiée à une amie de cœur ! Depuis la disgrâce de Liadin, Fidelma n'avait plus d'*anam chara*, d'âme sœur. Liadin et elle étaient tellement proches ! Elles avaient grandi ensemble et lorsqu'elles avaient atteint « l'âge du choix », la majorité chez les Celtes d'Éireann, elles s'étaient choisies pour se porter assistance sur le plan spirituel, comme c'était la coutume chez les chrétiens d'Irlande. Liadin avait épousé un chef étranger chassé de ses terres, Scoriath des Fir Morc, qui avait trouvé refuge chez les Uí Dróna de Laigin. Liadin avait pris un amant et s'était retrouvée impliquée dans l'assassinat de son fils et de son mari. En tentant d'utiliser Fidelma, elle avait trahi sa parole. Depuis lors, personne n'avait remplacé Liadin auprès de Fidelma.

Maintenant, la digue qui retenait ses craintes, ses espoirs et ses tourments s'était brisée et ses émotions trop longtemps contenues se déversaient comme un torrent.

Un grand silence succéda à sa confession.

— S'il y a une chose que je sais, dit enfin Della, c'est qu'il est illusoire de prodiguer des conseils alors que souffle la tempête. D'après ce que j'ai cru comprendre, les problèmes viennent du moine saxon, qui est davantage à blâmer que vous. Selon un vieux proverbe, quand un homme se marie avec une femme de la vallée, c'est toute la vallée qu'il épouse. Eadulf ignorait-il que vous étiez une Eóghanacht ?

— Je crois qu'il n'a pas bien compris ce à quoi il s'engageait.

— Sans doute, mais il ne peut vous en faire le reproche.

— Il n'est pas heureux ici, Della, et je ne serais pas heureuse dans son pays.

— Il faut trouver un compromis.

— Lequel ?

— Vous devez faire preuve d'imagination et lui aussi.

— Ce n'est pas facile.

— Peut-être parce que vous raisonnez trop ? Souvent, le plus court chemin pour résoudre un dilemme de ce genre est de laisser vos sentiments vous guider. Lorsque vous verrez mieux les choix qui s'offrent à vous, il sera toujours temps de prendre une décision.

Fidelma secoua la tête.

— Quand le cœur mène la danse, la logique est vaincue.

— La vérité s'appréhende par les émotions, qui indiquent la voie du raisonnement.

Fidelma se leva et sourit à Della.

— Vous êtes une femme sage.

— Peut-être, mais en attendant, je ne suis qu'une ancienne *bé-táide* soupçonnée d'avoir couvert la mort de Sárait.

Fidelma plongea son regard dans celui de Della.

— Mon instinct me dit que vous n'êtes pour rien dans cette affaire, et aussi que vous me cachez quelque chose.

Della rougit.

— Je vous assure que je suis innocente de toute action ayant pu entraîner l'assassinat de Sárait ou l'enlèvement de votre bébé. Vous êtes la dernière personne à qui je voudrais causer du tort.

Fidelma hocha la tête.

— J'accepte vos explications… tant qu'elles ne sont pas remises en cause.

Elle ouvrit la porte et se retourna.

— Promettez-moi de ne révéler à personne le vol de cette cape et l'intérêt que j'y porte.

Della sourit.

— Je serai aussi muette qu'une tombe.

— Parfait, dit Fidelma en lui rendant son sourire.

CHAPITRE X

Fidelma et Eadulf prenaient ensemble leur repas du matin, qui consistait en lait de chèvre, pain frais, pommes et fromage. Fidelma n'avait pas fourni beaucoup de détails sur son entretien avec Della. Elle avait simplement rapporté sa rencontre avec le garçon devant l'auberge et révélé que Della avait autrefois possédé une cape en soie verte brodée de grenat. Elle avait également mentionné la visite de Gormán à Della, et Eadulf s'était abstenu de poser des questions. La veille, il l'avait rejointe assez tard, alors qu'elle était à moitié endormie. Dans la bibliothèque de Cashel, il avait découvert une copie de l'*Historia Francorum*, une histoire des Francs écrite par l'évêque Grégoire de Tours. Eadulf était un passionné de ce genre d'ouvrage. Le scribe à la bibliothèque lui avait expliqué qu'il s'agissait d'un des derniers à avoir été retranscrit dans le grand atelier de copistes d'Alexandrie. La chronique était contée avec beaucoup de verve et d'enthousiasme. Eadulf avait appris que Grégoire n'était pas un Franc mais un Gaulois romanisé, qui prenait un malin plaisir à dénoncer les erreurs des Francs et à glorifier son peuple. Il n'avait pas vu le temps passer et quand il était retourné dans ses appartements, Fidelma était déjà couchée. En revenant à la réalité, il s'était senti vaguement coupable de s'être laissé distraire de ses problèmes pendant quelques heures.

— Et maintenant, qu'allons-nous faire ? demanda-t-il en se versant du lait.

— Attendre. Espérons que nous recevrons une réponse rapide de nos ennemis.

— Es-tu optimiste ?

— Si Alchú a vraiment été enlevé par les Uí Fidgente, oui. Ce matin, le vieux Conchobar m'a priée de disputer une partie de *brandubh* avec lui. Sans doute estime-t-il que j'ai besoin de distractions.

Le *brandubh* ou « corbeau noir » se jouait sur un plateau en bois et Eadulf se targuait d'y être passé maître. Avant la christianisation des cinq royaumes, on disait qu'il avait été inventé par le dieu des arts, Lugh, et la plupart des rois et des héros s'y étaient illustrés.

Conchobar, un vieil apothicaire qui exerçait aussi la médecine, connaissait Fidelma depuis qu'elle était enfant.

— À tout hasard, demande-lui donc s'il sait où Alchú est détenu, dit Eadulf d'un ton sarcastique.

Conchobar était aussi un astrologue qui passait beaucoup de temps à contempler les étoiles. En Éireann, où la médecine et l'astrologie étaient souvent associées, on prenait très au sérieux l'étude des cieux ou *nemgnacht*. La plupart des gens qui en avaient les moyens faisaient dresser une carte du ciel à la naissance d'un enfant. On appelait cela un *nemindithib*, un horoscope.

— Il n'y a pas de quoi plaisanter, s'énerva Fidelma.

— Qui a dit que je plaisantais ? Ne s'adresse-t-on pas à vos astrologues pour retrouver les gens qui disparaissent ?

Brusquement Fidelma se leva et sortit en claquant la porte. Eadulf s'étira en soupirant. Il ne pouvait rien dire sans que Fidelma le prenne mal. Sa suggestion n'était qu'à moitié ironique, car il savait que Fidelma se refusait à rejeter d'emblée les anciennes croyances de son peuple. Le vieux Conchobar lui avait raconté que Fidelma avait montré des dispositions étonnantes pour dresser des cartes du ciel, et plus d'une fois ses connaissances s'étaient révélées très utiles pour résoudre une énigme qui résistait à l'analyse. Alors pourquoi ne pas interroger Conchobar sur les circonstances de l'enlèvement d'Alchú ?

Une fois son repas terminé, il se demanda à quoi il allait bien pouvoir s'occuper. Assez perdu de temps à lire ! Il regarda les murailles du château par la fenêtre. C'était une belle journée de fin d'automne, avec un ciel bleu et une lumière translucide. Le givre brillait sur le sol. Un ciel nuageux aurait amené des pluies intermittentes et une température plus clémente.

La fenêtre donnait au sud, sur la forêt qui s'étendait jusqu'à la Suir.

C'est alors qu'une idée lui traversa l'esprit. N'importe quelle activité, même vaine, serait préférable à l'inaction.

Il se rendit aux écuries où un palefrenier lui sella son cheval. Eadulf n'était pas expert en équitation et il préférait laisser le soin de sa monture à des personnes mieux qualifiées que lui.

Dans la cour, il tomba sur Caol, qui était de garde.

— Je vais me promener un peu, j'ai besoin d'exercice, lui annonça-t-il.

— Prendriez-vous plaisir à des chevauchées matinales ? le taquina Caol. Vous avez raison, le temps s'y prête.

— J'ai l'intention de me rendre dans les collines, puis de marcher un peu.

— Puisque vous vous dirigez vers le sud, allez donc au Loch Ceann. C'est un très joli coin.

— N'est-ce pas près de ce lac que travaille le bûcheron Conchoille ? demanda innocemment Eadulf.

— Oui, en ce moment il abat des arbres près de Rath na Drínne. Vous voulez lui parler ?

— Je n'y avais pas songé, mais si jamais je le croise, j'en profiterai pour lui poser une ou deux questions.

Eadulf monta sur son étalon et entreprit de descendre la colline escarpée sur laquelle se dressait le château. Il suivit le chemin tortueux et, arrivé en bas, il tourna le dos à la ville et pénétra dans la forêt.

Il n'avait jamais eu l'intention de se rendre au Loch Ceann mais bien à Rath na Drínne. Il repéra sans peine l'auberge en bois dont l'enseigne se balançait dans la brise du matin, s'arrêta et sauta à terre.

La salle était vide, ce qui n'avait rien d'étonnant à cette heure matinale. Un petit homme replet surgit d'une pièce attenante, les manches retroussées et un tablier attaché sur son ventre rebondi.

— Bonjour, mon frère, lança-t-il en examinant son hôte d'un œil curieux. Que puis-je faire pour vous ?

— Servez-moi un gobelet de votre hydromel, répondit Eadulf avec un sourire. Et si vous avez un peu de temps à me consacrer, j'aimerais que vous répondiez à quelques questions.

L'aubergiste fronça les sourcils.

— Votre accent saxon me dit que vous êtes frère Eadulf, le mari de notre lady Fidelma.

— On ne peut rien vous cacher... Et vous, vous êtes Ferloga ?

— Exactement. J'ai eu vent de vos ennuis et j'imagine ce que vous devez endurer. Nous sommes très attachés à lady Fidelma et, d'après la rumeur, ce serait une fois de plus nos vieux ennemis, les Uí Fidgente, qui seraient derrière cette vilenie.

— Qui vous a raconté cela ? demanda Eadulf en allant s'asseoir auprès du feu.

Ferloga le servit.

— Nous sommes une petite communauté, mon frère. Bon nombre de mes clients vivent ou travaillent à Cashel.

— Comme Conchoille ?

— Comme Conchoille. Tout ce qui se passe à Cashel trouve un écho ici même.

Eadulf but une gorgée d'hydromel au goût acidulé.

— Votre ami bûcheron s'est donc arrêté ici juste avant de découvrir le corps de Sárait…

Ferloga contemplait les flammes.

— Je me souviens bien de cette nuit-là. Quand Conchoille m'a raconté cette triste histoire, j'ai repassé les détails de la soirée dans ma mémoire.

— Comment vous a-t-il décrit son aventure ? Vous comprenez, d'après mon expérience, un récit est souvent déformé. Le temps que Conchoille vienne témoigner devant moi et Fidelma, il avait sûrement répété son récit une centaine de fois. Vous êtes un des premiers à l'avoir entendu. Votre version peut comporter un élément important que le bûcheron aurait oublié par la suite.

Ferloga se mit à rire.

— Cela m'étonnerait qu'il ait omis quoi que ce soit. Certes, il travaille comme bûcheron, mais il est aussi un *senchaid*, et un des meilleurs de la contrée.

Un *senchaid* était un gardien de la tradition orale. Il transmettait ses contes d'une génération à l'autre en usant d'un langage parfaitement codifié. Eadulf, qui avait assisté à plus d'une veillée, savait que l'assistance connaissait les histoires aussi bien que le conteur, et un *senchaid* qui se permettait de prendre des libertés avec le récit se faisait vite rappeler à l'ordre.

— Même un *senchaid* n'est pas infaillible, Ferloga. Je vous écoute.

L'aubergiste se renversa en arrière sur son siège et ferma un instant les yeux pour mieux se concentrer.

— Quand il travaille dans le coin, Conchoille vient manger à l'auberge le soir. Il est veuf et n'a pas de femme pour s'occuper de lui. Donc ce soir-là, au crépuscule, il est venu s'attabler ici et, après le repas, nous avons bavardé tout en buvant quelques gobelets.

— Donc il est resté tard ?

— Oui, et nous avons échangé pas mal d'anecdotes.

— Qui portaient sur quoi ?

— Oh, des commérages, des nouvelles des villages environnants. C'est important pour un aubergiste de se tenir informé. Ce jour-là, je lui ai raconté la visite de nomades que je m'apprêtais à mettre dehors quand ma femme est intervenue pour que je les laisse entrer. Ils avaient un bébé. Elle leur a donné de la nourriture en échange d'un baume pour sa jambe malade. Enfin bref, après notre conversation, Conchoille a allumé sa lanterne et il a disparu sur le chemin de Cashel.

— Et comment vous a-t-il décrit sa mésaventure ?

— Il allait entrer dans Cashel quand il s'est pris les pieds dans un châle taché de sang. C'est ainsi qu'il a découvert Sárait. Raide morte.

— Et alors ?

— Il s'est précipité chez la sœur de Sárait, Gobnat, qui vit non loin de là. Comme vous le savez, son mari, Capa, commande la garde d'élite du roi. Capa est donc parti récupérer le cadavre avec Conchoille. En chemin, ils ont croisé un guerrier qui se rendait au château et Capa lui a demandé de donner l'alarme, vu que Sárait était au service de lady Fidelma. Mais quand Caol et ses guerriers sont arrivés, Caol s'est rappelé que Sárait avait quitté le château avec le bébé de lady… votre bébé. Aussitôt, des recherches ont été lancées, mais sans succès.

— C'est tout ?

Ferloga haussa les épaules.

— Ils ont fouillé les bois et les villages à la lumière des torches, et le lendemain ils ont repris leurs investigations…

Eadulf était plongé dans ses pensées. Comme il s'en doutait, il n'avait rien appris de nouveau. Mais quelque chose le dérangeait, là, dans un coin de sa tête, qu'il ne parvenait pas à saisir.

— Depuis lors, Conchoille n'a ajouté aucun détail à son récit ?

Ferloga fronça les sourcils.

— Le soupçonneriez-vous de quelque méfait ? C'est un homme loyal, et qui s'est battu dans bien des batailles contre les Uí Fidgente.

Eadulf le fixa d'un air songeur.

— Par exemple à Cnoc Áine ?

— Nous étions nombreux à Cnoc Áine.

— Callada, le mari de Sárait, y a trouvé la mort.

— Effectivement.

— Que faisiez-vous là-bas avec Conchoille ? Excusez-moi, mais n'êtes-vous pas trop vieux pour ce genre d'exercice ? Cnoc Áine remonte à deux ans à peine.

Ferloga releva le menton d'un air offensé.

— Un homme a l'âge de sa vigueur.

— Aviez-vous été réquisitionnés ?

— Seul l'amour de notre roi avait motivé notre engagement.

— Avez-vous été le témoin de la mort de Callada ?

Ferloga eut un rire sarcastique.

— Je vois maintenant où vous voulez en venir, Saxon. Le bruit s'est répandu que Callada avait été tué par un des nôtres, et non par l'ennemi.

— Avez-vous un avis sur la question ?

— Personnellement, je n'y crois pas beaucoup. De toute façon, Conchoille et moi n'étions pas en première ligne lors de la charge contre l'ennemi. On nous tenait en réserve. Quand notre tour est venu d'avancer, c'était la débandade et nous nous sommes contentés de faire des prisonniers et de poursuivre quelques fuyards.

— Donc vous n'avez pas ajouté foi à la rumeur concernant la mort de Callada ?

Ferloga eut un geste agacé.

— Après une bataille aussi sanglante et difficile que celle-là, les esprits s'échauffent et on raconte un peu n'importe quoi. Pour tout vous avouer, je n'ai pas d'avis sur le sujet.

— Et vous avez participé aux recherches pour retrouver Alchú ?

— Je n'ai été prévenu qu'à midi et, à cette heure-là, les battues avaient été abandonnées.

Eadulf ne pouvait s'empêcher d'être déçu. Au fond de lui-même, il avait espéré que Ferloga lui signalerait un incident d'une insigne importance jusqu'ici négligé.

Il soupira.

— Puisque je suis ici et qu'il sera bientôt midi, je mangerais bien un peu de pain et de fromage. À moins que votre femme n'ait cuisiné quelque chose ? À ce propos, vous avez mentionné qu'elle souffrait d'infection à la jambe. Le baume l'a-t-il guérie ? J'ai étudié l'art des simples à Tuaim Brecain.

Ferloga lui adressa un sourire reconnaissant.

— Je vous remercie, mais ma femme est chez sa sœur. Et le baume a été très efficace. Nous avons eu de la chance qu'elle m'empêche de chasser ces colporteurs.

— Je croyais que la loi de l'hospitalité vous interdisait de refuser des clients ?

Ferloga s'empourpra.

— Vous n'êtes pas dans une *bruden*, une auberge publique où tout le monde doit être reçu. Ce petit établissement m'appartient et je n'aime pas les colporteurs. Ce sont souvent des individus peu recommandables, des mendiants…

— Ces mendiants vendaient pourtant des remèdes.

Ferloga renifla d'un air irrité.

— Oui, des baumes, des herbes… des potions bizarres. Et puis leur bébé n'arrêtait pas de brailler.

— N'empêche qu'ils vous ont rendu service.

Ferloga avait visiblement du mal à l'accepter.

— Un homme et une femme avec un enfant, disiez-vous ? s'écria brusquement Eadulf.

— Oui, un couple et un bébé. Ils se rendaient à l'abbaye de Colmán.

— Quand sont-ils passés par ici ?

— Le jour où Sárait a été assassinée, mais quand ils sont partis, le soleil commençait à peine à décliner. Conchoille est arrivé plus tard et je lui ai raconté leur visite.

Soudain, Ferloga ouvrit de grands yeux.

— Vous ne pensez tout de même pas qu'ils auraient pu tuer Sárait ?

Eadulf fit la sourde oreille.

— Ces marchands ambulants… ce sont peut-être des Uí Fidgente ?

— Sûrement pas, ils avaient l'accent de Laigin. Les gens qui prennent la route dans les cinq royaumes ont toujours une bonne raison de le faire. Généralement, c'est parce qu'ils sont en délicatesse avec la loi et ne peuvent se racheter en payant leur prix de l'honneur. Condamnés à errer, ils ne s'enracinent plus nulle part.

Eadulf vida son gobelet et se leva.

— Merci pour votre aide, Ferloga.

— Mais… et votre repas ?

— Il faut que je retourne à Cashel, s'excusa Eadulf. J'avais oublié un rendez-vous urgent.

Il n'avait pas parcouru plus d'une cinquantaine de toises qu'il lançait son cheval au trot. Un comportement inhabituel chez le moine saxon, qui semblait très excité : une idée lui était venue et, s'il avait raison, peut-être le mystère qui le hantait parviendrait-il enfin à être résolu.

Fidelma, les sourcils froncés, tentait de se concentrer.

Conchobar avait l'avantage. Le corbeau noir était un jeu difficile. Le plateau était divisé en quarante-neuf cases, sept sur sept. Sur la case du centre, qui représentait le château de Tara, se tenait la pièce du haut roi. Les quatre cases qui l'entouraient étaient réservées aux rois des provinces, chargés de protéger le haut roi. Sur celles qui délimitaient le plateau étaient distribuées les pièces attaquantes ou « forces du chaos ». On lançait les dés et chaque pièce se déplaçait en fonction du chiffre obtenu. Le but du jeu consistait à assurer la sécurité du haut roi en lui permettant de se mouvoir au milieu des pièces qui l'encerclaient, soit vers le bord du plateau soit vers une des quatre cases allouées aux rois des provinces.

D'habitude, Fidelma prenait plaisir à disputer une partie de corbeau noir mais ce jour-là son esprit était ailleurs. Elle avait déjà perdu deux pièces de défense.

Conchobar, le vieux religieux dont l'officine d'apothicaire était située à l'ombre de la chapelle royale, dans l'enceinte du château, la surveillait d'un œil inquiet.

Fidelma croisa son regard et haussa les épaules.

— Excusez-moi, mon très cher ami, mais je ne parviens pas à fixer mon attention.

— Je m'en doutais, et je vous excuse volontiers. Moi qui espérais que cette partie vous distrairait un peu... mieux vaut la remettre à plus tard.

Fidelma poussa un profond soupir. Quand Eadulf avait suggéré qu'elle mette à profit les connaissances en astrologie du vieux mage, il n'avait fait qu'exprimer à haute voix un désir qu'elle n'osait admettre. Poussée par le désespoir, elle se décida.

— Frère Conchobar, j'aimerais utiliser votre art pour retrouver mon fils, dit-elle soudain.

Le vieil homme secoua la tête d'un air désolé.

— Vous savez bien que c'est impossible.

— Vous êtes pourtant célèbre pour élaborer des spéculations très intéressantes à partir des positions des étoiles dans le ciel.

— Même si j'ai étudié sous la férule de Mo Chuaróc mac Neth Sémon, le plus grand astrologue qu'ait connu Cashel, on surestime mes capacités.

— Un bon *réalt-eolach*, qui scrute les étoiles, peut localiser un objet en traçant une carte. Pourquoi ne pas faire de même avec mon bébé ?

— Hélas, Fidelma, j'ai autrefois essayé de vous enseigner cet art et, si vous n'y aviez pas renoncé, vous seriez devenue une excellente interprète des conjonctures astrales. Mais vous avez oublié un point essentiel.

— Lequel ?

— Comme pour l'élaboration de la carte du ciel à la naissance d'un enfant, le lieu et l'heure de la naissance d'une question sont fondamentaux, car les étoiles bougent très vite. Votre angoisse remonte à plusieurs jours. Comment saurais-je quand elle a germé ?

— L'attente provoque chez moi un tel état de frustration…

Plein de compassion, Conchobar hocha la tête.

— Je vous reconnais bien là, Fidelma.

Il sourit.

— Déjà dans le sein de votre mère… j'ai assisté à l'accouchement, vous êtes arrivée avant terme, hurlant et pleurant pour capter notre attention. Vous étiez pressée de vivre et d'apprendre, et vous vous énerviez de la lenteur et de l'opacité du monde qui vous entourait.

— Un proverbe ne dit-il pas que la patience est la vertu des ânes ? répliqua Fidelma.

Conchobar plissa les paupières.

— Un grand brehon a dit que ceux qui ignorent la patience ignorent la sagesse. Il s'appelait…

— Morann, mon maître. Mais lui n'a jamais été obligé de rester pieds et poings liés tandis que son enfant était la proie de dangers inconnus.

— Calmez-vous, Fidelma, et l'abeille vous apportera du miel. Aujourd'hui, il est important de ne pas se jeter dans des actions précipitées, car *An Bech* domine le ciel.

Ce que les Irlandais appelaient l'Abeille correspondait à la constellation du Scorpion chez les Romains.

— Expliquez-moi.

— Le soleil, Vénus et Jupiter sont en Scorpion, et aussi Mars, le maître de ce signe. Pour vous, cela entraîne une activité réduite. Avec de la volonté, vous pouvez cependant prendre des décisions… mais ce sera pour le meilleur ou pour le pire. Et méfiez-vous, car le Scorpion est la maison zodiacale de la mort.

Fidelma pâlit.

— Vous étiez supposé me réconforter, Conchobar.

— Je suis là pour vous aider à avancer sur le chemin qui est le vôtre. Et maintenant, plutôt que de jouer au *brandubh* avec un vieil imbécile comme moi, vous feriez mieux d'aller retrouver votre mari.

Fidelma renifla d'un air maussade tandis que Conchobar l'étudiait avec attention.

— Des problèmes avec notre ami saxon ?

— Oui, beaucoup de problèmes.

— Je ne suis pas votre *anam chara*, mais…

— Je n'ai plus d'*anam chara* depuis que Liadin m'a trahie.

— Alors il faut que vous la remplaciez. Je suis prêt à entendre vos pensées les plus intimes et à vous donner mon opinion.

Fidelma baissa les yeux sur le plateau de *brandubh.*

— Ce jeu me semble enfantin et les pensées qui se bousculent dans ma tête ne trouvent aucun refuge dans les cases qui forment le tableau de ma vie.

Conchobar soupira.

— Ce n'est pas facile pour frère Eadulf d'être un étranger sur ces terres et d'être marié à une princesse des Eóghanacht.

— C'était son choix, se défendit Fidelma.

Conchobar eut un petit sourire.

— Vous ne vous sentez en rien concernée ?

Elle rougit.

— J'ai essayé de le dissuader, j'ai…

Un large sourire fendit le visage du vieux mage.

— En somme, vous avez été dépassée par les événements.

— Notre contrat de mariage, d'un an et un jour, arrivera à son terme la semaine prochaine.

— Auriez-vous l'intention de le rejeter publiquement ? Une attitude plutôt embarrassante vu les circonstances, vous ne trouvez pas ?

Fidelma pinça les lèvres. Conchobar se montrait affreusement logique… comme elle l'aurait été à sa place.

— Fidelma, oublions les difficultés d'Eadulf à s'adapter à sa nouvelle position. Quels sont vos sentiments ? Vous n'êtes pas une partenaire involontaire de ce pacte. Je vous connais trop bien. Dans la vie, on ne vous a jamais rien imposé contre votre volonté et, si vous vous êtes engagée dans ce mariage, c'est que vous aviez mûrement réfléchi.

Fidelma baissa la tête.

À cet instant, la porte s'ouvrit en coup de vent et le religieux qui pénétra dans la pièce se dirigea droit sur Conchobar.

— Venez vite, frère apothicaire, on a besoin de vos services.

Fidelma bondit sur ses pieds.

— Que se passe-t-il ?

Le religieux se tourna vers elle.

— Sœur Fidelma ! Il s'agit de l'évêque Petrán. Il est à l'article de la mort.

CHAPITRE XI

L'évêque Petrán était mort. Il reposait sur son lit, la peau pâle et tendue comme du parchemin sur son visage osseux, les lèvres bleuies. Frère Conchobar dut se résoudre à prononcer son décès.

Deux des jeunes moines de sa suite se tenaient auprès de lui, l'air catastrophé. Poussée par la curiosité, Fidelma avait accompagné Conchobar. La veille, l'évêque semblait en parfaite santé et sa discussion animée avec Eadulf avait apporté la preuve de son agilité mentale. Elle allait demander à Conchobar ce qui, à son avis, était la cause de ce trépas imprévisible quand le brehon Dathal fit irruption dans la chambre, suivi par Finguine, le *tanist*.

Dathal jeta un regard circulaire plein d'autorité et ne put dissimuler sa contrariété en voyant Fidelma.

— J'ai l'intention de mener les investigations sur cette affaire, lui lança-t-il d'un ton sans réplique.

Elle lui adressa un sourire contraint.

— J'ignorais qu'une enquête fût nécessaire mais si vous le jugez bon, je ne m'y opposerai pas. Il se trouve que je disputais une partie de *brandubh* avec frère Conchobar quand on nous a annoncé la triste nouvelle.

Dathal se tourna vers Conchobar.

— De quoi l'évêque Petrán est-il mort ?

L'autre haussa les épaules.

— N'ayant pas encore examiné le cadavre, je n'ai pas d'avis pour l'instant.

— Ces lèvres bleues sont sûrement le signe d'un empoisonnement ! grommela Dathal.

— Ce n'est pas certain, protesta le vieil apothicaire.

— Mon expérience m'a appris qu'il en est toujours ainsi, répliqua le brehon avec humeur.

— J'ignorais que vous étiez médecin, lança Conchobar sans diplomatie excessive.

Dathal, qui s'était penché sur le corps, fit mine de n'avoir rien entendu et Conchobar se mit à tousser bruyamment pour attirer son attention.

— Je dois procéder à des examens complémentaires dans mon officine.

Le brehon se redressa en reniflant d'un air supérieur.

— Ce sera superflu. À l'évidence, il s'agit d'un empoisonnement, mais si vous avez du temps à perdre… En ce qui me concerne, je vais entamer une procédure pour assassinat.

Fidelma le fixa, bouche bée.

— N'est-ce pas un peu… prématuré ?

— Je croyais que vous n'étiez pas concernée par cette affaire ? s'irrita Dathal.

— Je vous laisserai mener les choses à votre guise.

— Alors je ne vous retiens pas.

Puis il se tourna vers les deux jeunes religieux.

— Quand avez-vous découvert l'évêque ?

— Nous sommes venus le chercher pour l'accompagner au réfectoire et nous l'avons trouvé ainsi. Je suis allé prévenir frère Conchobar pendant que mon compagnon restait auprès de lui.

— Quand l'avez-vous vu en vie pour la dernière fois ?

— Peu de temps après qu'il nous eut congédiés ce matin. Il disait qu'il se sentait fatigué à cause du voyage. Nous n'étions rentrés qu'avant-hier de la côte ouest.

— Avait-il des problèmes de santé ?

— Non, il était toujours très actif et se plaignait rarement.

— Je comprends. Donc nous pouvons en déduire que le poison lui a été administré quand il est revenu dans sa chambre ?

Frère Conchobar n'en croyait pas ses oreilles.

— Puisque je vous dis que je n'ai pas encore établi les causes de sa mort ! s'écria-t-il.

Dathal balaya cette objection d'un geste de la main.

— Une formalité, voilà tout.

Il se précipita sur deux gobelets en terre cuite posés sur la table de chevet et les renifla avec gourmandise tandis que, dans son dos, Finguine levait les yeux au ciel. Dathal se frotta le menton.

— Il s'est couché et a bu ce poison en toute innocence, ce qui a entraîné une issue fatale.

Soudain, il pivota sur ses talons et s'adressa aux deux religieux.

— L'évêque avait-il des ennemis ? A-t-il eu une altercation avec quelqu'un ces derniers temps ?

Un des jeunes gens croisa le regard de Fidelma et baissa les yeux.

— À notre retour à Cashel, on l'a vu se disputer assez violemment avec le Saxon, dit-il d'un air pincé. J'ajouterai qu'il s'était déjà querellé avec lui un mois auparavant.

— Quel Saxon ?

— Il fait allusion à Eadulf de Seaxmund's Ham, dit Fidelma d'une voix très calme.

Mais son sang s'était glacé devant cette accusation.

— C'est exact, avec frère Eadulf, confirma le moine.

— Sur quoi portait leur différend ?

— Cela, je peux vous l'expliquer, commença Fidelma avant que le brehon ne la rappelât brutalement à l'ordre.

— Laissez parler le témoin. En tant qu'épouse du Saxon, vous n'êtes pas impartiale dans votre jugement.

— Il s'agissait d'une querelle théologique, précisa le moine. Le ton est monté et je sais qu'à deux reprises l'évêque m'a confié que cette conversation l'avait contrarié. Il est allé jusqu'à affirmer que Cashel ne s'était pas grandi quand la sœur du roi avait convolé avec...

— Je ne peux pas entendre de pareils propos ! s'indigna Fidelma.

— Je vous ai déjà suggéré de quitter ces lieux où votre présence n'est pas souhaitable ! s'écria Dathal. Allez dire à frère Eadulf de se tenir à ma disposition car j'aurai quelques questions à lui poser.

Finguine jeta un regard gêné à Fidelma, qui sortit de la pièce à l'instant où Conchobar demandait l'autorisation de faire transporter le corps de l'évêque Petrán dans son officine, afin qu'il puisse l'examiner à son aise.

Eadulf n'était pas dans leurs appartements. Résistant à l'envie de courir, Fidelma se rendit aux écuries où elle avisa Caol qui étrillait un cheval.

— Avez-vous vu mon époux ? lui demanda-t-elle.

Le guerrier se redressa en souriant.

— Oui, j'ai pris soin de son étalon avant qu'il ne reparte.

— Où ça ? Je ne savais même pas qu'il s'était absenté !

— Après le déjeuner, il m'a dit qu'il sortait se promener. En réalité, je pense qu'il voulait rencontrer Conchoille, le bûcheron. Quand il est rentré, il semblait très pressé, et il m'a confié son cheval en me disant qu'il repartait tout de suite. Il a réapparu peu de temps après avec un sac de selle et il s'est éclipsé.

— Mais…

— Le sac de selle semblait peser lourd, comme s'il entreprenait un long voyage.

— De quel côté s'est-il dirigé ?

— Je l'ignore, j'étais trop occupé avec ma monture pour lui prêter attention.

Avec sa brosse, il désigna la jument près de lui.

Fidelma retourna dans ses appartements et regarda avec attention autour d'elle. C'est alors qu'elle remarqua une feuille de vélin posée sur un oreiller.

> Je ne peux pas attendre, j'ai trouvé une piste qui me mène à l'abbaye de Colmán et il est possible que je m'absente plusieurs jours.

Fidelma se laissa tomber sur le lit, se prit la tête dans les mains et poussa un gémissement de désespoir.

Pour Fidelma, le reste de la journée s'écoula dans un brouillard. À l'angoisse qu'elle ressentait pour Alchú s'ajoutait son trouble devant les initiatives d'Eadulf. Elle en était même venue à envisager l'impensable. Eadulf avait-il vraiment quitté Cashel pour mener une enquête ou les suspicions du brehon Dathal étaient-elles fondées ? Sa violente colère envers le vieux Petrán et ses accès de rage avec elle la plongeaient dans le désarroi. Elle ne le reconnaissait plus. Serait-il impliqué dans l'assassinat de l'évêque ? Non,

Eadulf ne pouvait pas avoir tué Petrán, quelle idée ridicule ! Mais alors pourquoi avait-il fui Cashel ?

Quand Dathal s'était présenté dans ses appartements pour interroger Eadulf et qu'elle lui avait montré le message de son mari, une lueur de triomphe avait brillé dans les yeux du juge. Puis il avait déclaré qu'il allait charger quelqu'un de partir à sa recherche. Fidelma se rendit aussitôt chez son frère, qui s'entretenait des derniers événements avec Finguine.

Colgú était consterné.

— Malheureusement, soupira-t-il, je ne peux pas interférer avec les décisions d'un brehon pendant qu'il instruit une affaire. Tu le sais mieux que moi, Fidelma.

— Avant de s'engager dans une telle action, Dathal aurait dû attendre le rapport de frère Conchobar, commenta Finguine. Nous n'avons pas le moindre début de preuve que l'évêque est mort empoisonné.

— Comment se fait-il que frère Conchobar n'ait pas terminé son examen ? s'écria Fidelma, au comble de la contrariété.

— Il vient d'être appelé à Lios Mhór pour une mission urgente, expliqua Colgú. Les vivants ont la priorité sur les morts. Avant de partir, il a dit à son assistant qu'il avait terminé l'examen du corps, mais j'ignore la teneur de ses conclusions.

Il jeta un coup d'œil anxieux à son *tanist*.

— Finguine et moi parlions justement de Dathal. Voilà un certain temps déjà que son comportement laisse à désirer. Je crois qu'il serait souhaitable qu'il se retire, nous avons besoin d'un nouveau chef brehon. Avec l'âge, il devient de plus en plus irascible, il bâcle les procédures, sans compter que ses relations détestables avec l'évêque Ségdae corrompent l'atmosphère. Je me sens mal secondé dans mon conseil.

Fidelma secoua la tête.

— Tu ne peux pas le révoquer avant qu'Eadulf ne soit lavé de tout soupçon. Si tu le destitues maintenant, je n'ose imaginer les commentaires acerbes que cela nous vaudra.

— Le jour où il sera remplacé, tout le royaume poussera un grand soupir de soulagement ! ironisa Finguine.

— Mais aujourd'hui ce serait un désastre pour Eadulf.

— Nous attendions que tu nous donnes ton opinion, en tant que *dálaigh*, sur la meilleure manière de procéder pour s'en débarrasser, intervint Colgú.

— Je ne suis pas la mieux placée pour te conseiller alors que je suis partie prenante dans cette affaire. Certes, Dathal a agi de façon précipitée et il m'a traitée assez cavalièrement, mais ma fonction m'empêche de m'exprimer en public sur ce sujet.

Colgú hocha la tête à regret.

— Tu as raison, oublions cela. Cependant, si Dathal a été un bon guide pendant de longues années, il m'a récemment valu plusieurs rapports de jugements erronés.

— Quant à la mort de Petrán, tout repose sur les conclusions de frère Conchobar. Quand rentre-t-il ?

— Aucune idée. Des nouvelles d'Eadulf ?

— Non, rien depuis le message qu'il m'a laissé.

— Mais que diable est-il allé faire sans escorte à l'abbaye de Colmán ? Il devra traverser le territoire des Uí Fidgente et s'il s'avère qu'ils ont fomenté un complot contre nous, alors il court un grand danger.

Fidelma frissonna malgré elle.

— Il a l'habitude des situations difficiles, rappelle-toi comment il a affronté les Uí Fidgente pour voler à mon secours à l'abbaye du Saumon des trois sources.

Colgú sourit.

— Tout cela me semble si loin.

— Oui, si loin…

— Je t'accorde qu'Eadulf est parfaitement capable de se débrouiller tout seul, mais cela me contrarie qu'il ait quitté Cashel en un moment pareil. En attendant, je te conseille d'aller te coucher tôt. Tu as besoin de repos.

Fidelma s'était retirée. Au repas du soir, elle avait à peine touché à la nourriture, puis elle s'était tournée et retournée dans son lit, incapable de trouver le sommeil. Les pensées les plus noires se bousculaient dans sa tête et elle ne s'était endormie qu'au petit matin.

Elle fut réveillée par une servante.

— Lady, votre frère veut que vous le rejoigniez au plus vite dans ses appartements.

Fidelma se redressa en se frottant les yeux.

— Que se passe-t-il ?

— Gormán est arrivé au palais, il apporte des nouvelles concernant votre fils Alchú.

Le cœur de Fidelma se mit à cogner dans sa poitrine.

— Dites au roi que j'arrive.

Elle se leva et se massa la nuque. Elle se sentait épuisée. Quel nouveau désastre allait-on maintenant lui annoncer ?

Elle fut accueillie par Gormán, Finguine et Colgú, qui discutaient devant une table. Ils fixaient une feuille d'écorce de bouleau ainsi qu'un *cuarán*, un minuscule chausson de *lee-find*, ou laine naturelle, monté sur une semelle en peau. Fidelma poussa une exclamation étouffée, s'en saisit et l'examina, tandis que Colgú l'observait d'un air désolé.

— Je l'ai reconnu, Fidelma. J'avais offert à Alchú une paire de chaussons que j'avais fait fabriquer par notre *cuaránaidhe*. Je me souviens m'être assuré de la douceur du cuir.

Fidelma se redressa.

— Où est l'autre ?

Gormán toussa nerveusement et ouvrit les mains en un geste d'impuissance.

— On ne nous en a fait parvenir qu'un seul, en même temps que ce message.

Fidelma reposa le chausson et prit la feuille. Le texte avait été écrit de la même main maladroite qui avait rédigé le premier message.

> Maintenant vous avez votre preuve. Suivez nos instructions précédentes.

— Où avez-vous trouvé ça, Gormán ?

— Je passais devant l'auberge ce matin quand l'aubergiste m'a appelé. Il avait découvert ces deux objets dans un petit sac accroché à sa porte.

Elle prit le sac en cuir fermé par une cordelette et le retourna. Des graines et des herbes étaient restées prises dans la couture. Quant au chausson, il était parfaitement propre et ne portait aucune trace de poussière.

— Maintenant il n'y a aucun doute, déclara Finguine.

Fidelma se tourna vers lui en fronçant les sourcils.

— De quoi parles-tu, cousin ?

— Mais du complot des Uí Fidgente ! Ils détiennent ton fils et attendent la libération de leurs chefs.

— Il faut relâcher ces trois hommes, intervint Colgú. C'est la seule manière de retrouver ceux qui retiennent Alchú.

— Ton frère a raison, renchérit Finguine. Bien que nous n'ayons aucune garantie quant à la restitution d'Alchú, il ne nous reste plus qu'à faire confiance aux Uí Fidgente et à espérer qu'ils tiendront parole.

— Nous sommes pris au piège, soupira Colgú.

— Selon les conditions exposées dans leur premier message, ils doivent nous rendre l'enfant dès que les prisonniers auront atteint le territoire des Dál gCais, rappela Finguine.

— Capa est-il revenu de chez les Uí Fidgente ? demanda soudain Fidelma.

Le *tanist* secoua la tête.

— Si on en juge par la promptitude de la réponse, on peut supposer que celui qui détient l'enfant se trouve à proximité de Cashel, fit observer Colgú.

Fidelma acquiesça d'un air pensif.

— C'est une déduction logique.

— Nous pouvons suivre les trois chefs une fois qu'ils auront été libérés, proposa Finguine. La personne qui entrera en contact avec eux nous conduira à coup sûr aux ravisseurs.

— Ce serait inutile, répliqua Fidelma.

— Comment cela ? s'étonna Colgú.

— Dès leur libération, les chefs se dirigeront vers le territoire des Dál gCais. Ceux qui détiennent l'enfant les observeront. À votre avis, que feront-ils s'ils voient que nous les suivons ?

— Ils garderont l'enfant, reconnut Colgú. Donc tu penses que nous devrions rester tranquilles ?

Gormán semblait perplexe.

— Excusez-moi, lady, mais avant de prendre une décision, frère Eadulf ne devrait-il pas être consulté ?

— Vous n'étiez pas au château hier ?

— Non, lady.

Il marqua un temps d'hésitation.

— J'ai passé la nuit chez un ami et ne suis rentré que ce matin.

Finguine parut embarrassé.

— Eadulf a disparu hier en laissant un message qui disait qu'il avait peut-être trouvé une piste intéressante pour résoudre le mystère.

— Où est-il allé ?

— À l'abbaye de Colmán.

— Comment cela ? Sans escorte ? Mais il faut qu'il traverse le territoire des Uí Fidgente !

Fidelma eut un sourire crispé.

— Je pense qu'il peut très bien trouver son chemin tout seul.

— Tout de même, la compagnie d'un guerrier n'aurait pas été de trop.

Fidelma pinça les lèvres.

— Je ne m'inquiète pas pour lui.

— Il y a autre chose que Gormán doit savoir, ajouta Finguine d'une voix contenue. Hier on a retrouvé l'évêque Petrán mort sur son lit, et le brehon Dathal soupçonne Eadulf de l'avoir empoisonné.

Gormán éclata de rire.

— Excusez-moi, mais c'est une idée tellement ridicule ! s'excusa-t-il. Je connais les hommes, et l'utilisation du poison pour régler une querelle théologique ne ressemble guère à frère Eadulf.

Fidelma lui adressa un regard reconnaissant.

— Étiez-vous informé de la controverse qui avait opposé Eadulf et l'évêque ? demanda-t-elle.

— Quand je suis rentré au château l'autre soir, plusieurs personnes avaient entendu parler de leur dispute.

Elle se tourna vers Finguine.

— Frère Conchobar est-il rentré à Cashel ?

— Pas encore.

— Savons-nous ce qui a précipité l'initiative de frère Eadulf ? insista Gormán. Il faut que nous partagions toutes nos informations.

— Il ne m'a rien dit, soupira Fidelma, et je ne l'ai pas vu avant son départ. Il m'a juste laissé un message m'informant qu'il se rendait au monastère.

Perplexe, Gormán se frotta le menton.

— S'aventurer au-delà de Cnoc Loinge n'est pas très raisonnable.

— Et maintenant que faisons-nous ? s'impatienta Colgú. Nous relâchons les chefs ?

— Oui, mais à contrecœur. Le conseil ne devrait-il pas entériner une telle décision ? Auquel cas, il nous faudrait attendre le retour de Capa.

Colgú secoua la tête.

— Le message exige une action rapide et Capa ne rentrera peut-être pas avant plusieurs jours. Quant à l'évêque Ségdae, il est parti pour Imleach, et le brehon Dathal est occupé à éclaircir le décès de Petrán. Sans compter que ses avis…

Il haussa les épaules.

— Les membres du conseil qui sont indisponibles seront mis devant le fait accompli. Ils pourront toujours nous interroger plus tard.

— Je veux m'entretenir avec ces chefs avant leur libération, dit soudain Fidelma.

— Cela te semble indispensable ? s'étonna Colgú.

— Tu as des objections ?

— Non, fais comme tu l'entends. Le *giall-chométaide* va t'accompagner. À moins que tu ne désires ma présence ?

— Non, c'est inutile.

Le *giall-chométaide* était le geôlier en charge des otages.

— Gormán, dit le roi au grand guerrier, dès que Fidelma en aura fini avec eux, je veux que vous escortiez les chefs jusqu'à la route du nord.

Le guerrier contemplait Fidelma d'un air pensif.

— Jusqu'à la route du nord ? s'écria-t-il brusquement.

— Ainsi vous pourrez leur indiquer le chemin qu'ils doivent suivre ! Moins nous attendrons, mieux cela vaudra.

Bientôt, ils furent rejoints par le *giall-chométaide*. C'était un petit homme nerveux qui ressemblait à une fouine, et son sourire obséquieux n'inspirait pas trop confiance à Fidelma. Quand Colgú lui donna ses instructions, il accueillit la nouvelle de la libération des trois chefs d'un air impassible.

Derrière le château s'élevait un haut mur percé d'une porte et, pour la franchir, il fallait la permission du roi ou de son *tanist*. De l'autre côté se trouvait un bâtiment connu sous le nom de Duma na nGiall – le tumulus des otages. *Duma*, le tumulus, avait pris le sens de « construction » et *duma dála* signifiait « lieu de rassemblement ». Maintenant, cet édifice servait de prison. Fidelma y pénétra. Les cellules étaient assez austères mais tout à fait confortables.

Le geôlier au visage de fouine gloussa en constatant sa surprise.

— C'est là que nous gardons les prisonniers de noble origine qui ont refusé de donner leur *gell*, leur parole d'honneur, au roi.

Un *gellach* devait prononcer un serment devant la loi et le Créateur de ne pas abuser de la liberté qui lui était accordée. D'habitude, les prisonniers de guerre s'y soumettaient volontiers, ce qui leur permettait de vivre sur les terres du clan ou même ailleurs dans le royaume. On avait connu des prisonniers qui s'étaient mariés avec des filles de la région ou qui avaient été adoptés par leurs ravisseurs et avaient trouvé leur bonheur à Muman. Que ces chefs des Uí Fidgente aient choisi la captivité en disait long sur le type d'homme dont il s'agissait.

Fidelma les trouva réunis dans la pièce qui leur servait de réfectoire, où ils finissaient de prendre leur premier repas de la journée. Le *giall-chométaide* l'annonça.

— Lady Fidelma de Cashel, fille de Failbe Flann, sœur de Colgú, roi de Muman.

Un des hommes se leva, imité à contrecœur par ses compagnons. Ils la dévisagèrent avec une hostilité mêlée de surprise.

Fidelma les passa rapidement en revue. L'un était âgé et ses traits exprimaient la ruse. Il avait un gros nez, une bouche charnue, des yeux trop rapprochés, des yeux noirs qui semblaient la transpercer pour trouver son point faible. Une cicatrice lui barrait la joue et lui coupait un sourcil en deux. Les deux autres étaient plus jeunes, le teint basané et l'air arrogant.

— Qui n'a pas entendu parler de Fidelma de Cashel ? dit le vieil homme en détachant ses mots. Elle a joué un rôle éminent dans le renversement de notre seigneur Eoganán.

— Vous êtes ? demanda Fidelma d'un ton neutre.

Elle prit un siège.

— Cuirgí de Ciarraige. Et voici mes cousins Cuán et Crond.

— J'ai à vous parler.

Sur ces mots, elle se tourna vers le geôlier et le congédia d'un geste de la main.

— Ne craignez-vous pas de rester seule avec les ennemis mortels de votre peuple ? ironisa Cuirgí.

— Devrais-je avoir peur ?

Réalisant qu'ils étaient toujours debout devant elle, Cuirgí s'assit et s'étira avec une nonchalance étudiée.

— Seriez-vous venue nous faire la leçon ? demanda-t-il en bâillant. Et en quelle qualité vous présentez-vous ici ? En tant que religieuse, princesse des Eóghanacht ou *dálaigh* des cours de justice ?

— En tant que mère.

Cuán eut un sourire ambigu.

— Nous avons entendu dire que vous aviez convolé avec un étranger qui vous a fait un enfant.

Devant la lueur qui s'était allumée dans les yeux verts de Fidelma, le sourire s'effaça du visage de Cuán.

— Je suis mariée à Eadulf de Seaxmund's Ham, du pays des South Folk, et notre fils a été baptisé Alchú.

— En quoi vos arrangements domestiques nous concernent-ils ? demanda Cuirgí.

— Avez-vous eu vent de ce qui est arrivé à mon fils ?

Les hommes la fixèrent d'un air interrogateur.

— Je vous rappelle que, dans votre prison, nous sommes coupés du monde, s'énerva Cuirgí. À quel jeu jouez-vous ?

— Vous affirmez que personne ne vous a informés de ce qui s'est passé ici au cours de la semaine dernière ?

Cuirgí se pencha vers elle.

— Vous vous permettez de mettre en doute la parole d'un Uí Fidgente ? Finissons-en, dites-nous ce qui vous amène ici et disparaissez.

— Très bien. Mon fils a été enlevé. Il serait entre les mains de vos partisans qui exigent votre libération contre sa restitution.

L'ahurissement qui se peignit sur le visage des trois hommes n'était pas feint.

Cuirgí fut le premier à reprendre ses esprits.

— Voilà des nouvelles plaisantes à nos oreilles, Fidelma de Cashel.

— Vous allez être relâchés.

Les deux autres laissèrent échapper des exclamations de joie.

— Pour rejoindre votre royaume, vous prendrez la route du nord. Une fois que vous aurez franchi les montagnes, vos amis ont promis de me rendre mon fils.

— Quand partons-nous ? demanda Cuirgí avec un sourire de triomphe.

— Quelles garanties avons-nous que vos amis tiendront leur promesse ?

— La parole d'un Uí Fidgente vaut celle d'un Eóghanacht ! répliqua Cuán.

— Alors la valeur de votre parole a changé depuis que votre prince, Eoganán, a juré de servir mon frère pour le trahir l'année suivante en tentant de le renverser. Revenons à ma question. Quels gages de votre bonne foi pouvez-vous me donner ? Je vous rappelle que c'est la vie de mon enfant qui est en jeu.

Cuirgí se renversa en arrière.

— Nous ignorons tout de ce projet et des personnes qui l'ont conçu. Mais nous sommes ravis que notre défaite à Cnoc Áine ne soit pas venue à bout du courage des Uí Fidgente. Si nos compagnons parviennent à nous libérer de cette geôle, loués soient-ils, et quelles que soient leurs intentions je les approuve.

Fidelma plissa les paupières. Ses yeux brillaient d'un feu glacé.

— Très bien. Quand vous retrouverez vos bienfaiteurs, Cuirgí dc Ciarraige, n'oubliez pas le message que je vais vous confier. Ils se sont engagés à nous rendre Alchú sain et sauf. S'il leur traversait l'esprit de ne pas tenir leur promesse, je jure par ce qui m'est le plus sacré de les pourchasser un par un, et aussi leurs fils, et les fils de leurs fils, jusqu'à la dernière génération. Ainsi, aucun d'eux n'aura de famille pour entretenir sa mémoire.

Sa voix, menaçante et contrôlée, glaça ses interlocuteurs, et Cuirgí ne put s'empêcher de s'étonner de sa véhémence.

— Une religieuse lançant une malédiction ? hasarda-t-il d'un ton mal assuré qui trahissait son inquiétude.

— Ce n'est pas la religieuse qui vous parle mais la mère. Et au cas où vous douteriez de mes pouvoirs, sachez que j'ai été initiée aux anciennes pratiques. Je n'hésiterai pas à y recourir pour prononcer le *glam dicín*.

Cuirgí la fixait, les yeux écarquillés.

— Mais c'est expressément interdit par la nouvelle foi !

La résolution inébranlable que les trois chefs Uí Fidgente lurent dans le regard de Fidelma les fit frissonner.

— Le christianisme désapprouve bien des choses, dit Fidelma avec une douceur feinte, mais ce n'est pas pour autant qu'elles se volatilisent. Leur usage perdure. Pendant deux mille ans, nos druides, détenteurs des secrets du *glam dicín*, ont transmis leurs pouvoirs aux générations suivantes. Et qui sont les religieux sinon les nouveaux druides ?

Le *glam dicín* était une invocation dirigée contre une ou plusieurs personnes, une malédiction tellement redoutée qu'elle pouvait plonger les victimes dans un sentiment de honte qui entraînait la maladie, puis la mort, et interdisait la renaissance dans l'autre monde. Les personnes sous l'emprise du *glam dicín* étaient rejetées par leur famille et par la société. Elles n'avaient plus aucun espoir de mener une vie décente dans ce monde ou de passer dans l'autre, à moins que la malédiction ne soit levée. Ce rituel remontait à la nuit des temps.

— Vous ne feriez pas ça ! balbutia Cuirgí.

— Vous n'avez pas idée de la douleur d'une mère dont l'enfant est menacé. Elle est capable de tout pour protéger son enfant.

Cuirgí la fixa longuement, puis haussa les épaules.

— Je ferai passer votre message à mes compagnons.

Fidelma se leva brusquement.

— Rassemblez vos affaires. Le gardien va vous escorter jusqu'à la porte, puis on vous mettra sur la bonne route.

Elle s'éclipsa tandis que les chefs la suivaient des yeux, figés sur leurs sièges.

Le geôlier à l'air chafouin la mena hors de la Duma na nGiall. De retour au palais, elle rejoignit ses appartements, se versa un gobelet de *corma* et l'avala d'un trait. Sa conscience la tourmentait. Si cette menace de *glam dicín* qu'elle avait proférée venait aux oreilles de l'évêque Ségdae, un membre éclairé de la foi, elle risquait l'excommunication. Submergée par la colère, elle s'était laissé entraîner à des extrémités regrettables. Mais elle ne disposait d'aucune autre arme pour impressionner les Uí Fidgente.

Elle s'assit sur son lit et gémit en se tenant la tête dans les mains.

— Oh, Eadulf ! Pourquoi n'es-tu pas ici quand j'ai tant besoin de toi ?

Elle se balança d'avant en arrière pendant de longues minutes, se moucha, et tenta de reprendre ses esprits. Mais où donc était-il passé ? Quels projets insensés avait-il conçus ?

Entendant qu'on s'agitait dans la cour, elle alla se pencher à la fenêtre. Dans sa générosité, Colgú avait fait seller des chevaux pour les chefs afin qu'ils voyagent plus vite.

Elle quitta sa chambre, descendit précipitamment les escaliers et sortit. Ne trouvant pas Gormán, qui devait escorter les chefs, elle s'avança vers Caol alors qu'il sortait des écuries en tenant un cheval par la bride.

— Où est Gormán ?

— Il est parti. C'est moi qui accompagne les prisonniers.

— Je croyais qu'il était chargé de cette mission ?

— Il m'a demandé de le remplacer. Il a des problèmes importants à régler qui vont l'éloigner de Cashel.

— Quels problèmes importants ?

— Je l'ignore.

Caol sauta en selle, imité par les trois chefs. Fidelma se dépêcha de rejoindre Finguine, qui surveillait les opérations.

— Connais-tu les raisons de l'absence de Gormán ? lui demanda-t-elle sans préambule.

— Non, et je suis aussi étonné que toi car il ne m'a même pas prévenu qu'il partait.

— Caol le remplace.

Finguine se tourna vers une des sentinelles qui montaient la garde aux portes.

— Gormán vous a-t-il dit ce qui motivait son départ ?

— Non, seigneur Finguine. Il a passé les portes il y a peu sans m'adresser la parole.

Fidelma semblait préoccupée.

— Où se dirigeait-il ?

— En bas de la colline, il a pris la direction de la ville, puis la route de l'ouest.

Celle qui menait à l'abbaye de Colmán ! Fidelma eut soudain du mal à respirer.

CHAPITRE XII

Non loin de Cnoc Loinge, Eadulf avait passé la nuit dans une auberge isolée. Préférant éviter Fiachrae, car il n'était pas d'humeur à subir les bavardages du chef, il avait contourné son fief. Avec le crépuscule, le brouillard s'était levé. Il commençait à regretter son escapade quand il avait aperçu une lumière, à la croisée des chemins. Un instant plus tard, il arrêtait son cheval devant la lanterne oscillant dans la brise du soir qui murmurait dans les arbres. L'enseigne disait « Bruden Slige Mudán ».

Eadulf était très admiratif de l'hospitalité qu'on prodiguait dans les cinq royaumes : partout fleurissaient des hôtelleries publiques où tous ceux qui se présentaient pouvaient être hébergés sans bourse délier. Chaque clan désignait un homme chargé de diriger l'établissement, un *brugaid* dont le devoir consistait à accueillir les voyageurs. En compensation, on accordait au *brugaid* une terre assortie d'une rente. Cette fonction était très prisée. La plupart des aubergistes officiels avaient le rang de *bo-aire*, de magistrat, et étaient habilités à rendre des jugements sur certaines affaires mineures si on les sollicitait. Au niveau local, ils pouvaient siéger pour l'élection du chef de clan, et chaque clan entretenait au moins une *bruden* sur son territoire.

Cependant, toutes les auberges n'étaient pas gratuites. Par exemple, celle de Ferloga et celle d'Aona au Puits d'Ara étaient nées d'une initiative personnelle et les clients devaient payer.

Eadulf avait passé une nuit agréable à l'hôtellerie de la route de Mudán, du moins si on s'en tenait aux conditions matérielles. La nourriture et la boisson y étaient bonnes, le lit confortable, et l'aubergiste avait répondu sans réticence à ses questions. Il l'avait renseigné sur le chemin à emprunter pour se rendre à l'abbaye de Colmán, et lui avait décrit les voyageurs qui étaient récemment passés par l'auberge. Il n'avait cependant pas été en mesure de préciser lesquels s'étaient présentés au cours de la période qui intéressait Eadulf. Il l'avait aussi prévenu que la frontière sud du territoire des Uí Fidgente n'était qu'à une courte distancc. L'hôtelier n'appréciait guère ses voisins et prononça à leur endroit quelques insultes bien senties qu'Eadulf eut des difficultés à comprendre. Par exemple, il ne voyait pas très bien d'où venait l'expression : « Que les chats dévorent les femmes Uí Fidgente ! »

Eadulf poursuivit sa chevauchée. Il y eut une ou deux chutes de neige tombant du ciel plombé mais les flocons fondaient en touchant le sol. Malgré les jours trop courts, il parvint sans encombre à destination, et se fit la réflexion qu'il montait mieux à cheval quand Fidelma ne l'accablait pas de critiques incessantes. Il parcourut tranquillement les grandes étendues de forêts qui recouvraient la plaine à l'ouest de Cnoc Loinge, et les Uí Fidgente ne lui manifestèrent aucune hostilité. Au contraire, les natifs de ce pays, quand il les croisait, se montraient aussi courtois qu'ailleurs. De temps à autre, il grimpait sur une élévation dominant le paysage boisé, et il apercevait les montagnes au sud, et le chemin qui serpentait au pied des collines. Alors qu'il passait un col, il vit des nuages qui s'effilochaient sur les sommets, puis il atteignit une large rivière.

Il se mit alors en quête d'un pont et il n'avait pas parcouru cinquante toises qu'il tomba sur un bûcheron. Faute de pont, l'homme lui indiqua un gué et lui apprit que le cours d'eau s'appelait le Fial. Eadulf commit l'erreur de se demander à voix haute qui était Fial d'où la rivière tirait son nom et le bûcheron s'empressa de lui expliquer qu'il s'agissait de la sœur aînée d'Emer, fille de Forgall Manach. Eadulf ayant avoué qu'il ne connaissait ni l'un ni l'autre, le bûcheron fut trop content de lui raconter leur histoire. En résumé, Cúchulainn, le grand héros d'Ulaidh, avait rejeté Fial pour lui préférer Emer, sa cadette. Cet arrêt avait fait perdre du temps à Eadulf et quand il découvrit le gué, la nuit commençait à tomber.

Il réfléchit un instant, se demandant s'il était raisonnable de tenter sa chance à cette heure. Mais il n'y avait aucun refuge visible de ce côté de la rivière et une lumière lui faisait signe sur la rive opposée. Fidelma lui avait appris qu'un cheval, si on lui laissait l'initiative, trouvait d'instinct les appuis lui permettant de gagner l'autre rive. Il flatta l'encolure de l'animal tout en l'engageant à s'aventurer dans l'eau, et l'étalon le mena à bon port.

Enfonçant les talons dans les flancs de sa monture, Eadulf se dirigea vers la lumière. La bête avançait sur un large sentier encore visible mais la campagne environnante était plongée dans l'ombre. Il veillait cependant à progresser vers le sud. La lune et les étoiles demeuraient cachées et de lourds nuages filaient dans le ciel bas. La petite lueur au loin continuait de le guider.

Après ce qui lui sembla une éternité alors qu'il avançait sur un chemin de plus en plus raide, il arriva à la lanterne source de la lumière et sut qu'il avait atteint une auberge. Il glissa de sa selle et trouva sans difficultés la balustrade destinée à attacher les chevaux. Il était gelé et son dos le faisait souffrir. Il pénétra dans la salle accueillante de l'hôtellerie où ronflait un feu dans une énorme cheminée. Il tapa des pieds pour restaurer la circulation dans ses membres engourdis et jeta un coup d'œil circulaire. Personne. Puis une petite femme brune et souriante sortit d'une autre pièce, suivie par un homme au nez busqué et au regard suspicieux.

— Bonsoir, étranger, vous arrivez bien tard, dit l'homme sur un ton rogue.

Eadulf ôta sa cape et vit le couple échanger un regard satisfait en constatant qu'il était moine.

— J'ignore où je suis exactement, déclara Eadulf, et j'ai un cheval fourbu qui attend dehors.

L'homme hocha la tête.

— Je vais m'en occuper, mon frère. Si j'en juge par votre accent, je suppose que vous êtes saxon.

— Oui, et je me rends à l'abbaye de Colmán.

L'aubergiste hocha la tête.

— Je m'en doutais, figurez-vous, car il n'y a aucun autre établissement religieux dans la région. Pour y parvenir, il vous faudra suivre le chemin vers le sud, traverser les collines et la plaine au-delà, longer la chaîne de montagnes à votre droite, à l'ouest, et vous tomberez directement sur l'abbaye. Elle a été érigée en bordure d'un grand estuaire. C'est une chevauchée agréable, et si vous partez au lever du soleil, vous y serez avant midi.

L'aubergiste s'éclipsa tandis que sa femme offrait à manger et à boire à son hôte qui s'étira auprès du feu.

— Comment s'appelle cet endroit ?

La femme continuait de sourire, cela semblait son expression habituelle.

— La colline des Forts de pierre.

— Cnoc an gCaiseal ? répéta Eadulf. Qu'est-ce que cela signifie ?

La femme lui versa un gobelet de *corma*.

— Au-dessus de nous se dressent de nombreux forts, qui ne servent plus à grand-chose.

— Et quel est le nom des montagnes ?

— Sléibhte Ghleann an Ridire.

Eadulf fronça les sourcils.

— Les montagnes de la Vallée des guerriers ?

— On raconte que dans les anciens temps les dieux et les guerriers s'y affrontaient.

Peu intéressé, Eadulf changea de sujet.

— Vous recevez beaucoup de voyageurs ?

— Oui, notre auberge est assez fréquentée.

— Il y a environ une semaine, auriez-vous vu un herboriste et sa femme, accompagnés de deux enfants ?

Une porte claqua et l'aubergiste réapparut.

— Pourquoi demandez-vous cela ? lança-t-il rudement.

Eadulf lui sourit avec amabilité.

— Ils sont passés par Cashel il y a quelques jours et j'aimerais m'entretenir avec eux.

— Comment voulez-vous que nous nous rappelions tous les voyageurs qui passent par ici ?

— Oubliez ma question, ce n'est pas important.

— Votre cheval est à l'écurie, mon frère, et mon fils est en train de l'étriller et de lui donner du fourrage. Je vous ai aussi rapporté votre sac de selle.

— Je vous remercie. Avec votre permission, je reprendrai un peu de cet excellent ragoût cuisiné par votre épouse, et si vous pouviez remplir mon gobelet de *corma*...

L'homme s'éclipsa tandis que sa femme resservait le moine et se penchait vers lui en murmurant :

— Les gens que vous cherchez se sont présentés ici il y a environ une semaine. Ils m'ont dit qu'ils avaient l'intention de séjourner à l'abbaye de Colmán. Peut-être les retrouverez-vous là-bas ?

Elle fit une grimace d'excuse.

— Mon mari ne veut pas d'histoires, il refuse de fournir des renseignements sur les voyageurs.

L'aubergiste réapparut avec le gobelet plein et les considéra d'un air soupçonneux.

— J'étais en train de complimenter votre femme sur ses talents de cuisinière, dit Eadulf. Dommage qu'elle refuse de me donner sa recette !

L'aubergiste renifla d'un air supérieur.

— Si on confiait nos petits secrets à nos hôtes, on serait bientôt sans travail.

— Je me le tiens pour dit, et j'irai me coucher dès que j'aurai terminé mon repas.

L'attente lui portait sur les nerfs. Fidelma entendit la voix de son vieux mentor, le brehon Morann, lui lancer avec son ironie habituelle : « Tout vient à point à qui sait attendre car il domine son destin. » « L'impatience, avait-elle une fois rétorqué à son maître, est le signe que nous refusons de nous résigner. Je lui oppose la volonté : l'action vaut mieux que l'attente, qui n'est pas une vertu en soi. » Le brehon avait secoué la tête avec tristesse. « Elle est parfois plus efficace que la force et la rage. Tout est dans la capacité de discernement, car ceux qui ne comprennent pas la valeur de la patience, relative je te l'accorde, ignorent la sagesse. »

Le lendemain de la disparition d'Eadulf, Fidelma s'était levée dans un état d'extrême agitation. Et après le départ des chefs Uí Fidgente, elle avait erré comme une âme en peine dans le château, incapable de fixer son attention sur une tâche quelconque. Son vieil ami frère Conchobar n'était toujours pas rentré et le brehon Dathal devenait impossible. Au matin suivant, incapable d'affronter une nouvelle journée d'inactivité, elle se rendit à la chapelle où, à son grand soulagement, elle ne rencontra personne.

Assise dans un coin, elle ferma les yeux et laissa le silence la pénétrer. Pour s'éclaircir les idées, elle chercha refuge dans le *dercad*, l'art de la méditation transmis par d'innombrables générations d'ascètes. Ils atteignaient l'état de paix ou *sitcháin* en chassant les perturbations de l'esprit. Elle essaya de se détendre et d'endiguer le flot de pensées qui la traversaient. Fidelma pratiquait depuis longtemps le *dercad*, qui avait été rejeté par de nombreux dirigeants religieux des cinq royaumes. Même saint Patrick, un Briton qui avait joué un rôle prépondérant dans l'évangélisation de l'Irlande, s'était prononcé contre les méthodes de méditation visant à l'illumination. Cependant, même s'il était mal considéré, le *dercad* n'avait pas été proscrit.

À quoi bon ? Rien ne parvenait à la calmer. Accablée par son impuissance, elle quitta la chapelle.

Presque sans y penser, elle se retrouva dans les écuries. Là encore, elle remercia le ciel de ne rencontrer personne, car elle préférait la solitude pour affronter les frayeurs qui la taraudaient. Elle alla chercher sa jument noire, sa préférée, et sortit du château.

Aux portes, un des gardes la salua.

— Excusez-moi, lady, mais on nous a recommandé de ne pas vous laisser sortir sans escorte. À l'heure qu'il est, les Uí Fidgente rôdent dans les parages.

— Je vous remercie de votre sollicitude, répliqua Fidelma d'un ton sec. Mais je vais juste me promener, ne vous alarmez pas.

Négligeant d'écouter les protestations de l'homme, elle sauta en selle et dévala la pente qui menait en bas du promontoire. La capitale du royaume de Muman avait prospéré au pied de l'ancienne forteresse des Eóghanacht. Elle était située au sud du rocher crayeux où s'élevait le palais. Au lieu de prendre la direction de la ville, Fidelma contourna le rocher et se dirigea vers le nord à travers la plaine. À peine le château fut-il hors de vue qu'elle talonna sa jument.

Fidelma avait appris à monter en même temps qu'elle apprenait à marcher. Elle avait toujours trouvé un grand bonheur à ne faire qu'un avec sa monture. Se penchant sur son encolure, elle lui murmura des paroles d'encouragement et perçut le plaisir de l'animal qui accéléra sa course. Une merveilleuse sensation de liberté l'envahit.

Lorsqu'elle sentit la transpiration et l'essoufflement du cheval, elle tira doucement sur les rênes et revint au trot. Puis elle s'arrêta à l'endroit où le Clodaigh, qui descendait en rugissant le pic de Cnoc an Loig, se jetait dans la Suir. Elle jeta un coup d'œil au soleil. Sa chevauchée l'avait entraînée trop loin pour qu'elle rejoigne Cashel avant la nuit, sans compter que son cheval était fatigué.

Elle réfléchissait, indécise, quand elle se rappela que son frère possédait une charmante demeure dans un vallon à quelques milles au sud-est. Plus exactement à la source de la Chênaie, au bord du cours d'eau qui donnait son nom au lieu-dit. Là, elle pourrait dormir et se restaurer avant de rentrer à Cashel. Cette maison servait aux amis et aux invités de son frère à la saison de la chasse. Inutile donc d'épuiser sa belle jument.

Rassérénée par sa décision, elle se coucha sur la crinière de l'animal qu'elle étreignit affectueusement et prit le chemin de la source.

Le terrain, boisé et plat, était situé aux confins de la plaine qui s'étendait à perte de vue quand on la contemplait depuis le château. Tandis que sa jument avançait au pas, les pensées de Fidelma revinrent à son époux.

Elle se reprochait son attitude envers lui et l'affaire concernant l'évêque Petrán la remplissait d'anxiété.

Et puis, pourquoi Gormán avait-il pris la route de l'ouest ? Certaine qu'il était parti en quête d'Eadulf, elle se demanda s'il le croyait coupable. Le brehon Dathal avait dit qu'il enverrait quelqu'un à la poursuite de son mari. Avait-il choisi Gormán pour cette tâche ? Et quelles relations entretenaient Gormán et Della ? Le guerrier affirmait qu'il avait aimé Sárait, mais il semblait entretenir des relations très intimes avec Della, qui avait à peu près le double de son âge. Perplexe, elle secoua la tête.

Quant à Eadulf, elle se reprochait amèrement de n'avoir pas jugé bon de le mettre dans la confidence. Mais pourquoi était-ce si difficile de discuter avec lui ? Pourquoi cette agressivité qui les conduisait tous deux à des affrontements permanents ? Au fond d'elle-même, elle savait qu'elle avait des torts – elle aimait travailler seule et garder ses spéculations pour elle. Cela s'appliquait non seulement à Eadulf mais aussi à son entourage. Elle se méfiait de tout le monde.

Et puis elle détestait laisser transparaître ses émotions. Quand elle était jeune étudiante, elle avait connu la passion avec un guerrier qui l'avait profondément blessée. Cela expliquait-il ses réticences à l'égard d'Eadulf ? Il lui inspirait des élans de tendresse et puis, à cause d'un mot ou d'un regard, elle l'accablait de paroles cruelles. Les réactions d'Eadulf ne faisaient qu'envenimer les choses et une colère irrépressible la submergeait. S'agissait-il d'une faille dans son caractère ou d'un désaccord plus profond avec son époux ? Son statut d'étranger comptait-il dans l'attitude qu'elle avait adoptée à son égard ? Il voulait retourner chez lui où on lui accordait un certain prestige, alors qu'elle désirait rester dans son pays où elle jouissait du statut de princesse royale et exerçait la fonction de *dálaigh* qui la passionnait plus que tout au monde. Sur ce point, il n'y avait pas de compromis possible. Ses voyages à Rome et dans les royaumes saxons lui avaient suffi. Elle refusait de vivre ailleurs qu'à Muman. Comment faire accepter cette décision irrévocable à Eadulf, qui le mettait dans l'obligation de se soumettre à sa volonté ?

Leur couple avait-il un avenir ?

Pour la première fois de sa vie, elle donna raison aux ascètes. Après tout, un religieux ne ferait-il pas mieux de rester célibataire ? Leur mariage à l'essai allait bientôt prendre fin, et libre à eux de ne pas renouveler leurs vœux. Il leur suffirait de proclamer leur incompatibilité et chacun repartirait de son côté.

Elle maudit sa distraction en voyant surgir deux guerriers à cheval qui lui bloquaient le passage. Aussitôt, elle se retourna. Une douzaine d'autres s'étaient rassemblés derrière elle. Comme elle aurait dû s'en douter, leurs armes et leur bannière portaient l'emblème des Uí Fidgente.

Leur chef s'avança. C'était un homme grand, musclé, avec des yeux gris et une cicatrice livide qui lui barrait la joue gauche.

Les yeux de Fidelma s'agrandirent sous l'effet de la surprise.

— Conrí !

Le chef de guerre des Uí Fidgente souriait avec complaisance.

Quand Eadulf se réveilla, le temps était frais et lumineux, le sol givré, et quelques nuages légers s'étiraient dans le ciel d'un bleu tendre. Il partit de l'auberge à l'aube et traversa la vallée. Quelques heures plus tard, il sentit l'odeur piquante de la mer dont il apercevait une bande bleue vers le sud-ouest.

L'itinéraire ne présentait pas de difficultés et il ne tarda pas à repérer les bâtiments gris de l'abbaye, répartis des deux côtés d'une rivière qui se déversait dans une baie. Au nord-ouest, il vit des collines, puis une chaîne de montagnes au loin.

Devant l'abbaye s'étendait un grand pré. Quand il remarqua une carriole couverte avec deux chevaux qui paissaient à l'écart, le cœur d'Eadulf se mit à battre plus fort. Un feu brûlait près de la carriole. Et un homme, une cuillère à la main, surveillait ce qui cuisait dans un chaudron posé sur un trépied. Assise sur le marchepied du chariot, une femme donnait le sein à un bébé. Sous un auvent, diverses plantes étaient exposées sur une table tandis que d'autres étaient accrochées à des pieux. Il s'agissait sans le moindre doute de l'échoppe d'un herboriste. Eadulf, qui n'en croyait pas sa chance, guida sa monture vers l'éventaire et descendit de cheval.

L'homme, d'âge moyen avec un visage émacié, se redressa et sourit au nouveau venu.

— Que Dieu vous accompagne, mon frère.

— Que Jésus, Marie et Joseph vous aient en leur sainte garde. Je m'appelle Eadulf.

Son nom ne produisit aucun effet sur l'homme, dont le moine avait attentivement surveillé la réaction.

— Venez vous asseoir auprès du feu, frère Eadulf. La journée est plutôt fraîche. J'entends à votre accent que vous êtes saxon. Je m'appelle Corb et voici ma femme, Corbnait. Quel genre de baume ou de remède recherchez-vous ?

Eadulf ne répondit rien, étudia l'enfant et la femme qui lui sourit, et décida d'aller droit au but.

— En vérité, Corb, c'est vous que je cherchais, vous et votre épouse. Je vous ai suivis depuis Cashel.

Le sourire de la femme s'effaça et elle serra l'enfant contre sa poitrine.

— Nous n'avons rien fait de mal, dit-elle aussitôt tandis que l'homme lui jetait un regard d'avertissement.

— Je n'ai rien dit de tel. Auriez-vous quelque chose à vous reprocher ?

— Qu'est-ce que vous nous voulez ? lança l'homme. Si vous n'êtes pas souffrant…

— Vous êtes passés par Cashel, n'est-ce pas ?

— Nous sommes originaires du royaume de Laigin et nous voyageons beaucoup.

— Je vois que vous avez un beau bébé.

Corbnait cligna des yeux.

— Dieu a été généreux avec nous, grommela-t-elle. Mon fils est une bénédiction.

— C'est votre fils unique ?

— Oui, et nous l'avons appelé Corbach.

— Pourtant, on vous a vus avec deux nourrissons, déclara soudain Eadulf d'une voix coupante.

La femme poussa une exclamation étouffée.

— Qui vous a raconté cela ? intervint aussitôt Corb.

Eadulf lui sourit.

— Allons, allons, herboriste, dites-moi ce qui vous est arrivé à Cashel.

— Nous n'y sommes pas allés.

— Ne jouez pas sur les mots avec moi. Vous vous êtes arrêtés à l'auberge de Ferloga, juste au sud de la ville.

L'herboriste pinça les lèvres.

— La femme de l'aubergiste vous aura certainement renseigné, donc vous savez que nous n'avions qu'un seul bébé.

— Oui, mais des témoins sur la route vous ont vus avec deux nourrissons. Un vrai miracle.

Sous le regard insistant d'Eadulf, Corbnait se troubla.

— On ne peut rien nous reprocher, dit-elle soudain. L'enfant n'était pas désiré.

Eadulf poussa un profond soupir de soulagement.

— Je crois que vous feriez mieux de vous expliquer. Où avez-vous pris cet enfant « non désiré » ?

L'homme allait protester quand la femme secoua la tête.

— Nous devrions avouer la vérité au frère saxon.

Elle se tourna vers Eadulf.

— Mon mari et moi vivons dans la pauvreté. Nous tirons nos seuls revenus des plantes, des potions et des simples. Notre errance remonte à plusieurs années, quand nous avons été chassés de notre clan. À l'époque, nous étions mariés chacun de notre côté, puis nous sommes tombés amoureux. De notre union est né un enfant illégitime et nous avons été proscrits. Contraints de prendre la route, nous sommes devenus des colporteurs interdits de séjour partout où nous allons.

L'herboriste hocha la tête.

— Poursuivez, dit Eadulf.

Corb prit le relais.

— Nous voulions rester à l'auberge de Ferloga car il faisait très froid cette nuit-là. Sa femme nous aurait volontiers logés en remerciement du baume pour sa jambe que nous lui avions donné, mais l'aubergiste ne cessait de nous rabrouer. Nous sommes donc repartis pour arrêter notre carriole un peu à l'écart de la route de Cashel, au bord d'un ruisseau dans une clairière.

— Vous n'avez pas allumé de feu ?

— Non, car nous ne voulions pas attirer l'attention. Certaines personnes, comme l'aubergiste, n'apprécient guère les nomades. Je n'ai même pas dételé les chevaux, je me suis contenté de les protéger avec une couverture. J'avais l'intention de dormir une heure ou deux et de me diriger vers le nord-est, ce qui nous aurait évité de passer par Cashel. D'habitude, on contourne les villes pour éviter les ennuis.

« J'ai été réveillé bien avant minuit. La nuit était claire et j'ai pu constater, grâce à la position de la lune et des étoiles, qu'il était encore tôt. Quelque chose m'avait dérangé. Un chien hurlait non loin de là.

— Moi aussi, intervint Corbnait, ce chien m'avait réveillée. Et puis j'ai entendu crier.

— J'ai pensé que quelqu'un avait peut-être besoin d'aide. J'ai donc pris mon bâton, laissant ma femme et le bébé à l'intérieur de la carriole, et j'ai remonté le chemin. Le chien s'était tu et les cris aussi. Mais à environ quatre-vingts toises de la carriole, j'ai perçu un bruit aisément reconnaissable : les pleurs d'un bébé. J'ai regardé autour de moi et, ne voyant personne, je me suis avancé et j'ai vu un châle par terre.

Eadulf se pencha vers lui.

— Et alors ? demanda-t-il d'une voix pressante.

— Sous ce châle, il y avait un enfant abandonné.

— Abandonné, vous êtes sûr ?

L'herboriste se mit à rire.

— Il était seul au milieu des bois, loin du chemin menant à Cashel et à l'écart du sentier où j'avais tourné avec ma carriole. Si je ne l'avais pas découvert, il serait mort de froid, ou alors il aurait été dévoré par les bêtes sauvages qui peuplent la forêt.

— Qu'avez-vous fait ?

— Je l'ai pris dans mes bras et je l'ai amené à ma femme. Il semblait bien nourri et était richement vêtu. Pourquoi il avait été abandonné, je l'ignore, et cela nous a inquiétés. À l'évidence, des gens mauvais rôdaient dans les parages. Nous avons donc décidé de repartir sur-le-champ et de contourner Cashel. À l'aube, nous nous sommes arrêtés pour dormir un peu.

— Et tout cela s'est déroulé avant minuit ?

— Oui.

— Ce bébé aux cheveux roux était en excellente santé, intervint la femme. Il n'avait pas plus de six mois et était enveloppé des lainages les plus fins.

— Et maintenant, Saxon, en quoi cela vous concerne-t-il ? demanda l'herboriste d'un ton autoritaire.

Eadulf les contempla tous les deux avec gravité.

— Vous avez recueilli Alchú, le fils de lady Fidelma de Cashel. Il a disparu après l'assassinat de sa nourrice, près de l'endroit où vous aviez garé votre carriole, et voilà pourquoi je suis parti à votre recherche.

La femme poussa un petit cri et porta la main à sa bouche tandis que l'herboriste clignait des paupières, désemparé.

— Seriez-vous directement intéressé par cette disparition, Saxon ? demanda-t-il d'une voix hésitante.

— Je suis Eadulf de Seaxmund's Ham, le père de l'enfant.

Un silence choqué succéda à cette déclaration, puis la femme éclata en sanglots.

— Je vous jure que nous n'avons rien à voir dans cette affaire, gémit-elle.

— C'est la vérité, nous ignorions tout du meurtre, renchérit son mari.

— Maintenant, remettez-moi l'enfant.

Il y eut un nouveau silence.

— C'est impossible ! s'écria la femme.

Eadulf sentit son sang se glacer.

— Comment cela ?

— Nous ne l'avons plus, déclara l'herboriste d'une voix sourde.

Fidelma s'était figée tandis que Conrí, chef des Uí Fidgente, s'avançait vers elle.

— Quelle heureuse surprise, Fidelma ! Justement nous nous rendions à Cashel quand un de mes hommes vous a vue pénétrer dans les bois. Nous sommes donc venus à votre rencontre.

Fidelma, dont le cœur battait à tout rompre, afficha un air nonchalant.

— Qu'est-ce qui vous amène ici, Conrí, et que voulez-vous ?

— Mettre un terme à un mensonge, répondit le chef, le visage grave.

— Un mensonge ?

— L'autre jour, votre frère nous a envoyé un *techtaire*, chargé d'un message qui a été placardé devant toutes les auberges. En résumé, nous détiendrions votre enfant, un nourrisson du nom d'Alchú, et on nous somme de vous faire parvenir un de ses vêtements. Ensuite de quoi vous relâcherez les trois chefs que votre frère détient en otages depuis notre défaite à Cnoc Áine.

— Mon frère Colgú a en effet pris cette mesure. Je suppose que vous vous êtes déplacé pour apporter une réponse ?

Une étincelle de colère brilla dans les yeux de Conrí.

— Oui.

— Et vous allez me rendre mon enfant ?

— Non, pour la simple raison que nous ne sommes pas coupables de cet enlèvement.

— Mais… commença Fidelma, dont la voix se brisa.

Le chef leva la main.

— Écoutez-moi. Je venais de rentrer dans mon pays quand votre héraut s'est présenté. Les Uí Fidgente sont étrangers à cette affaire. Même si nous sommes de vieux ennemis, il ne nous viendrait jamais à l'idée de prendre un bébé en otage. Les enfants sont sacrés pour nos deux peuples. J'ai mené mon enquête dans les clans, et personne, y compris chez ceux qui ont pâti des récents conflits avec votre frère, n'utiliserait un innocent pour vous faire souffrir. Je le jure sur la tête de mes deux fils.

Il avait parlé avec une intensité qui fit frissonner Fidelma.

— Après que nous avons exigé des preuves par l'intermédiaire de notre héraut, un chausson d'Alchú nous est parvenu et les trois chefs ont été libérés. On leur a même donné des chevaux !

Conrí fronça les sourcils.

— Cuirgí, Cuán et Crond ont été relâchés ?

— Hier à midi.

Le guerrier secoua la tête d'un air incrédule.

— Voilà qui me contrarie, Fidelma. Pour tout vous dire, je regrette qu'une partie de mon peuple se soit laissé entraîner dans des guerres contre les Eóghanacht, occasionnant des morts et des destructions inutiles. Ces gens étaient menés par Eoganán, qui avait comploté contre votre frère pour s'emparer du royaume de Muman. À Cnoc Áine, il a payé cette trahison de sa vie, et bien des membres de son clan ont péri. Mais pour chaque membre de sa famille qui a trouvé la mort dans cette folle aventure, cent Uí Fidgente ont été sacrifiés. Nous sommes un peuple décimé, Fidelma. Les trois chefs capturés par votre frère à Cnoc Áine étaient des fidèles de leur parent Eoganán. Autant dire des fanatiques. Cuirgí, Cuán et Crond ne représentaient pas une grande perte pour mon peuple.

— Cependant... n'êtes-vous pas le seigneur de guerre des Uí Fidgente ?

Conrí eut un bref sourire.

— Après notre défaite, on m'a élu pour conduire ce qui reste de mon peuple. Mais je ne suis ni aveugle ni sourd à la sagesse et la paix vaut mieux qu'une guerre facile.

— J'ai du mal à vous suivre.

— Pourquoi ouvrir les bras à ces chefs qui s'empresseraient d'attiser la haine ? Nous voulons soigner nos plaies, cultiver nos terres et faire prospérer nos troupeaux. Les Uí Fidgente n'ont sûrement pas enlevé votre fils pour l'échanger contre un trio d'incapables qui nous ont fort mal guidés par le passé.

Fidelma demeura un instant silencieuse.

— Ce complot a peut-être été organisé à votre insu par certains d'entre vous ?

— C'est peu probable. J'ai été délégué par mon peuple pour vous révéler la vérité et vous offrir mon aide. Si jamais nous découvrions une conspiration qui nous aurait échappé, les coupables seraient punis en conséquence.

Fidelma poussa un profond soupir.

— La punition doit être prescrite par la loi, dit-elle d'une voix monocorde.

Conrí leva la tête vers les grands arbres.

— Midi est passé depuis longtemps. Savez-vous sur quel chemin les chefs se sont engagés ?

— Ils étaient supposés passer par le nord afin de rejoindre la Suir, traverser à gué à Ard Mael, la haute colline, et gagner les montagnes de Slieve Felim.

— De là, il ne leur restera plus qu'à chevaucher tranquillement jusque chez nous, dit le chef. À l'heure qu'il est, ils doivent longer les montagnes au sud et se diriger vers la vallée de la Bilboa.

Il claqua des doigts.

— Si avec mes hommes nous prenons la route qui traverse Cnoc an Loig et poursuivons jusqu'à Cnoc an Báinsí, nous les intercepterons à Crois na Rae avant l'aube.

— Et alors, que ferez-vous ?

— Nous verrons s'ils ont une part de responsabilité dans cette aventure et nous arrêterons leurs complices. Quoi qu'il en soit, si votre enfant ne vous a pas été rendu demain, vous saurez que les responsables de cette vilenie n'avaient jamais eu l'intention de tenir parole. Et qu'aucun échange n'était prévu.

Fidelma blêmit, car Conrí disait la vérité.

Il tendit le bras et lui posa la main sur l'épaule.

— Je suis très affligé par le malheur qui vous frappe, mais je dois résoudre le problème auquel je suis confronté. Quand nous aurons capturé les chefs et ceux qui les soutiennent, où pourrons-nous vous trouver ? À Cashel ?

Elle allait acquiescer quand elle changea soudain d'avis.

— Par les temps qui courent, il n'est pas très sûr pour des guerriers Uí Fidgente d'être vus près de Cashel. Mon cheval est épuisé et, quand vous êtes arrivés, j'allais me réfugier dans une demeure de mon frère située non loin d'ici, à la source de la Chênaie.

Elle pointa l'index.

— Elle est située à quelques milles dans cette direction. Le gardien de la propriété a un fils qui portera un message à Cashel disant que je me repose ici où j'ai l'intention de passer deux nuits. Je vous y attendrai et, après-demain, je rentrerai au château.

Conrí lui adressa un sourire rassurant.

— Avec l'aide de Dieu, lady, avant demain soir nous vous retrouverons à la source de la Chênaie.

Il leva la main pour la saluer et s'éloigna vers l'ouest avec ses compagnons.

Après leur départ, Fidelma se sentit envahie par un sentiment d'angoisse et de solitude. De deux choses l'une : soit Conrí lui mentait, soit les Uí Fidgente avaient fomenté un complot pour renverser Conrí et son entourage afin de placer les trois chefs pris en otages au pouvoir. Si cette conjuration réussissait, la reprise des combats entre les Uí Fidgente et les Eóghanacht était imminente. Elle resta longtemps immobile sur son cheval, puis se remit en route.

Eadulf, hagard, fixait l'herboriste et son épouse.

— Alchú n'est plus avec vous ? Mais qu'en avez-vous fait ?

La femme jeta un coup d'œil anxieux à son mari.

— Parlez ! hurla Eadulf, qui s'était dressé d'un air menaçant.

— Si nous avions su de quoi il retournait, croyez bien que nous nous serions rendus directement au château, grommela l'herboriste.

— Je vous écoute ! Que s'est-il passé ?

L'homme haussa les épaules d'un air impuissant.

— Il faut nous comprendre. Convaincus que cet enfant avait été abandonné, nous l'avons vendu à un riche protecteur.

— Vous l'avez vendu !

Atterré, Eadulf retomba sur son siège. Le choc l'avait privé de parole et il ne pouvait détacher son regard du couple.

— Nous avons déjà un fils, poursuivit l'homme d'un ton geignard, notre chair et notre sang. Et nous avons pensé que ce nourrisson nous avait été envoyé pour… pour nous aider. Colporter des herbes, des baumes et des potions de village en village est une vie très dure. Quand nous avons croisé le chemin de ce seigneur, nous avons entrevu la possibilité de nous installer quelque part avec l'argent qu'il nous proposait.

— Quel seigneur ? dit Eadulf d'une voix glaciale.

— Au cours de nos pérégrinations, nous nous sommes arrêtés au pied de ces montagnes au nord. Ma femme et moi nous chauffions devant le feu après avoir nourri notre fils et l'enfant aux cheveux roux quand nous avons entendu le son d'une clochette…

— Comment cela ?

— À la lumière des flammes, nous avons distingué la silhouette d'un homme revêtu de longs vêtements et le capuchon de sa cape était rabattu sur son visage. Il agitait une clochette pour prévenir de son approche et était escorté d'un grand guerrier à l'air menaçant. Il s'est assis sur une souche à l'écart, et a demandé à manger et à boire.

« Je l'ai servi et il nous a demandé qui nous étions, d'où nous venions, et il a posé des questions sur les bébés. Maintenant que j'y pense, il nous a aussi demandé si nous arrivions de Cashel.

— Et vous lui avez tout raconté ?

— Oui, et je n'ai pas vu de mal à cela, j'ignorais que l'enfant s'appelait Alchú et mon histoire était bien courte.

— Cet homme nous a félicités pour notre acte de charité, dit très vite la femme, il nous a dit que nous étions de bons serviteurs de la foi.

— Et alors ?

— Il nous a offert de nous soulager de notre fardeau. Il s'est présenté comme le seigneur de ce territoire et a promis d'emmener l'enfant dans son église où il serait élevé dans le confort et au service du Christ.

— Et vous avez accepté ? s'écria Eadulf, au comble de l'angoisse.

— L'homme a posé trois *screpall* d'argent sur la souche, comme compensation pour les soins que nous avions dispensés à l'enfant.

— Nous étions sûrs de bien agir, ajouta la femme.

— Vous avez remis Alchú à un étranger ?

— Pas du tout, puisqu'il s'est présenté comme le seigneur de ces terres, et plus précisément le « seigneur des défilés ». De plus, il était escorté par un guerrier qui l'attendait dans l'ombre. Nous avons donc donné notre accord et le guerrier a pris l'enfant. Je ne suis pas sûre que son seigneur avait l'usage de ses deux bras… en tout cas il traînait la jambe. Et j'ai trouvé bizarre qu'il agite une clochette.

— Quelle direction a-t-il prise ? Ces montagnes sont très étendues, dit Eadulf d'une voix enrouée par l'émotion.

— Peu de seigneurs dans cette région correspondront à sa description, avança l'herboriste. En ce qui me concerne, je ne tiens pas à en savoir davantage et j'espère bien ne plus jamais le rencontrer.

— Pourquoi cela ?

— En vérité, mon frère, il se dégageait de toute sa personne quelque chose de vaguement inquiétant.

— Et vous n'avez pas hésité à lui remettre un enfant innocent !

— Mais le guerrier le traitait avec douceur et le seigneur avait promis de l'emmener dans un sanctuaire protégé ! Nous pensions faire pour le mieux, car nous croyions que cet enfant avait été abandonné.

Eadulf désigna les bâtiments derrière lui.

— Voilà la plus grande abbaye de la région. Et son unique sanctuaire. Avez-vous parlé avec l'intendant ? Peut-être ce seigneur a-t-il remis l'enfant aux moines ?

L'herboriste croisa le regard de sa femme.

— Corbnait a insisté pour que je le leur demande car elle était inquiète. Non, l'homme n'a pas confié l'enfant aux moines. Mais les défilés de ces montagnes ouvrent sur une grande péninsule, la terre des Corco Duibhne. Et si ce bébé avait été emmené là-bas ?

Une pensée traversa l'esprit d'Eadulf, qui se leva d'un bond. Peut-être l'intendant de l'abbaye de Colmán pourrait-il le renseigner sur ce seigneur lépreux ? Il toisa l'herboriste et sa femme d'un regard sévère.

— Bien qu'époux de lady Fidelma de Cashel, je ne jouis d'aucune autorité dans ce royaume. Fidelma est cependant un *dálaigh* très respecté des brehons des cinq royaumes. Nous parlons de mon fils mais aussi du sien, qui est le neveu du roi Colgú régnant sur le royaume de Muman. Je veux bien croire que vous avez agi en toute innocence, mais le lucre a aussi joué sa part dans votre décision. Vous pensiez que l'enfant serait bien traité, dites-vous, mais il n'en demeure pas moins que cette affaire devra se plaider devant les brehons de Cashel. Je ne dispose d'aucun moyen pour vous contraindre à m'obéir, mais suivez mon conseil : retournez à Cashel, insistez pour parler à Fidelma et, si elle n'est pas là, demandez audience au roi Colgú en personne et répétez-lui ce que vous m'avez conté. Vous ne risquez rien à proclamer la vérité.

L'herboriste était maintenant très nerveux.

— Serez-vous là pour plaider notre cause ?

— Avec l'aide de Dieu, j'y serai. Mais il faut d'abord que je retrouve ce lépreux afin qu'il me rende mon fils.

Sur ces mots, il prit son cheval par la bride et se dirigea à pas lents vers les portes de l'abbaye.

Bientôt, il fut admis dans les appartements du *rechtaire*, l'intendant du monastère. C'était un homme accueillant, et dès qu'il fut informé du statut et de l'influence d'Eadulf, il se déclara prêt à l'aider dans la mesure de ses moyens.

— Nous sommes loyaux à la primatie d'Imleach, mon frère. L'évêque Ségdae, qui tient son *pallium* de saint Ailbe, patron de Muman, est notre guide. Dites-nous comment nous pouvons vous être utiles.

— Le mal rôde à Cashel, murmura Eadulf.

Le moine hocha la tête

— Les nouvelles vont vite et les mauvaises nouvelles encore plus vite que la peste. Voilà une semaine que nous avons été informés de la disparition de l'enfant de lady Fidelma – qui est aussi le vôtre, ajouta-t-il aussitôt.

— Grâce à l'herboriste et à sa femme ? s'enquit Eadulf à tout hasard.

— Non, grâce à un homme de Cnoc Loinge, il me semble. Mais cet herboriste auquel vous faisiez allusion, est-ce celui qui campe à l'extérieur de l'abbaye ? Ces gens-là ne paraissent pas s'intéresser à grand-chose… sauf que l'homme m'a demandé si on nous avait amené un bébé pour qu'on en prenne soin. Je lui ai répondu que non, naturellement.

— Il n'a rien mentionné d'autre ?

L'intendant le fixa.

— Vous les soupçonnez d'avoir enlevé votre fils ?

— Non, je pense qu'ils ont été l'instrument du destin et qu'ils l'ont recueilli en ignorant tout de son identité.

L'intendant secoua la tête.

— En tout cas, ils n'ont consulté personne.

— L'herboriste ne s'est-il pas renseigné sur un homme physiquement diminué qui se fait appeler « seigneur des défilés » ?

L'intendant se rejeta en arrière et se signa.

— À l'évidence, vous connaissez cette personne, mon frère !

L'intendant déglutit avec difficulté.

— Il n'existe qu'un seul homme correspondant à cette description : Uaman le lépreux, fils d'Eoganán. Eoganán est le prince des Uí Fidgente qui a été tué à Cnoc Áine il y a quelques années.

Eadulf poussa un gémissement de détresse.

CHAPITRE XIII

La source de la Chênaie était un plaisant vallon, connu de Fidelma depuis son enfance. C'est là qu'elle venait jouer avec sa meilleure amie, Liadin, devenue plus tard son *anam chara*. Fidelma ressentit un coup au cœur en songeant à elle. N'avait-elle pas essayé de l'impliquer dans un complot meurtrier dirigé contre son mari et son fils ? La loi était supposée réhabiliter le coupable et indiquer le chemin du pardon, car la rédemption est à la portée de tous. Pourtant, Fidelma ne parvenait pas à pardonner sa trahison à Liadin.

Quelques siècles plus tôt dans les cinq royaumes, quand on estimait que quelqu'un était perdu pour l'humanité, ou qu'un condamné refusait de travailler pour le bien du clan afin de restaurer son honneur et payer les compensations nécessaires à ses victimes, les brehons n'avaient qu'un seul recours : ils ordonnaient qu'on mette le criminel dans une barque en lui donnant de l'eau et de la nourriture pour un jour, puis qu'on le remorque au large où on le laissait à la merci des éléments.

Les vieux conteurs narraient l'histoire d'un de ces criminels endurcis du nom de MacCuill, qui vivait dans les terres d'Ulaidh. Après qu'il eut été abandonné en pleine mer, le vent et les marées l'avaient amené sur l'île sacrée du dieu des océans, Mannánan Mac Lir. Ayant survécu, MacCuill reconnut ses fautes, se convertit à la nouvelle foi et finit ses jours comme évêque de l'île. Il fut alors salué comme un saint et les gens priaient pour son intercession dans les malheurs qui les frappaient. Aux yeux de Fidelma, cette histoire visait à démontrer que même chez les pires vauriens le repentir pouvait opérer des miracles.

Elle revint à la réalité.

Dans cet endroit idyllique, un ruisseau chantait au milieu des chênes. La construction de la maison en bois, en bordure de la clairière traversée par le ruisseau, remontait à si loin qu'on en avait perdu le souvenir. Alentour, le gibier abondait, sans compter que le cours d'eau regorgeait de truites et de saumons. Un *brugaid* y demeurait pour servir les rois de Muman et leurs invités quand ils venaient chasser. Duach, le gardien, passait ici l'hiver seul avec son fils.

Fidelma traversa le ruisseau et s'arrêta devant la maison.

— Duach ! Tulcha !

L'endroit semblait désert. Où donc étaient-ils ? Fidelma connaissait Duach depuis toujours et on l'aurait certainement prévenue s'il avait quitté le service de son frère. Elle se laissa glisser de sa selle et fixa les portes et les fenêtres closes.

Elle appela à nouveau.

Cette fois, elle perçut le bruit d'un cheval qui renâclait. Sa jument dressa les oreilles et frappa du sabot sur le sol.

Fronçant les sourcils, Fidelma se dirigea vers les écuries. À l'intérieur, elle trouva quatre chevaux dont trois lui semblèrent familiers.

— Duach ? Tulcha ?

Un des chevaux fit un écart et de la paille vola. C'est alors qu'elle aperçut une jambe. Elle s'avança.

Un corps était dissimulé dans une stalle.

Elle se pencha et porta la main à sa bouche pour étouffer un cri d'horreur. Elle avait sous les yeux le cadavre de Duach, le regard fixe. On lui avait tranché la gorge. À ses côtés était étendu un second corps. Celui de Tulcha. Et elle comprit soudain pourquoi trois des chevaux ne lui étaient pas inconnus.

À la porte des écuries, trois hommes dont elle ne distinguait pas les traits bloquaient le passage.

— Eh bien, mes amis, dit la voix ironique de Cuirgí de Ciarraige, il semblerait que nous ayons attrapé une petite morveuse de la lignée des Eóghanacht. Le destin l'a poussée gentiment jusqu'à nous. Voilà qui fera un otage de choix et nous permettra de regagner nos terres sans encombre. Ensuite, nous aurons tout le temps de réfléchir à notre vengeance contre Cashel.

Eadulf fixait le visage crispé de l'intendant de l'abbaye de Colmán.

— Où puis-je trouver Uaman le lépreux ?

— Ne vous approchez pas de cette engeance de Satan ! murmura l'intendant. Je préférerais vous indiquer l'emplacement des portes de l'Enfer plutôt que de vous guider jusqu'à lui.

Ses yeux s'agrandirent en comprenant les raisons qui motivaient la demande d'Eadulf.

— Vous ne pensez tout de même pas que l'herboriste aurait laissé l'enfant à la garde d'Uaman ?

— Si. Et maintenant je dois sauver mon fils.

L'intendant avait pâli.

— Uaman est bien connu des gens de cette contrée, frère Eadulf. Du temps où Eoganán régnait sur les Uí Fidgente, son plus jeune fils Uaman était déjà le seigneur des défilés de Sliabh Mis. À cette époque, il n'avait pas encore contracté la lèpre. Son père, un tyran sans pitié…

— Je sais. Parlez-moi d'Uaman.

— Sa réputation en cruauté surpassait celle du despote, dont il était aussi le conseiller. Il rendait la vie impossible aux moines des abbayes et des maisons religieuses. Il s'y présentait avec des guerriers, exigeant des tributs qui nous laissaient dans la misère. Mais Dieu l'a puni de cette existence de débauché.

Eadulf fronça les sourcils.

— Vous faites allusion à la lèpre ?

— Oui. Il l'avait contractée avant la bataille de Cnoc Áine, ce qui ne l'empêchait pas de continuer à exercer son pouvoir. Cependant, quand les Uí Fidgente perdirent la bataille, il se retira dans ses montagnes où il resta le seigneur des défilés, entouré d'une bande de fidèles. Dieu merci, il n'est plus que l'ombre de lui-même, et sa garde consiste en six hommes touchés du même mal que lui. De pauvres créatures égarées. Ils le suivent parce que leur âme et leur chair sont tout aussi pourries que les siennes. Il est le mal personnifié.

— Contrôle-t-il encore cette zone ?

— Maintenant, nous sommes trop forts pour lui. Mais avec l'aide de ses quelques guerriers, il parvient encore à commander l'accès de la péninsule au nord qui constitue les terres des Corco Duibhne. Cette presqu'île montagneuse et sinistre s'enfonce sur cinquante milles dans la mer de l'ouest. Les chemins y sont si étroits qu'il peut forcer les voyageurs à lui payer un tribut.

— Je n'arrive pas à croire que le chef des Corco Duibhne ne puisse en venir à bout. Si Uaman n'a que six hommes, qu'attend-il pour le renverser ?

— Ce n'est pas si facile. Uaman vit dans une forteresse imprenable, une grande tour qui se dresse sur un îlot. Elle est construite de telle façon que même une armée ne peut forcer le passage.

— Dites-m'en davantage sur cette tour. Où se tient-elle exactement ?

— Pas loin d'ici, frère saxon. Vous suivez le sentier au nord de l'abbaye – qui fait le tour de la baie que vous avez devant vous – et vous laissez cette chaîne de montagnes sur votre droite en filant vers l'ouest. Sur votre gauche, vous verrez une île. Elle s'appelle tout simplement Inse, l'île. À marée haute, elle est coupée du continent, mais à marée basse, les dunes de sable rejoignent l'éminence herbeuse où s'élève la tour d'Uaman.

L'intendant tira soudain Eadulf par la manche.

— Montons au donjon, je vais vous la montrer.

— Elle est donc si proche ? dit Eadulf, soulagé.

— On la repère assez facilement mais les distances sont trompeuses : il faut compter une bonne chevauchée pour s'y rendre.

En haut du donjon de l'abbaye, Eadulf distingua une tour de l'autre côté des eaux grises qui se détachait à peine sur les montagnes sombres. D'ici, on aurait juré qu'elle était située sur la rive nord de la baie.

— Elle ne me semble pas si imprenable que cela, observa-t-il.

L'intendant fit la moue.

— Ne vous méprenez pas, frère saxon. L'étendue de sable qui la relie au continent paraît tout à fait praticable à marée basse, mais il faut se méfier des *beogainneamh*. Ils peuvent engloutir toute une armée.

— Des roseaux ? Mais comment…

— Non, des *gainneamh*.

— Ah… des sables vivants ?

L'intendant hocha la tête et Eadulf frissonna.

— Même quand les flots se sont retirés, il est dangereux d'approcher de la tour. Et quand la mer monte, on dit que c'est à la vitesse d'un cheval au galop. En quelques instants vous vous retrouvez encerclé par l'eau. Quand le chef des Corco Duibhne a essayé de prendre la tour d'assaut, il a perdu une douzaine d'hommes en un instant.

— En ce qui me concerne, loin de moi l'idée de l'attaquer. Mais je suis en droit d'exiger des informations sur ce qui est arrivé à mon fils.

L'intendant haussa les sourcils.

— On n'exige rien d'Uaman, on se contente de l'éviter. Si vous voulez qu'il vous rende votre enfant, demandez plutôt à Colgú de lever une armée contre lui. Ce serait le seul moyen de le faire plier.

— Je vous remercie de votre mise en garde, frère intendant, mais peut-être n'est-il pas informé de l'origine de cet enfant ? Pourquoi Uaman voudrait-il garder mon fils ? Parfois, un homme de bon sens peut réussir là où une armée échouerait.

— Je prierai pour vous, frère saxon, comme j'ai prié pour les frères de la foi qui vous ont précédé.

— Mais de qui parlez-vous ?

— Il y a environ une semaine, un frère d'Ulaidh qui voyageait avec un moine natif d'une terre lointaine s'est présenté ici. Je crois bien que l'autre était grec. Ils se sont tout comme vous renseignés sur Uaman. Je leur ai expliqué comment parvenir jusqu'à lui et ils se sont mis en route, promettant de revenir bientôt. Je ne les ai jamais revus.

Eadulf se massa les tempes.

— En chemin, j'ai entendu parler de ces frères itinérants. À votre avis, pourquoi voulaient-ils rencontrer Uaman ?

L'intendant haussa les épaules.

— L'étranger ne parlait pas bien notre langue mais son compagnon m'a raconté qu'il était un guérisseur de l'Orient qui visitait notre pays, et dont les remèdes seraient particulièrement efficaces contre la lèpre. Il avait reçu un message lui demandant d'amener ce guérisseur à Uaman, qui promettait une récompense s'il parvenait à soulager ses douleurs.

— Peut-être sont-ils passés par une autre route ?

L'intendant eut un sourire triste.

— Ils avaient promis de nous retrouver ici car l'étranger devait nous instruire sur la façon dont on pratique la foi dans son pays. En vérité, je suis très inquiet sur leur sort.

Eadulf réfléchit un instant.

— Il semblerait que je doive prendre toutes mes précautions avec ce seigneur des défilés. Je vous remercie pour vos informations, frère intendant. Comme dirait un bon ami à moi – *praemonitus, praemunitus*.

— En d'autres termes, un homme prévenu en vaut deux. Ainsi soit-il, frère saxon. Vous êtes prévenu, à vous d'agir en conséquence.

Fidelma fixa les trois Uí Fidgente armés, et comprit avec une horreur grandissante qu'ils avaient tué le gardien et son fils. Elle se raidit.

— Que faites-vous ici ? dit-elle d'un ton glacial. Vous êtes supposés rejoindre votre pays afin que vos amis libèrent mon fils.

Cuirgí eut un rire bref, comme un aboiement.

— Vous n'imaginiez tout de même pas que nous allions tomber dans un piège aussi grossier ?

— Quel piège ?

— Des messages exigeant une rançon et toute cette histoire à dormir debout ! Il s'agissait d'une ruse pour nous arracher à la protection accordée par votre frère. Vous projetiez que des hommes à lui nous attaquent en chemin afin de nous assassiner ! Une excellente solution pour résoudre quelques problèmes qui troublent la tranquillité du roi de Muman, qu'en dites-vous ?

Devant ces soupçons ridicules, Fidelma ouvrit de grands yeux.

— Mais mon fils a vraiment été…

— Afin d'éviter toute embuscade, nous avons volontairement suivi la Suir, la coupa Cuirgí, nous écartant ainsi du chemin que vous nous aviez indiqué. Nous pensions nous cacher ici en attendant que la voie soit libre… mais vous avez dû nous suivre de très près. Où est votre escorte ?

Fidelma n'en croyait pas ses oreilles.

— Je ne vous ai pas suivis et suis venue ici par pur hasard. Quant à la demande de rançon, elle est tout ce qu'il a de plus véridique. Si vous n'allez pas rejoindre les vôtres à la frontière, ils tueront mon fils.

— Vous nous prenez vraiment pour des idiots. Si cette demande d'échange était authentique, alors nous en aurions été informés. Il n'aurait pas été très difficile de nous faire parvenir des messages jusque dans notre prison. Il s'agit d'un leurre pour en finir avec nous.

— Mais je vous assure que…

Elle s'interrompit. Quelque autre force était-elle à l'œuvre dans cette affaire ? Elle repensa à Conrí. N'avait-il pas affirmé qu'à sa connaissance les Uí Fidgente n'avaient joué aucun rôle dans le meurtre de Sárait et l'enlèvement d'Alchú ? Alors qu'elle réfléchissait, Cuirgí jeta un regard de triomphe à ses compagnons.

— Son silence est un aveu. Crond, tu vas partir en reconnaissance sur les chemins alentour pour repérer ceux qui accompagnent cette chienne des Eóghanacht. Cuán, attache-la. Au moins, sa présence ici nous assurera un retour paisible dans nos terres.

Fidelma allait protester quand Cuirgí lui envoya une gifle qui lui coupa le souffle et la fit reculer de trois pas.

— Plus un mot !

Avant qu'elle ait pu reprendre ses esprits, Cuán lui avait adroitement ligoté les mains derrière le dos avec des cordelettes, puis il la tira hors de l'écurie.

— Enferme-la à l'étage, l'instruisit Cuirgí, et veille à ce qu'elle n'en bouge pas.

— Et si elle est venue avec des comparses ? demanda Cuán tout en la poussant dans la pièce principale de la vieille demeure.

— Soit ils se retirent, soit ils récupèrent son cadavre. Ils n'auront pas d'autre choix.

Cuirgí eut un rire sans joie.

— Je crois que même Colgú n'hésiterait pas devant une telle alternative.

— Écoutez-moi, vous vous trompez, je vous assure…

Cuán lui mit brutalement la main sur la bouche tandis que Cuirgí ricanait d'un air approbateur.

— Assure-toi qu'elle ne peut crier pour avertir ses complices.

On la traîna jusqu'en haut de l'escalier et on la poussa dans une des chambres. Fidelma ne put se défendre d'un sentiment d'amertume car il s'agissait de sa chambre d'enfant, ancien havre de paix, maintenant cellule d'une prison où elle était réduite à l'impuissance.

Cuán ne laissa rien au hasard. Il termina son travail en lui attachant les pieds, prit un *adart*, un oreiller, en déchira la taie et la bâillonna.

— Comment vous sentez-vous ? demanda-t-il avec un sourire méchant.

D'une bourrade, il la fit tomber sur le *lepad*, le lit en bois, tandis qu'elle le fixait avec froideur.

Et si Cuirgí et Conrí se trompaient ? se demanda-t-elle. Et s'il s'agissait d'un nouveau complot des Uí Fidgente dont tous deux ignoraient les tenants et les aboutissants ? Et si son fils payait de sa vie leur ignorance et leur manque de confiance ?

Elle attendit que Cuán soit sorti avant de tester la solidité de ses liens et gémit de frustration. Puis, impuissante et résignée, elle se laissa aller sur le dos. Dans sa tête, les pensées se bousculaient pour trouver une solution à cette situation désespérée. Elle ferma les yeux.

Plus tard, quelqu'un cria :

— Crond est de retour !

Elle entendit un cheval qui s'arrêtait devant la porte, puis la voix de Cuirgí :

— Quelles nouvelles ?

— Je suis monté sur cette colline, d'où je dominais la vallée et la forêt, et n'ai repéré aucun guerrier à cheval. Pour moi, cette femme était seule.

— Tu as intérêt à ne pas te tromper, ricana Cuirgí.

— Je ne suis pas du genre à commettre des erreurs quand ma vie est en jeu, répliqua l'autre d'un ton brusque. Pour l'instant, nous sommes en sécurité. Et il est possible que cette femme dise la vérité, et qu'elle soit tombée sur nous par hasard.

— Alors elle n'a vraiment pas de chance ! ironisa Cuán.

— Si cette chienne des Eóghanacht s'est égarée jusqu'ici, les dieux nous sont favorables, lança Cuirgí avec autorité. Il ne nous reste plus qu'à attendre un peu avant de poursuivre notre voyage.

— Et si certains de nos fidèles avaient réellement enlevé son enfant ?

Fidelma avait reconnu la voix de Crond.

Cuirgí éclata d'un rire moqueur.

— Tu crois à cette histoire ? Nous en aurions été avertis.

— Je t'accorde que tes arguments sont assez convaincants mais… si c'était la vérité ?

— Et alors ? Peu importe puisque nous sommes libres, cela fera juste un Eóghanacht de moins à Muman.

— Si l'enfant meurt, d'ici demain tous les guerriers de Cashel partiront à notre recherche pour nous planter leurs épées dans le corps.

— Ce ne serait pas la première fois que nous nous battons contre les Eóghanacht ! Aurais-tu peur ?

— Mon lignage est aussi glorieux que le tien, Cuirgí, répliqua l'autre avec colère. Et si je suis toujours prêt à verser mon sang pour notre cause, cela me dérangerait que ce soit en pure perte. Si nous tombons dans une embuscade, on se souviendra de moi comme d'un homme qui a payé pour le meurtre d'un enfant et cela me contrarie. Pas toi ?

— Il a soulevé un point important, intervint Cuán. Pendant que nous attendons ici, tout le pays risque de nous prendre en chasse et nous ne pourrons plus nous échapper.

— Vous oubliez que nous détenons la sœur de Colgú, glousse le vieux chef. Elle nous assurera un retour tranquille sur nos terres. Et puis, comme je l'ai déjà souligné, si nos amis avaient fomenté un complot afin d'obtenir notre libération, ils nous auraient fait parvenir un message. Ce vieux geôlier était un excellent allié et il nous a remis plus d'un cadeau de la part de nos amis pour soulager notre captivité. Non, il s'agit bien d'une conjuration des Eóghanacht, j'en mettrais ma main à couper.

Fidelma poussa un gémissement étouffé. Elle était bien obligée d'admettre que Cuirgí n'avait pas tout à fait tort. Si quelqu'un avait pris la peine d'échafauder un tel projet, alors il n'aurait pas manqué d'en informer les principaux intéressés. Mais s'il ne s'agissait pas d'un complot destiné à libérer les trois chefs, qui se cachait derrière ce sinistre marchandage ?

Les trois hommes étaient rentrés à l'intérieur et Fidelma ne comprenait plus ce qu'ils disaient. Bientôt, la lumière déclina.

Maintenant que le pauvre Tulcha était mort et incapable de porter une quelconque missive à Cashel, quelle serait la réaction de son frère en ne la voyant pas revenir au château ? Devinerait-il où elle s'était rendue ? Elle changea de position. Tous ses membres lui faisaient mal et le bâillon lui donnait la nausée.

Elle sombra dans un sommeil agité et fut réveillée par la lumière d'une lampe à huile. Quelqu'un lui ôta le morceau de tissu qu'on lui avait enfoncé dans la bouche. Elle toussa, lutta pour reprendre son souffle, et des mains puissantes la saisirent sous les bras. Elle se retrouva adossée au *tolg*, la tête de lit.

Crond s'assit près d'elle avec un sourire ambigu sur les lèvres.

Elle se racla la gorge.

— Il est quelle heure ?

— Pas très tard, lady. Minuit est encore loin. Je pensais que vous aimeriez peut-être manger quelque chose. Cela nous ennuierait que vous dépérissiez, la chevauchée qui nous attend pour rejoindre le pays des Uí Fidgente sera longue.

Fidelma cligna des paupières.

— Quand partons-nous ?

— Quand Cuirgí estimera que le temps est venu. Peut-être demain. Peut-être le jour suivant.

Elle baissa les yeux sur le bol de soupe et le gobelet d'hydromel posés sur la table de chevet.

— Si vous ne me détachez pas les mains, je ne vais pas pouvoir manger.

Crond se mit à rire.

— Je serai ravi de vous nourrir, lady. Je n'ai rien d'autre à faire.

— Ces cordes me blessent, protesta-t-elle.

— Je n'en doute pas. Cuán a un tour de main inimitable pour ligoter les prisonniers. Je suppose que vous avez la gorge sèche ?

Il prit le gobelet et le porta aux lèvres de Fidelma. L'hydromel était un peu aigre mais elle le but avidement, puis elle se lécha les lèvres et fixa Crond d'un air songeur.

— Je pense que vous êtes plus intelligent que vos compagnons, commença-t-elle.

L'homme haussa les sourcils d'un air ironique.

— Vous me flattez, lady. Mais qu'est-ce qui vous pousse à pareille déclaration ?

— Je vous ai entendu discuter avec Cuirgí. En vérité, mon frère n'a nullement ourdi de complot pour vous attirer hors de Cashel afin de vous tuer plus à son aise. Ma nourrice, Sárait, a été assassinée et mon enfant enlevé. Nous avons reçu un message stipulant que mon fils me serait rendu dès que vous auriez traversé la frontière.

— Pourquoi devrais-je vous croire ? dit le guerrier, impassible.

— Parce que au fond de vous-même vous savez que je ne mens pas. Les ravisseurs de mon fils le tueront si vous ne répondez pas à leurs attentes, car ils croiront que mon frère vous retient toujours prisonniers. Je ne veux pas que mon fils meure.

Crond prit le bol et y plongea une cuillère qu'il présenta ensuite à Fidelma.

— Vous avouerez cependant que Cuirgí marque un point quand il avance que si ce complot était véridique nous en aurions été avertis. Votre vieux geôlier a été assez facile à corrompre.

— Et il devra en répondre ! lança Fidelma, oubliant la position dans laquelle elle se trouvait.

Crond eut un sourire admiratif.

— Vous ne manquez pas de courage, lady, il faut le reconnaître.

— La vie de mon fils est en jeu.

— La nôtre aussi, ajouta-t-il avec rudesse. Nous ne la sacrifierons pas inutilement.

Quelqu'un monta l'escalier et Cuirgí apparut dans l'encadrement de la porte. Il s'appuya au mur, les bras croisés.

— Tu parais bien t'entendre avec la prisonnière, fit-il observer avec froideur.

Crond leva sur lui un regard amusé.

— Est-il interdit de parler avec elle pendant que je la nourris ?

— Tout dépend du sujet de conversation, répliqua Cuirgí. Cette femme est dangereuse. En tant que *dálaigh*, elle est capable de changer le blanc en noir et un criminel en innocent. Méfie-toi.

Crond fit une grimace cynique.

— Après deux ans passés dans une prison des Eóghanacht, je ne risque pas de me faire prendre aux belles paroles de cette dame. Et pour en revenir à nos affaires, plus vite nous rentrerons chez nous, mieux je me porterai.

L'autre hocha pensivement la tête tout en observant Fidelma de son regard aiguisé.

— Quand tu auras fini, rejoins-nous en bas, nous devons décider d'un itinéraire. Cuán connaît des chemins au nord et il a une proposition à nous faire.

— Quand partons-nous ? Demain ?

Cuirgí secoua la tête.

— Si nous attendons un jour de plus, ils penseront que nous avons déjà atteint…

Il s'interrompit.

— Nous en reparlerons plus tard. Presse-toi.

Il disparut et Crond tendit une nouvelle cuillerée à Fidelma.

— Il semblerait, lui murmura-t-il avec un clin d'œil, que vous deviez passer encore un peu de temps dans cette condition précaire.

— Je ne sens plus mes mains ni mes pieds, protesta-t-elle. Ne pouvez-vous desserrer un peu ces liens ? Quand le temps sera venu de partir, je serai hors d'état de marcher ou de chevaucher. Soyez logique, dans la situation où je me trouve, comment voulez-vous que je m'enfuie ?

Crond hésita, puis, comprenant qu'elle avait raison, il reposa le bol et se pencha. Bientôt le sang circulait à nouveau dans les pieds de la jeune femme, entraînant des picotements et des fourmillements douloureux. Crond répéta l'opération avec ses poignets et elle poussa un soupir de soulagement. Quand elle eut fini de manger, il lui fit boire encore un peu d'hydromel, se leva et jeta un coup d'œil au bâillon.

— Qui voulez-vous que j'appelle ? ironisa Fidelma.

Il resta un instant silencieux, puis il sourit.

— Ce sera une longue nuit, lady. Dormez bien.

Étendue sur le lit, elle écouta longtemps le bruit des conversations à l'étage inférieur, puis elle se tortilla pour tenter de se libérer de ses liens. Peine perdue. Elle abandonna la partie et mit longtemps à trouver le sommeil. Quand elle se réveilla, l'aube grise filtrait à travers les carreaux.

CHAPITRE XIV

Eadulf laissa son cheval dans un petit bois. Il avait passé la nuit à l'abbaye et, aux premières lueurs de l'aube, il s'était mis en route pour la tour d'Uaman. En arrivant, il avait décidé de dissimuler sa monture afin de s'approcher à pied. Avec les rênes, il avait fait un nœud suffisamment lâche pour que l'étalon puisse s'échapper s'il tardait à revenir. Cet animal de nature pacifique ne s'éloignerait qu'en cas de danger ou poussé par la faim.

Eadulf se cacha derrière les arbres qui bordaient le rivage et épia la petite île où se dressait la tour. Il en était séparé par des eaux froides et agitées dont il semblait à peine croyable qu'elles puissent se retirer pour laisser le passage. Sur l'îlot s'élevait la tour en granit, lourde et menaçante, gardée par un mur circulaire d'environ cent pieds de diamètre. Cette construction dégageait quelque chose de maléfique.

Eadulf tenta de se persuader que son imagination faussait sa vision des choses. L'herboriste, sa femme et l'intendant de l'abbaye de Colmán l'avaient influencé. Si l'intendant ne l'avait pas mis en garde, quelle attitude aurait-il adoptée ? Il se serait présenté à la porte d'Uaman pour lui exposer ce qui l'amenait en ces lieux : son enfant avait été recueilli par erreur, il n'était pas la propriété de l'herboriste qui n'avait en aucune façon le droit de le vendre. Plus Eadulf y réfléchissait, plus il estimait que c'était la meilleure conduite à tenir. Il ne céderait pas aux jugements sinistres colportés par des tiers. Cependant, quand il avait quitté l'abbaye, il n'avait pu se défaire de l'impression désagréable que quelqu'un le suivait. Ce sentiment ne le lâchait plus et il n'arrêtait pas de jeter des coups d'œil autour de lui. Il poussa un soupir d'exaspération.

Il avait chevauché sur un sentier de montagne, veillant à rester à l'écart de toute habitation. Le chemin était désert et ombragé. À l'endroit où il avait obliqué vers la baie, il avait aperçu un village, plus haut dans la montagne. Les habitants des maisons regroupées non loin du bastion d'Uaman étaient sûrement fidèles au chef, ou du moins pouvait-il compter sur leur appui. Il avait donc contourné le hameau et s'était enfoncé dans la forêt.

Maintenant il attendait que la mer se retire. Il exposerait très simplement le but de sa visite à Uaman. La logique l'emporterait. Le chef n'était sûrement pas aussi mauvais qu'on le prétendait, personne n'était méchant à ce point. Tranquillisé par son raisonnement, il se sentit porté par un espoir fou. Il ramènerait Alchú à Cashel puis il obligerait Fidelma à affronter la crise qu'ils traversaient. Une grande paix l'envahit : enfin il obtiendrait des réponses aux problèmes qui depuis un an ne cessaient de le tourmenter. Et il prendrait les décisions qui s'imposaient.

Environ une heure plus tard, il remarqua que la marée commençait à descendre et en déduisit qu'elle ne remonterait pas avant le début de la soirée. Il se leva et alla examiner le passage qui se découvrait entre les dunes. Il vit des crabes filer sur le sable mouillé, et aussi des goberges et des loups de mer prisonniers dans les bassins qui se formaient tandis que la mer se retirait. Le passage semblait assez large, mais s'il y avait des plaques de sable mouvant, il vaudrait mieux avancer sur les dunes.

Eadulf hésita un instant, puis il retourna dans la forêt où il trouva ce qu'il cherchait : une branche d'if tombée à terre. Il sortit son couteau, la tailla et en ôta les brindilles jusqu'à obtenir un bâton de six pieds de long. Puis il revint au rivage. Ses pieds s'enfonçaient à peine et le sable semblait solide. Avant d'aller plus loin, il sonda le sol avec son bâton pour s'assurer qu'il ne risquait rien, et progressa ainsi à chaque pas.

Quand il eut entièrement traversé, il jeta un coup d'œil par-dessus son épaule et fut rassuré de voir la trace de ses pas derrière lui. Le retour n'en serait que plus facile.

Il grimpa quelques marches en pierre et posa le pied sur la petite île verdoyante dominée par la muraille circulaire qui protégeait la tour. L'ensemble était beaucoup plus vaste qu'il ne l'avait imaginé, aussi grand qu'une abbaye. Mais l'endroit semblait déserté. Eadulf faisait face à des portes en chêne hautes de dix pieds, et dont le bois était renforcé par des plaques de fer. Au-dessus, des fenêtres avaient été percées dans la muraille à intervalles réguliers.

Eadulf se tenait là, désemparé, car il ne voyait aucune cloche, comme il était d'usage dans les monastères. Il s'avança et s'apprêtait à utiliser son bâton pour frapper quand les portes s'ouvrirent brusquement vers l'intérieur, révélant un homme revêtu de longues robes grises, le visage dissimulé par un capuchon.

— Bienvenue à la tour d'Uaman, mon frère, lança d'un ton chantant une voix haut perchée.

Eadulf sursauta devant cette apparition inattendue, qui émit un rire aigrelet.

— Ne soyez pas surpris, mon frère. Voilà un bon moment que je surveille votre approche. J'ai remarqué que vous faisiez preuve de beaucoup de prudence dans le choix de votre itinéraire.

— On m'avait prévenu que le passage était dangereux.

— Et pourtant vous avez pris le risque de le franchir. Je brûle de connaître les raisons qui vous guident.

La silhouette inquiétante leva une main d'une blancheur de craie, semblable à une griffe, et lui fit signe d'entrer.

— Je suis Uaman, le seigneur des défilés de Sliabh Mis. Bienvenue dans ma forteresse et puisse votre séjour en ces lieux vous être aussi agréable qu'à moi.

Eadulf accepta l'invitation, luttant contre la frayeur qui s'était emparée de lui. Aussitôt, grâce à un mécanisme de verrous en fer qui étaient sortis des murs, les portes commencèrent à se refermer derrière eux et s'encastrèrent à nouveau l'une dans l'autre avec un bruit sinistre.

Uaman émit son petit rire sans joie devant l'air angoissé d'Eadulf.

— Ils sont nombreux, à l'extérieur, ceux qui souhaitent ma fin.

Il marqua une pause.

— Vous arborez la tonsure de Rome et non celle des religieux de l'Église des cinq royaumes. Comment vous appelle-t-on ?

— Eadulf de Seaxmund's Ham.

Il y eut un silence. À l'évidence, ce nom n'était pas inconnu au seigneur des défilés. Une respiration sifflante s'échappait de l'ample capuchon et Eadulf sentit son sang se glacer sous le regard de l'homme dont il ne distinguait pas les yeux.

— Eadulf ! dit la voix où résonnait une obscure menace. Bien sûr. Vous êtes l'époux d'une Eóghanacht de Cashel !

— Je suis venu dans des intentions pacifiques, s'empressa d'expliquer le moine. Vos querelles avec Colgú de Cashel ne me concernent pas.

— Dans ce cas, je vous recevrai avec les égards qui vous sont dus. Vous n'êtes pas sans savoir que j'appartiens aux Uí Fidgente. Que voulez-vous de moi ?

— Je me suis déplacé jusqu'ici pour une affaire à laquelle vous avez été involontairement mêlé.

À nouveau ce rire aigre.

— Involontairement, dites-vous ? Voilà une analyse intéressante. Allons dans mes appartements où nous discuterons plus à notre aise de votre requête, frère Eadulf de Seaxmund's Ham.

Au moment où Eadulf s'avançait vers lui, l'homme tira une clochette des plis de sa robe et la secoua avec vivacité.

— *Salach ! Salach !* Impur ! dit la voix acide.

Eadulf se figea.

— Restez à distance, frère saxon. Je souffre de l'affliction qui putréfie les chairs.

— Vous êtes lépreux ? murmura Eadulf, qui jusqu'alors n'avait pas vraiment prêté attention à la terrible maladie dont Uaman était atteint.

À nouveau, ce rire à vous faire dresser les cheveux sur la tête. Puis le lépreux s'élança d'une démarche sautillante tout en traînant un pied. Il passa sous une petite arche et grimpa un escalier en pierre qui donnait sur un chemin de ronde. Plusieurs hommes vêtus de noir se dissimulaient dans l'ombre, près des fenêtres qu'Eadulf avait remarquées en arrivant. Ils montaient la garde. Eadulf entrevit des visages laids et marqués de cicatrices. L'un d'eux était borgne.

Eadulf suivit le lépreux.

— Épargnez-vous la peine de compter ces fenêtres, frère saxon. Il y en a vingt-sept, qui me permettent d'observer les étoiles dont on peut tirer le pouvoir et la connaissance.

Le moine fronça les sourcils en se rappelant qu'il s'agissait d'une doctrine païenne dont il ignorait la signification.

— N'appartenez-vous pas à la foi chrétienne ? s'étonna-t-il.

— Pour vous, il n'existe qu'une seule foi ? ricana le lépreux. Est-ce bien raisonnable de rejeter toutes les autres ?

— Le christianisme est la vérité, répliqua Eadulf.

— Le christianisme est né quand l'espoir est mort. Croyez à tout ce qui se présente et vous ne serez pas déçu !

Uaman s'arrêta devant une porte et l'ouvrit. Puis, d'un signe de son index recourbé, il entraîna son invité dans un corridor qui donnait sur une grande pièce agréablement meublée, avec des murs lambrissés de bois d'if aux tons chauds. De somptueuses tapisseries y étaient accrochées. Le lépreux indiqua une banquette couverte de coussins et de tissus aux couleurs vives.

— Asseyez-vous, frère saxon, et racontez-moi ce qui vous amène en ces lieux.

Uaman prit place dans un fauteuil, au coin de la cheminée où flambait un grand feu. Il n'ôta pas son capuchon et Eadulf ne distinguait que sa main pâle aux longs doigts griffus.

— Je suis venu chercher mon enfant, Uaman. Mon fils Alchú.

— Pourquoi pensez-vous que je sois à même de vous aider ?

Eadulf se pencha vers lui.

— Le bébé avait été confié à la garde d'une nourrice du nom de Sárait, qui a été assassinée. Abandonné en pleine nature, par elle ou par un autre, il fut recueilli par un herboriste itinérant et sa femme. Ils l'ont amené dans la région, où vous les avez rencontrés. Vous leur avez donné de l'argent en échange de l'enfant. Je comprends bien qu'ignorant son identité vous ayez voulu lui venir en aide. Mais maintenant, où est Alchú ? Je vous rendrai la somme que vous avez payée à l'herboriste et repartirai au plus vite avec lui pour Cashel, où tout le monde se tourmente sur son sort.

Les épaules du lépreux étaient maintenant secouées par ce qu'Eadulf prit pour une crise de convulsion avant de comprendre qu'Uaman riait ! La voix haut perchée s'éleva de nouveau sous la capuche.

— En ce qui vous concerne, Eadulf de Seaxmund's Ham, le bébé est mort, lança-t-il d'un ton indifférent. Mort pour vous et votre chienne Eóghanacht.

Eadulf allait se lever quand il sentit une lame aiguisée sur son cou. Celle de la dague d'un des gardes, qui était entré sans qu'il s'en rende compte et s'était glissé derrière lui.

— Qu'est-ce que cela signifie ? demanda-t-il, les mâchoires serrées.

Sa question était très sotte. Comme s'il ne comprenait pas qu'il avait largement sous-estimé Uaman et était tombé dans un piège !

— Cela signifie que les dieux m'ont été favorables. Au cours des deux années qui viennent de s'écouler, vous avez acquis une certaine réputation dans les cinq royaumes, vous et votre détestable épouse. Ce fut un jour néfaste quand vous avez été enlevé sur ce bateau gaulois pour travailler dans nos mines de

Beara, juste avant notre tentative avortée de soulèvement contre Colgú.

Eadulf se maudit de s'être montré aussi stupide. Uaman le connaissait et était parfaitement informé.

— Nous sommes-nous déjà rencontrés ?

— Le nom de Torcán des Uí Fidgente vous rappelle-t-il quelque chose ?

— Alors qu'il essayait de me supprimer, il fut tué par Adnár, le chef local demeuré loyal à Cashel.

— Torcán était mon frère.

Eadulf cligna des paupières. Il aurait dû s'en douter vu que Torcán était lui aussi un fils d'Eoganán.

— Maintenant vous avez tout compris, dit Uaman qui le fixait avec attention. Torcán, fils d'Eoganán, lequel a été assassiné à Cnoc Áine par Colgú.

— Vous déformez la vérité. C'est Eoganán, votre père, qui a soulevé son clan contre Colgú et connu le sort des rebelles. Celui qui tire l'épée contre son prince ferait aussi bien d'en jeter le fourreau.

— Un proverbe saxon ? ironisa Uaman.

— Comment avez-vous su que le bébé recueilli par l'herboriste et sa femme était mon fils et celui de Fidelma de Cashel ? Moi-même, je n'en étais pas sûr, jusqu'à ce que je les interroge.

— Les nouvelles vont vite et les Uí Fidgente ont de fidèles partisans dans les cinq royaumes. Ils sont à l'évidence plus rapides que votre épouse, le grand *dálaigh*. Une personne proche de la cour de Cashel a rapporté à l'un de mes messagers que l'enfant avait disparu, et sans doute été recueilli par un herboriste itinérant et sa femme.

— Un traître à Cashel ? s'exclama Eadulf, scandalisé.

— Non, cher ami saxon, pas un traître, mais un patriote Uí Fidgente, révéla Uaman d'un air de profonde satisfaction.

— Où est mon fils ? demanda Eadulf d'une voix rauque.

— Vous voulez parler du fils de cette chienne Eóghanacht qui a fait échouer nos projets de reconquérir ce qui nous était dû ? Eh bien, il ne grandira jamais pour devenir un prince des Eóghanacht.

Eadulf voulut se précipiter sur Uaman, mais la lame du garde le rappela à l'ordre.

— Espèce de porc ! Vous l'avez tué ! s'écria-t-il, au comble du désespoir.

Uaman émit à nouveau son rire aigu et inquiétant.

— Bien pire, mon pauvre ami.

Eadulf le regardait, les yeux agrandis par l'appréhension.

— Il vivra, soyez-en certain, mais dans l'ignorance de l'identité de ses parents. Avec un peu de chance, et si une quelconque maladie ne l'emporte pas avant, il sera un simple berger dans les montagnes hantées par la fille de Dáire Donn. Et le nom qu'il portera sera le symbole de ma vengeance contre son peuple. Il a été adopté par un couple de paysans qui ignorent son origine. Je leur en ai fait cadeau pour remplir le vide de leur existence car ils ne pouvaient pas avoir d'enfants.

— Chien putréfié…

Cette fois, la lame s'enfonça dans la chair d'Eadulf, ce qui sembla beaucoup amuser Uaman.

— Oui, je suis *iobaid*, celui qui pourrit sur pied, mais il n'en a pas toujours été ainsi. Si Torcán était le *tanist* de mon père, j'ai été son bras droit. Cnoc Áine nous a porté malheur. Après la mort de mon père, j'ai fui le champ de bataille et peu de temps après, la maladie s'est déclarée. J'ai compris que les anciens dieux me faisaient payer le prix de mon échec et que seule la vengeance m'apporterait la guérison.

Eadulf faillit s'étouffer d'indignation.

— Comment pouvez-vous croire à de pareilles sornettes ?

— Cashel n'a pas fini de souffrir, son supplice ne fait que commencer.

— Donc c'est vous qui avez organisé le meurtre de Sárait ?

À la grande surprise d'Eadulf, le lépreux secoua la tête.

— Du tout. C'est par un pur hasard que j'ai appris sa mort et la disparition de l'enfant de Fidelma. Et le destin s'en est à nouveau mêlé quand un de nos sympathisants a découvert que l'herboriste et sa femme avaient adopté ce charmant nourrisson. Lorsqu'il m'a fait parvenir un message pour m'en informer, je ne pouvais croire à ma chance. Et la cupidité de ce couple a fait le reste. Quand je leur ai offert de l'argent contre le bébé, ils ne m'ont même pas posé de questions. Ah, la fragilité humaine ! Voilà ma foi, ami saxon. Je crois de toute mon âme à la faiblesse de nos semblables.

Eadulf était rouge de colère et de consternation.

— Si je comprends bien, vous avez profité d'un complot auquel vous étiez étranger ?

Les épaules du lépreux furent à nouveau secouées d'un rire silencieux.

— Cher frère Eadulf, je vous laisse méditer sur cette histoire pendant le temps qu'il vous reste à vivre. Hélas, je crains que ce temps ne vous soit compté. À marée haute, le cycle que vous avez accompli sur cette terre touchera à sa fin.

D'un petit geste du poignet, il signifia que l'entretien était terminé. Des mains puissantes soulevèrent Eadulf de son siège et il se retrouva encadré par deux guerriers à la mine patibulaire. Toute lutte était inutile. On le poussa hors de la pièce par une porte dérobée, et on le traîna le long de corridors lugubres tandis qu'il essayait d'assimiler les informations qu'Uaman venait de lui donner. Ils débouchèrent sur le chemin de ronde, parcoururent un nouveau couloir qui menait dans une structure carrée séparée de la tour, et descendirent un escalier en colimaçon. Ils longeaient un mur quand les gardes s'arrêtèrent brusquement pour soulever une énorme dalle. Eadulf fixa avec horreur le trou béant qui s'était ouvert à ses pieds, auquel on accédait par une échelle de corde dont on ne distinguait que les premiers degrés.

— Descendez, Saxon, ordonna un des guerriers en pointant son épée sur lui.

Une odeur d'humidité s'élevait de la fosse.

— Autant me tuer ici ! s'écria Eadulf. Je ne vois pas le fond de ce caveau. Si vous voulez me jeter dans une oubliette remplie d'eau de mer, je préfère mourir par l'épée que par la noyade.

Un des guerriers éclata d'un rire tonitruant.

— Vous ne périrez qu'à marée haute, Saxon. Uaman veut que vous méditiez sur votre destinée avant de rejoindre l'au-delà. Regardez, nous mettons même une lampe à votre disposition.

Il tendit une lanterne allumée au prisonnier.

— Et maintenant, obéissez ou votre souhait sera exaucé, conclut l'homme en brandissant sa dague.

Eadulf n'hésita pas longtemps. En lui accordant la liberté de mouvement, la lumière lui laissait un mince espoir.

Il entreprit de descendre l'échelle. La cellule carrée aux parois formées de gros blocs de pierre mesurait environ deux toises de haut et une toise de large. Il y faisait un froid glacial.

Il posa le pied sur du sable mouillé et leva sa lampe.

Aussitôt, l'échelle fut retirée et des rires lui parvinrent.

— La marée monte, Saxon, cria un des hommes. Faites de beaux rêves !

La dalle fut remise en place avec un bruit sinistre. Il était seul.

Plus tard, Fidelma se rappela cette journée comme la pire de sa vie. Ligotée sur le lit de sa chambre dans la vieille demeure de son enfance, elle était à la merci de ses ennemis. De temps à autre, on venait vérifier qu'elle était bien attachée. Au cours de la journée, Crond lui rendit deux fois visite. Pour la faire manger, il lui libérait les mains mais se tenait debout auprès d'elle, la dominant de toute sa stature. Vint le moment le plus embarrassant, quand elle fut obligée de répondre aux exigences de la nature. Crond, qui avait suspendu dans un coin une couverture devant un seau, demeura dans la pièce pendant qu'elle satisfaisait ses besoins. Mais la plus grande partie du temps, elle était abandonnée à elle-même et à ses pensées noires.

Elle avait tenté de chercher refuge dans le *dercad*, mais il s'était passé une chose étrange. Pour la première fois, elle remettait en question cet art séculaire qui visait à échapper à l'instant présent. Elle réalisait qu'elle devait faire face à la réalité, affronter un dilemme qu'elle avait toujours tenté de fuir. Maintenant qu'elle en était réduite à une douloureuse immobilité, force lui était de l'admettre. Elle songea à sa relation avec Eadulf et à son enfant – leur enfant. Soudain, les larmes inondèrent son visage sans qu'elle comprenne ce qui motivait cette crise de désespoir. Auparavant, elle s'était toujours contrôlée. Sans doute trop.

Autrefois, elle avait essayé de se persuader qu'après sa douloureuse expérience amoureuse avec le guerrier Cian, il était préférable qu'elle se tienne éloignée des hommes. Une piètre excuse quand on y réfléchissait. S'était-elle volontairement leurrée ? Qu'est-ce qu'elle voulait, à la fin ? Elle chérissait son indépendance, ne se fiant qu'à elle-même, et consacrait toute son énergie à sa charge de *dálaigh*. Dotée de dons exceptionnels pour résoudre les énigmes, elle appréciait le respect et la gloire que cela lui avait apportés. Si on lui avait retiré cela, elle aurait été très malheureuse. Elle comprit aussi qu'elle regrettait que l'abbé Laisran de Durrow, son cousin, l'ait convaincue d'entrer dans les ordres. Bien sûr, la plupart des gens de sa profession s'étaient engagés dans la même voie car il s'agissait d'une tradition plus que d'un acte de foi. Mais elle n'avait pas été heureuse à l'abbaye de Kildare, car toute institution entraînait une restriction de cette liberté que Fidelma valorisait plus que tout au monde.

Et voilà ce qui contrariait sa relation avec Eadulf ! Les liens de toute nature l'effrayaient. Elle entendit dans sa tête les paroles pleines de sagesse de son mentor, le brehon Morann : « Qu'est-ce donc qui t'entrave, Fidelma ? » Maintenant elle comprenait mieux sa question. Elle avait quitté Kildare, et on l'avait beaucoup recherchée pour ses qualités de juriste. Sans compter que son statut de sœur de Colgú et de fille de Failbe Flann avait contribué à sa réputation. Mais en fin de compte, la sécurité et les honneurs lui importaient peu.

Elle en revint donc à Eadulf, au petit Alchú, et à la question posée par son mentor.

Son égoïsme était-il la cause de ce désir de ne vivre que pour elle-même ? Son auteur favori, Publilius Syrus, capturé à Antioche, avait été conduit à Rome comme esclave. Là, on avait fini par lui rendre sa liberté et il avait écrit de nombreux aphorismes que Fidelma avait appris par cœur, car on s'y référait souvent à l'école de droit du brehon Morann. Sa maxime « *Iudex damnatur ubi nocens absolviture* » – le juge est condamné quand le coupable est absous – sonnait comme une devise personnelle. Fidelma, à cette époque, avait objecté qu'il valait mieux libérer un coupable que punir un innocent. Des juges soumis à une trop grande pression ne risquaient-ils pas de condamner un homme par peur des critiques ?

Elle admirait le système irlandais, qui disait dans sa grande sagesse : « *Cach brithemoin a báegul* » – à chaque juge son erreur. Mais avant le début d'un procès, un juge devait avancer une caution de cinq onces d'argent, et payer une amende si l'affaire restait non résolue. On pouvait faire appel d'une sentence et les juges payaient des compensations s'il était prouvé qu'ils s'étaient trompés.

Elle avait perdu le fil de ses pensées. Où en était-elle ? Ah oui, son égoïsme. Quant à Publilius Syrus, elle se rappelait maintenant une autre de ses maximes : « Ceux qui vivent pour eux-mêmes sont morts pour les autres. » Elle frissonna.

Elle n'avait cessé de repousser Eadulf et Alchú. Ce n'était pas Eadulf qui l'avait entravée, mais elle-même qui créait ses propres limites. Son idéal de vie, elle le voyait très bien… et aussi ce qui l'empêchait de le réaliser.

Dans son désarroi, elle poussa un gémissement de douleur. Eadulf ! Il s'était montré d'une telle patience, excusant ses fautes et louant ses qualités. Comme elle avait désiré sa présence après leur séparation à Rome ! Et quand elle avait appris qu'il était accusé de meurtre, elle était rentrée en toute hâte du tombeau de saint Jacques par le premier bateau. Elle n'était pas vraiment amoureuse de lui mais elle l'aimait, elle avait besoin de son appui et de sa sagesse. Comment avait-elle pu se comporter de façon aussi stupide alors qu'elle avait eu la chance exceptionnelle de trouver une *anam chara*, une âme sœur ?

Et maintenant où était Eadulf ? Et le petit Alchú ?

À force de sangloter, elle sombra dans un sommeil miséricordieux.

Eadulf examina sa prison à la lueur de la lanterne.

Le sable sous ses pieds était mouillé et il repéra ici et là des coquillages brisés et des chapelets d'algues. Puis quelque chose qui bougeait dans l'ombre attira son attention : un crabe. Eadulf se sentit glacé jusqu'aux os. Dans les anfractuosités entre les pierres, des plantes verdâtres avaient élu domicile, et la ligne qui marquait la limite de l'eau à marée haute atteignait presque le plafond. À la base d'un des murs trois trous avaient été percés, suffisamment grands pour y passer la tête mais pas davantage. Tandis qu'il les examinait, il perçut un bruissement étrange. Il se redressa, écouta, et comprit qu'il s'agissait du ressac de la mer. Et en regardant par ces ouvertures, il crut apercevoir le reflet d'une lumière.

Il déglutit avec difficulté.

Au-delà de ces accès très étroits, la mer attendait dans un doux clapotement. Bientôt elle pénétrerait par ces trous spécialement aménagés et envahirait sa cellule ! Il allait mourir noyé car il n'y avait pas d'issue.

Soudain, il entendit un bruit étouffé qui semblait venir du plafond. Il aurait juré que quelqu'un frappait. Dans un coin, des cailloux commencèrent à tomber. Eadulf fit un pas de côté, se demandant quelle nouvelle torture lui avait été réservée. Tout à coup, un bloc de pierre s'effondra sur le sable à ses pieds.

Une faible lueur lui parvint. Quelqu'un avait entrepris de se faufiler par l'ouverture ainsi pratiquée et il lui voyait déjà la tête et les épaules !

— *Kairon gnothi*[1] *!* s'écria une voix masculine.

Eadulf ne bougea pas.

— *Dos moi pou sto kai ten gen kineso !*

Eadulf reconnut la phrase d'Archimède : « Donne-moi une place où me tenir et je ferai bouger la terre. »

— Restez où vous êtes ! s'écria-t-il en saxon avant de réaliser qu'il ne serait pas compris de son interlocuteur.

Il réitéra son avertissement dans un grec hésitant mais l'inconnu avait déjà compris le danger car la lanterne d'Eadulf éclairait la cellule de deux toises de haut. Un flot de paroles en grec lui parvint, exprimant avec véhémence la déception de celui qui les prononçait. Puis ce fut le silence, bientôt rompu par l'inconnu.

— Vous parlez ma langue ? demanda-t-il.

— Très mal. Parlez-vous le celte d'Éireann ?

— Non.

Il y eut une nouvelle pause pendant que l'homme examinait Eadulf à la lumière de la lampe à huile.

— Essayons le latin. Je vois que vous avez la tonsure de Rome, donc je suppose que vous le comprenez ?

— Tout à fait, répondit Eadulf en poussant un soupir de soulagement.

— Vous aussi vous êtes un prisonnier d'Uaman ?

— Oui, moi aussi. Mais je ne vais pas le rester longtemps.

— Comment cela ?

1. « Saisis l'occasion », citation de Pittacos de Mytilène. *(N.d.T.)*

— Avec la marée montante, l'eau envahira cet espace et je périrai noyé. Les murs sont humides et pleins de mousse et de plantes marines.

Là résonnèrent quelques paroles en grec exprimant la surprise et l'indignation. Puis l'homme revint à leur langue commune :

— J'avais descellé une dalle en espérant trouver un tunnel qui me mènerait hors de cet endroit.

— Donc votre cellule est située juste au-dessus de la mienne ?

— Oui.

— D'où vient la lumière derrière vous ?

— D'une petite fenêtre avec des barreaux de fer qui donne sur la mer. À marée haute, ma cellule est juste au-dessus de l'eau.

Eadulf reprit espoir.

— Donc si je parvenais à me hisser jusqu'à vous…

— Vous échangeriez une prison pour une autre. Au cours de ces derniers jours, le seul moyen que j'ai trouvé pour m'échapper était de descendre dans la vôtre !

— Mieux vaut que je vous rejoigne, au moins, j'éviterai la noyade.

Il avança la main mais les murs étaient glissants. Inutile de songer à les escalader.

— Quand l'eau montera, elle me portera jusqu'à vous, suggéra-t-il.

— Ce serait beaucoup trop dangereux. Attendez un instant.

La tête de l'homme disparut et il s'écoula un laps de temps qui parut interminable à Eadulf. Il commençait à désespérer quand il entendit :

— Écartez-vous !

Une corde de lanières de lin nouées ensemble descendit et s'arrêta juste au-dessus de la tête du moine saxon.

— Pouvez-vous atteindre cette corde, mon ami ?

— Oui, si je pose ma lanterne et si je saute.

— Parfait, je pense qu'elle sera assez solide. J'en ai attaché l'extrémité à mon lit en bois. Ça devrait tenir.

À son deuxième saut, Eadulf attrapa la corde qui se balança, et il alla heurter la paroi de la cellule, s'écorchant contre les aspérités. Il attendit de s'immobiliser avant d'entamer son ascension sous les encouragements de son compagnon. Quand il eut atteint le plafond, il passa de justesse la tête et les épaules par l'ouverture tandis que son compagnon reculait.

Eadulf déboucha sur un petit tunnel incliné d'une demi-toise, dont l'homme sortit afin de lui laisser la place. Eadulf le suivit et, après un dernier effort, il se retrouva étendu sur le sol pavé de la cellule de son nouvel ami, luttant pour reprendre sa respiration.

Quand il regarda autour de lui, son sauveur retirait la corde de fortune qu'il avait attachée à son lit, seul et unique meuble dans le réduit. L'épaisse porte en bois n'invitait pas à l'évasion. Mais quand il vit la petite fenêtre aux barreaux de fer dans le mur d'en face, Eadulf s'y précipita : elle donnait sur la mer.

Il se tourna vers son compagnon d'infortune et lui sourit.

— Vous m'avez accordé un répit qui m'a momentanément sauvé d'une mort certaine.

L'homme grand et musclé qui lui faisait face était plus vieux que lui, avec des cheveux noirs rejetés en arrière et une barbe abondante. Dans son visage au teint olivâtre, ses yeux sombres brillaient d'un éclat particulier. Il croisa le regard d'Eadulf et haussa les épaules d'un air ironique.

— Notre sort est assez peu enviable… à moins que nous ne parvenions à creuser un nouveau tunnel pour nous échapper.

Eadulf alla examiner le trou que l'étranger avait pratiqué dans le sol. Une dalle avait été soulevée juste sous le lit qui pouvait être remis en place quand un geôlier approchait. Ainsi, on ne distinguait rien depuis la porte.

— Un jour, j'ai vu que cette dalle ne tenait pas et je l'ai ôtée, expliqua l'étranger. Elle donnait sur un étroit passage, sans doute une bouche d'aération. J'espérais qu'elle me mènerait vers la liberté, et non dans cet antre destiné à la mort lente des condamnés ! Si vous n'aviez été enfermé dans cette fosse, j'aurais sans doute tenté d'y descendre, et je me serais cassé la jambe ou pire et j'y aurais péri noyé !

Eadulf hocha la tête.

— Je vous bénis pour votre intervention... quel qu'en soit le résultat final. En constatant ma disparition, nos bourreaux viendront directement ici. En attendant, je vous remercie pour ce sursis miraculeux.

Il tendit la main et l'autre la serra d'une poigne ferme et chaleureuse.

— Je m'appelle Eadulf de Seaxmund's Ham.

L'homme haussa les sourcils.

— Vous êtes saxon ?

— Exactement.

— Vous voilà bien loin de chez vous.

— Et vous donc !

L'homme se mit à rire.

— Excusez ma négligence, je m'appelle Basil Nestorios.

— Vous êtes grec ?

— Non, je suis un médecin originaire de Jundi-Shapur.

Eadulf secoua la tête.

— Je ne connais pas ce pays.

— C'est une ville, mon ami, située dans le royaume de Perse. L'hôpital et le collège de Jundi-

Shapur sont réputés pour la médecine et la science. Ignorez-vous que dans toutes les cours des rois on recrute des médecins de Jundi-Shapur ? Des jeunes gens viennent du monde entier étudier chez nous.

Eadulf sourit devant l'enthousiasme de son interlocuteur.

— La Perse est très éloignée de ces contrées, Basil Nestorios.

— Personne n'est mieux placé que moi pour le savoir, car j'ai parcouru chaque toise du chemin qui menait jusqu'ici. Un si long voyage pour finir dans ce cul-de-basse-fosse…

Il désigna la cellule d'un geste dédaigneux.

— Avouez que c'est contrariant. Et vous, que faites-vous ici ? Pourquoi le Maudit vous a-t-il emprisonné ?

— De qui parlez-vous ?

— Du lépreux au nom imprononçable.

— Uaman ?

— Hmm.

Eadulf lui raconta son histoire et le médecin de Jundi-Shapur hocha tristement la tête.

— Cet homme est possédé par le mal.

Eadulf fronça les sourcils tandis que la mémoire lui revenait.

— Ne voyagiez-vous pas avec un frère d'Ard Macha ? Un certain frère Tanaide. Vous êtes passé par Cashel il y a peu et j'ai entendu parler de vous à l'abbaye d'Imleach.

— C'est exact, acquiesça Basil Nestorios. Je suis venu jusqu'ici pour me renseigner sur les mœurs et les croyances de cette extrémité du monde. Grâce à l'intercession d'un évêque de Gaule, j'ai été mis en relation avec un évêque de Fearna, la capitale du royaume de Laigin.

Eadulf connaissait bien Fearna pour avoir failli y perdre la vie. Il soupira en songeant avec quel courage Fidelma l'avait sauvé.

— Et alors ? lança-t-il en chassant ces souvenirs de son esprit.

— C'est l'évêque qui m'a confié aux bons soins de frère Tanaide. Il me servait de guide et d'interprète. Quand on découvrit que j'étais médecin, l'évêque et le roi de Laigin me prièrent de rester pour pratiquer mon art.

Il haussa les épaules.

— Je suppose que la nouvelle des guérisons que j'avais obtenues est parvenue aux oreilles du Maudit...

— Uaman ?

— Ou-er-mon ?

Eadulf lui adressa un sourire encourageant.

— C'est à peu près cela.

— Et donc Ouermon m'a envoyé un message disant qu'il se montrerait très généreux si je venais jusqu'à son château soigner la maladie qui l'avait frappé. À Jundi-Shapur, nous connaissons bien ce mal qui défigure, provoque des lésions de la peau et la perte des sensations. Nous disposons de divers moyens pour le traiter et j'avais apporté avec moi un coffret des principaux remèdes que nous utilisons.

Malgré les sinistres circonstances qui les avaient réunis, Eadulf ne put réprimer un mouvement de curiosité.

— J'ai étudié la médecine, sans toutefois prétendre comme vous au titre de médecin. Ici, nous recommandons, pour soulager le patient, de broyer des feuilles de bardane dans du vin.

Basil Nestorios fit une grimace.

— D'où je viens, nous utilisons une simple de nom de *gotu kala*... elle peut s'avaler ou s'utiliser en cataplasme. C'est ainsi que nous soignons la lèpre et les blessures. J'en ai apporté.

— Donc vous êtes arrivé en ces lieux avec frère Tanaide à la requête d'Uaman ?

Basil Nestorios baissa les yeux.

— Que soit maudit le jour où j'ai franchi les montagnes pour parvenir jusqu'ici.

— Où donc est passé frère Tanaide ? Serait-il détenu dans une autre cellule ?

Basil Nestorios secoua la tête. Son visage exprimait un mélange de colère et de tristesse.

— Que le maître de cette île soit damné, car il l'a tué.

— Comment cela est-il arrivé ? demanda Eadulf d'une voix rauque.

— Un des gardes de ce traître l'a transpercé de son épée et jeté dans la mer depuis le haut de la tour. Il était mort avant de toucher l'eau.

— Mais pourquoi, si vous étiez venu guérir Uaman ? Pourquoi tuer votre compagnon et vous emprisonner ?

— La maladie de sa peau reflète la noirceur de son âme. Il est mauvais et rien ne pourra jamais le racheter.

— Donc il vous a épargné en espérant que vous le guéririez. Vous le traitez ?

— Je prolonge ma vie, voilà tout. Deux fois par jour, on me sort de cette cellule afin que je prépare mes potions. Mais rien ne pourra jamais lui rendre la santé physique et mentale. Son esprit ne cesse de nourrir des projets de vengeance contre ceux qui l'ont défié.

Eadulf se frotta le menton d'un air pensif.

— Une pensée vous a traversé l'esprit, fit remarquer l'étranger. Quelle est-elle ?

— N'avez-vous jamais songé à utiliser votre science pour vous échapper ?

— Que voulez-vous dire ?

— Ce qui peut soigner peut aussi tuer.

Basil Nestorios parut choqué.

— Mon ami, selon les coutumes de mon pays, il est interdit à un médecin d'utiliser son savoir pour nuire à autrui. Il y a de nombreux siècles vivait sur l'île de Cos un homme du nom d'Hippocrate. On le considère comme le père de la médecine. Il a imposé un serment à ses élèves qui interdit à un médecin de faire usage de sa science pour d'autres buts que le soulagement des souffrances. Encore aujourd'hui, à Jundi-Shapur, nous prêtons ce serment d'Hippocrate.

Eadulf eut un pâle sourire.

— Donc vous préférez laisser ce monstre infliger des tourments innombrables à ceux qui tombent en son pouvoir plutôt que de l'en empêcher ?

Basil Nestorios ouvrit les mains en un geste d'impuissance.

— Personne ne peut trahir ce serment.

Eadulf se concentra.

— Quand viendra-t-on vous chercher ?

L'étranger jeta un coup d'œil par la fenêtre. Le ciel commençait déjà à s'assombrir. À cette époque de l'année, cela signifiait qu'on était au milieu de l'après-midi.

— La marée va bientôt remonter. Le garde arrivera ici d'un moment à l'autre. Voilà plusieurs jours que je suis enfermé ici et il se présente à heures régulières.

— Puisque vous refusez d'empoisonner Uaman, rien ne vous empêche de lui préparer un breuvage qui le plongera dans l'inconscience.

— Oui, mais il faudra un certain temps avant qu'une telle infusion fasse son effet. On me ramènera ici où on m'enfermera à nouveau et alors qu'adviendra-t-il de nous ?

— J'attendrai votre retour derrière la porte. Trouvez un prétexte pour attirer le geôlier à l'intérieur de la cellule et... je sais : je vais ôter la pierre et la laisser près du lit. S'il ne remarque rien, débrouillez-vous pour qu'elle captive son attention, ensuite je l'attaquerai par-derrière, conclut Eadulf, enthousiasmé par son idée.

— Mais ma décoction n'agira pas immédiatement

Basil Nestorios marqua une pause.

— À moins que je n'augmente la dose... plus tôt nous partirons, mieux cela vaudra.

Il poussa un soupir irrité.

— Mais quand le garde viendra me chercher, il vous découvrira.

Eadulf pointa le passage du doigt.

— Je me glisserai là-dedans et vous pousserez la dalle sans la remettre tout à fait en place. Je m'accrocherai au bord du trou pour ne pas glisser. Avec un peu de chance, ce stratagème devrait réussir.

Basil Nestorios parut songeur.

— Oui, mais après, comment ferons-nous pour nous enfuir ? Il y a cinq autres guerriers.

— Une chose à la fois. Comment vous y prendrez-vous pour plonger Uaman dans le sommeil ? Avez-vous du *gafann* ?

Il avait utilisé le mot celte et l'autre le fixa sans comprendre.

— Attendez... *mandragora*, en latin ! C'est un remède qui en potion concentrée provoque la perte du langage et la paralysie.

Basil Nestorios hocha la tête.

— Je vois que vous vous y connaissez, mon ami. Si je n'avais pas d'autre choix, j'estimerais qu'il s'agit là d'une bonne solution. Mais j'ai dans mes bagages un distillat de *papaver* qui pousse dans certaines régions de mon pays. Cette plante est bien plus forte et plus rapide dans ses effets que la mandragore. C'est un pavot blanc, un narcotique puissant qui peut soulager la douleur, ou alors stimuler l'esprit. Mais à forte dose, il peut être très dangereux.

— Un pavot blanc ? dit Eadulf en fronçant les sourcils.

Il n'avait jamais entendu parler d'une plante pareille.

— Nous pratiquons une incision dans la capsule qui mûrit après que la fleur s'est fanée. Il en sort un jus épais, que nous recueillons et faisons sécher avant d'en tirer une potion médicinale. Elle fera perdre conscience au Maudit. Cela, je veux bien y consentir, mais je n'irai pas au-delà.

Eadulf haussa les épaules.

— C'est toujours mieux que rien. S'il n'est plus capable de commander à ses guerriers, peut-être avons-nous une chance. Êtes-vous certain qu'il ne dispose que de six hommes dans cette forteresse ?

— Tout à fait. Je n'ai vu personne d'autre.

Eadulf jeta un regard autour de lui.

— Où est votre coffret ?

— Le Maudit le garde auprès de lui car il ne me fait pas confiance.

Eadulf jeta un coup d'œil par la fenêtre.

— Nous ferions bien de nous préparer, Basil Nestorios.

L'étranger hocha la tête.

— Espérons que les dieux ne nous aiment pas trop, murmura-t-il.

Et il répondit par un sourire au regard étonné d'Eadulf.

— Dans mon pays, nous avons un proverbe : *Hon hoi theoi philousi npothneskei neos*, ceux qu'aiment les dieux meurent jeunes.

— Alors, n'étant pas de première jeunesse, nous ne risquons pas de déclencher les passions des dieux, plaisanta Eadulf.

Puis il tira le lit, souleva la dalle et se glissa dans le passage.

Basil Nestorios masqua le trou, balaya la poussière du plat de la main, remit le lit en place et s'assit dessus, face à la porte.

— Vous n'êtes pas trop mal, mon ami ? murmura-t-il.

— Mes bras commencent à me faire souffrir, répondit Eadulf. Ce boyau étant incliné, je suis obligé de m'accrocher de toutes mes forces.

— Courage, mon geôlier ne va pas tarder.

— Chut... on vient.

On tira les verrous et la porte s'ouvrit vers l'intérieur.

— Allons, debout ! cria une voix.

Eadulf entendit Basil Nestorios se lever et se diriger vers la porte qui se referma derrière lui. Les verrous grincèrent tandis qu'on les remettait en place.

Eadulf attendit un court instant avant de repousser la dalle. Il écouta avec attention et comme il ne percevait aucun bruit suspect, il se hissa hors du trou, rampa sous le lit et se redressa. Son premier geste fut d'aller vérifier que la porte avait été barricadée de l'extérieur. Dans l'éventualité où elle serait restée ouverte, aurait-il trouvé un moyen de se débarrasser du garde dans le couloir plutôt que de l'attendre dans la cellule ?

CHAPITRE XV

Eadulf somnolait. Il était en train de glisser dans le sommeil quand un bruit le fit sursauter : Basil Nestorios et son geôlier étaient de retour. Il bondit et s'aplatit contre le mur tout en jetant un coup d'œil à la dalle mise en évidence. Le guerrier ne pouvait pas la manquer. Puis il entendit qu'on tirait les verrous. Jamais il n'avait autant regretté d'être désarmé.

La porte s'ouvrit et une voix gutturale gronda :

— Rentrez, vous aurez votre repas plus tard.

Eadulf attendit que le guerrier remarque la pierre déplacée et s'avance dans la cellule, mais rien ne se produisit. Cet homme était-il aveugle ? C'est alors que Basil Nestorios se lança dans un discours volubile en grec.

— Silence ! hurla le garde. Je ne comprends rien à votre charabia de païen !

L'étranger se tut. Puis Eadulf supposa qu'il pointait du doigt la pierre car le guerrier poussa une exclamation étouffée et, de derrière la porte, le moine saxon le vit s'avancer dans la pièce. Eadulf lui sauta dessus à la vitesse de l'éclair et le prit à la gorge. L'homme était grand et musclé, ses grosses mains s'abattirent sur celles de son agresseur pour desserrer l'étreinte. Il se balançait d'un pied sur l'autre tandis qu'Eadulf s'accrochait désespérément à sa proie.

Cet assaut semblait sans espoir si on en jugeait par le violent combat que livrait le colosse pour sauver sa vie. À l'instant même où Eadulf allait lâcher prise, l'homme se détendit soudain et s'effondra sur le sol. Eadulf, qui était tombé avec lui, maintint la pression sur le cou de son ennemi de crainte qu'il ne simule l'asphyxie. Quand il fut assuré qu'il avait perdu connaissance et ne reviendrait pas à lui avant longtemps, il le lâcha et se précipita vers Basil Nestorios qui contemplait la scène, comme paralysé. Il l'entraîna dehors et referma la porte derrière eux avant de tirer les verrous. Puis, appuyé au mur, il lutta pour reprendre sa respiration tout en fixant son compagnon.

— Comment cela s'est-il passé avec Uaman ? murmura-t-il d'une voix essoufflée.

— Je n'en sais trop rien, avoua l'étranger. J'ai préparé le remède et annoncé au Maudit qu'il s'agissait d'une nouvelle potion. Et je suis sorti avant qu'il l'ait avalée. S'il l'a fait, elle devrait déjà commencer à agir.

Eadulf le fixa d'un air horrifié.

— Vous n'avez pas attendu pour vous assurer qu'il buvait votre décoction ?

Basil Nestorios secoua la tête.

— Le Maudit a simplement ordonné au garde de me ramener à ma cellule.

Eadulf poussa un gémissement de désespoir.

— Si nous ne sommes pas certains qu'Uaman est hors d'état de nuire, alors nous devons sortir d'ici immédiatement.

— Mais mon coffret, mes sacs de selle… ils sont restés dans ses appartements.

Eadulf eut un geste d'impatience.

— Oublions-les pour l'instant. Je n'ai pas envie de perdre du temps en allant m'assurer qu'Uaman est endormi afin de les récupérer. De toute façon, ils nous auraient ralentis.

Basil Nestorios voulut protester puis il se rangea aux arguments d'Eadulf.

— Et maintenant, que faisons-nous, ami saxon ?

Eadulf regarda autour de lui et comprit que le couloir était circulaire, comme les autres. Et l'étage au-dessus était sans doute celui des fenêtres. Donc ils se trouvaient au niveau du sol.

— En suivant ce corridor, nous devrions gagner la cour. Si nous pouvons y parvenir et sortir sans donner l'alarme, la marée ne sera probablement pas assez avancée pour nous empêcher de rejoindre le continent.

Basil Nestorios pinça les lèvres.

— Il commence à faire sombre et la marée va monter.

— Alors ne perdons pas de temps, suivez-moi !

Eadulf s'avança, cherchant une issue dans le couloir étroit et silencieux, et s'arrêta devant une petite porte.

— Je crois qu'elle ouvre sur l'extérieur, dit-il, et elle n'a pas de verrous. Vous êtes prêt ?

Le médecin eut un bref hochement de tête et le moine saxon avança la main vers le loquet, qui se souleva sans un bruit. Il guigna par l'entrebâillement et poussa un soupir de soulagement en reconnaissant la cour intérieure. Il voyait même les grandes portes en bois qui menaient hors de la forteresse. Il recula et se tourna vers Basil Nestorios.

— Un guerrier est en train de faire le tour de la cour pour allumer les torches, murmura-t-il. Il n'y en a pas plus d'une douzaine.

Quand il estima que l'homme devait avoir terminé sa tâche, il ouvrit la porte.

Tout semblait désert. Les torches brûlaient, diffusant une lumière surnaturelle. Si les guerriers montaient la garde, les fugitifs seraient repérés dès qu'ils mettraient un pied dehors, mais ils n'avaient pas le choix. Pourvu que leurs geôliers ne s'intéressent pas à ce qui se passait à l'intérieur de cette forteresse imprenable ! Après tout, ils étaient convaincus que leurs prisonniers étaient enfermés dans leurs cellules et qu'ils ne disposaient d'aucun moyen pour s'échapper – à moins qu'on n'ait repéré l'absence du garde qui avait raccompagné le médecin. Plus ils attendaient, moins ils avaient de chances de réussir.

Tout à coup, ils entendirent une clochette tinter au loin.

Eadulf se figea et l'étranger poussa une exclamation angoissée.

— C'est la cloche d'Uaman. Il n'a pas pris la potion.

— Il ne nous reste plus qu'à courir. Les portes sont barricadées par deux verrous… vous les voyez ? Je m'occupe de celui du dessus et vous de l'autre. Ne vous arrêtez sous aucun prétexte.

La clochette sonnait maintenant avec fureur.

Eadulf s'élança, suivi par Basil Nestorios. Il attrapa le verrou supérieur, le médecin celui du dessous, et ils les tirèrent presque simultanément. Puis ils unirent leurs efforts et sentirent les lourdes portes s'ébranler à l'instant où un cri retentissait derrière eux.

Les deux hommes se glissèrent précipitamment hors des murs avant de se figer.

Devant eux se dressait un grand guerrier à la stature imposante qui avait dégainé son épée. Pétrifié,

Eadulf le reconnut à la lumière des torches plantées dans leurs supports de part et d'autre de l'entrée.

— Gormán ! murmura-t-il d'une voix blanche.

Le guerrier de Cashel plissa les paupières en regardant par-dessus l'épaule du Saxon.

— Écartez-vous, frère Eadulf ! s'écria-t-il.

Eadulf fit quelques pas, pivota sur ses talons, trébucha et fut rattrapé juste à temps par Basil Nestorios. Deux des hommes d'Uaman s'avançaient, l'épée à la main.

La pointe de la lame de Gormán atteignit le premier à la gorge, ce qui le mit hors d'état de nuire. Avec le second, le duel s'engagea, le cliquetis des lames résonnait dans la nuit, mais l'homme ne pouvait pas gagner contre un guerrier au torque d'or. Transpercé sous la cage thoracique et toujours cramponné à son arme, il tomba à genoux, le souffle rauque, écarquillant les yeux devant la mort. Puis son regard devint vitreux et il s'effondra, face contre terre, la main crispée sur son épée.

— Il y en a d'autres ? demanda Gormán.

— Deux ou trois, répondit Eadulf d'une voix mal assurée.

Gormán jeta un coup d'œil au médecin.

— Qui est-ce ?

— Un prisonnier d'Uaman.

Pendant tout ce temps, la clochette n'avait pas cessé de tinter.

Gormán désigna la plage au loin, dominée par la forêt obscure.

— La marée monte, il faut se dépêcher. Connaissez-vous le chemin, mon frère ? La langue de sable qui relie cet îlot au continent est réputée pour sa traîtrise.

Soudain, la cloche s'arrêta, et un gémissement inhumain s'éleva de la tour. Le cri de rage d'Uaman. Eadulf frissonna.

— Le reste de sa garde va se lancer à notre poursuite. Il faut fuir.

Il scruta les ténèbres. La mer murmurait, menaçant d'engloutir l'unique voie de salut.

— Tout droit. Suivez-moi.

Il avançait lentement, assurant chaque pas sur le sable de crainte qu'il ne se dérobe sous ses pieds. Cela prenait un temps infini. À la moitié du chemin, ils entendaient encore la clochette et les hurlements du lépreux. Eadulf trouva le courage de se retourner.

Les torches de part et d'autre des portes éclairaient les marches où étaient tombés les hommes d'Uaman. Trois guerriers avaient rejoint les cadavres, et il vit que le seigneur des défilés les accompagnait, facilement reconnaissable à sa silhouette tordue. Il continuait sans relâche de vociférer des malédictions de sa voix de fausset.

— Bientôt ils seront sur nous, grommela Basil Nestorios.

Uaman avait pris la tête du petit groupe. Les quatre hommes brandissaient des flambeaux et, malgré sa jambe malade, Uaman avançait à une rapidité surprenante. À l'évidence, il n'avait pas avalé la potion que Basil Nestorios lui avait préparée. Eadulf se remit en marche.

— À ce rythme-là, nous parviendrons sûrement de l'autre côté, mais nous devrons livrer bataille, grommela Gormán.

— Eh bien, nous nous battrons, répliqua Eadulf.

Tout à coup, il sentit l'eau qui venait lui lécher les pieds. La marée montait, mais pas assez vite.

Un instant plus tard, ils arrivaient enfin sur le rivage. Quand ils se retournèrent, ils s'attendaient au pire.

La vision qui s'offrit à eux était sinistre et fantomatique. Au loin la tour d'Uaman, sombre et inquiétante, dont les portes grandes ouvertes étaient toujours éclairées par les torches. Un rayon de lune qui s'était faufilé entre les nuages bas piquetait la mer de milliers de pointes d'argent. Maintenant, l'eau avait quasiment recouvert le passage.

Uaman n'était plus très loin de la plage, et le trio n'en crut pas ses yeux en réalisant qu'il devançait ses guerriers de plusieurs toises ! Il brandissait une torche de sa main blanche griffue et la rage qui l'habitait lui avait apparemment fait perdre la raison car il ne portait aucune arme.

— Regardez ! murmura soudain Gormán.

Quelque chose de sombre roulait sur les eaux argentées en direction de la bande de sable qui séparait l'îlot du continent.

Eadulf ne comprenait pas ce qu'il voyait.

— *Tonn taide !* chuchota Gormán.

Une vague plus haute qu'un homme s'engouffra dans le goulet. En une seconde les trois guerriers derrière Uaman furent balayés et disparurent dans la nuit avec leurs flambeaux. La vague, qui avait perdu de sa force en atteignant Uaman, le souleva de terre sans qu'il lâche sa torche. Puis la vague se retira, le lépreux reprit pied et se remit en marche vers le rivage, toujours cramponné à sa torche. Cependant il avait été dévié de sa route et, brusquement, il commença à s'enfoncer.

— Les sables mouvants ! s'écria Gormán.

Déjà Uaman avait été avalé jusqu'à la taille tandis qu'il agitait désespérément les bras. Eadulf voulut s'avancer mais Gormán le retint.

— Vous ne pouvez rien faire pour lui, murmura-t-il.

— Ne voyez-vous pas qu'il est le seul à savoir ce qu'il est advenu d'Alchú ?

Eadulf faillit s'élancer mais Uaman s'était enfoncé jusqu'aux épaules.

— Uaman ! hurla Eadulf en s'approchant de lui aussi près que possible. Où est mon bébé ? Où est Alchú ?

Le capuchon du lépreux avait glissé de son crâne chauve. À la lumière vacillante du flambeau, ils distinguaient les taches où la maladie avait attaqué la chair.

— Que les Eóghanacht soient maudits ! Puissiez-vous ne jamais revoir le coucou et le râle des genêts ! Et périr dans d'atroces souffrances ! Que les chats vous dévorent le cœur !

L'énorme vague revint à l'assaut, le flambeau s'éteignit et Uaman fut enfin réduit au silence. Sa tombe de sable était maintenant recouverte par les eaux noires qui bruissaient sous le vent.

— *Eis korakas !* grommela Basil Nestorios. Va aux corbeaux !

Dans l'obscurité, Eadulf s'était assis, la tête entre les mains.

Le cauchemar était saisissant.

La procession de religieux encapuchonnés passa les portes cloutées de cuivre de la chapelle. Elle s'égrenait, inexorable, dans la lumière froide et grise de la cour carrée pavée de dalles de pierre, et dominée par les bâtiments sinistres de l'abbaye.

La file de moines précédée par un religieux portant une croix d'argent progressait avec une lenteur régulière. Tous avaient la tête penchée, les mains dans les manches de leur robe de bure, et ils chantaient un psaume en latin. Derrière eux et à une courte distance venait une file de religieuses marquant le déchant de leurs voix cristallines. La musique irréelle résonnait dans l'espace confiné.

Ils prirent position de part et d'autre de la cour, face à une plate-forme en bois où étaient plantés trois piliers supportant un triangle horizontal formé de trois poutres. Une corde se terminant par un nœud coulant pendait à l'une d'elles. Et juste sous le nœud, on avait placé un trépied près duquel se tenait un homme torse nu à la musculature imposante, les bras croisés sur la poitrine. Il regardait les religieux d'un air indifférent, prêt à la tâche qu'on lui avait assignée.

Fidelma était agenouillée devant l'estrade, et maintenue à terre par deux femmes qui souriaient. L'une d'elles était l'abbesse Ita de Kildare, qui l'avait contrainte à quitter l'abbaye de Sainte-Brigitte, et l'autre l'abbesse Fainder, âme damnée de l'abbaye de Fearna. Elles pesèrent sur les épaules de Fidelma, qui fut obligée de lever la tête vers la potence et le bourreau.

Deux religieux bâtis comme des colosses apparurent, traînant un jeune homme forcé à son tour de s'agenouiller devant l'estrade.

— Eadulf ! s'écria Fidelma en le reconnaissant.

Mais les religieux lui avaient pris la tête comme dans un étau et il ne pouvait se tourner vers elle.

C'est alors qu'un troisième homme s'avança, tenant un bébé dans les bras. Il le tendit au bourreau qui passa le nœud coulant autour du cou du nourrisson.

— Aide-nous, Eadulf ! Pour l'amour du ciel, aide-nous ! cria Fidelma.

Et elle se réveilla, gémissant et luttant contre les liens qui l'entravaient. Elle était trempée de sueur.

Une lumière grise filtrait à travers les carreaux. Elle rassembla ses esprits et tenta d'interpréter son rêve. Incapable d'éponger la sueur qui ruisselait sur son visage, elle donna un coup de pied rageur contre le montant du lit.

Soudain, le faible hennissement d'un cheval lui parvint, et des voix au-dehors qui chuchotaient. Elle se retourna à grand-peine pour mieux écouter. Pourquoi les Uí Fidgente prenaient-ils la précaution de parler à voix basse ? Son cœur se mit à battre plus fort. Colgú aurait-il deviné qu'elle était détenue ici ? Aurait-il retrouvé sa trace ? Elle pria avec ferveur pour qu'il en fût ainsi.

Puis la porte d'entrée s'ouvrit et la voix de Cuán résonna :

— Des animaux sauvages auront effrayé les chevaux ! En tout cas, je ne vois personne.

Un profond abattement la saisit. L'espoir fou qui s'était emparé d'elle s'était déjà éteint. Au rez-de-chaussée, les chefs bavardaient en riant :

— Maintenant, on ferait bien de lever le camp. À cette heure, personne ne nous recherche. Emmenons la femme et rentrons chez nous.

— Je vais seller les bêtes.

L'attention de Fidelma fut attirée par d'autres bruits, qui provenaient du toit. En bas, la porte de la maison s'ouvrit à nouveau, puis un cri strident retentit, suivi d'un bruit de chute.

— Crond, va chercher la femme ! hurla la voix de Cuirgí.

Des pas gravirent précipitamment l'escalier juste à l'instant où un homme sautait dans la chambre à travers la fenêtre.

Crond fit irruption dans la pièce, l'épée dégainée. L'homme se redressa et une épée apparut dans sa main comme par enchantement.

— Conrí ! balbutia Fidelma.

Les lames s'entrechoquaient déjà. La chambre était trop petite pour un duel en règle, tous les coups étaient permis et ces deux-là se battaient pour tuer. Crond visa à plusieurs reprises la poitrine de son adversaire, mais Conrí n'était pas le chef de guerre des Uí Fidgente pour rien. Il parait chaque coup et passa à l'attaque pendant que Crond se protégeait pour repenser sa stratégie.

D'un mouvement rapide, Conrí atteignit Crond au bras. Ce dernier, poussé par la rage, baissa la garde en levant son arme, ce qui laissa son côté droit sans défense. L'épée de Conrí s'enfonça profondément entre ses côtes et l'expression qui se peignit sur les traits de son adversaire avait quelque chose de comique. Son arme tomba sur le sol avec un bruit sourd, il recula et s'effondra contre un mur.

Il y eut un bref silence, puis une voix cria :

— Conrí, la maison est à nous !

Le chef avait déjà remis son épée au fourreau et coupait les liens de Fidelma avec un couteau.

— Êtes-vous blessée, lady ?

Elle secoua la tête tout en se massant les poignets. Les cordes avaient mordu sa chair, ses mains et ses pieds étaient devenus tout bleus.

— Mais comment avez-vous eu l'idée de venir jusqu'ici ? demanda-t-elle d'une voix faible.

Le chef de guerre lui adressa un sourire moqueur.

— Auriez-vous oublié que vous nous y aviez donné rendez-vous ?

Elle se mordit la lèvre.

— Oui, mais pas dans ces circonstances, répliqua-t-elle d'un air boudeur. Racontez-moi tout.

— Eh bien, l'histoire est assez simple. Nous avons traversé la vallée de Bilboa et attendu les chefs à Crois na Rae. Ne voyant rien venir, j'ai décidé de poster la moitié de mes hommes pour couvrir les défilés des montagnes et de me rendre à notre rendez-vous. Nous avons chevauché toute la nuit afin d'arriver ici à l'aube.

— Mais comment avez-vous appris que les chefs s'y trouvaient ?

— Je craignais surtout les guerriers de votre frère, ou la colère des gens de ce royaume qui nous détestent cordialement. Nous nous sommes donc approchés de cette demeure avec les précautions d'usage, en laissant nos montures dans un petit bois juste à côté. Je me préparais à aller faire un tour de reconnaissance dans les écuries quand j'ai aperçu Cuán. J'ai alors compris que quelque chose n'allait pas.

— Mais comment avez-vous su où j'étais enfermée ?

— J'ai dit à mes hommes de surveiller la porte d'entrée, puis j'ai grimpé sur le toit et je vous ai vue à travers la vitre. Un des chefs est sorti sur le perron et je crois qu'un de mes hommes l'a tué. Voilà pourquoi j'ai sauté par la fenêtre, à l'instant où Crond pénétrait dans la pièce. Dieu merci, j'ai juste eu le temps de me relever avant qu'il prenne l'avantage sur moi.

— Vous le connaissiez ? s'enquit Fidelma.

— En tant que seigneur de guerre des Uí Fidgente, je connais tous les chefs.

— Est-il mort ? demanda-t-elle en se levant et en baissant les yeux sur Crond.

— Il est mort, et vu le mal qu'il a causé, ce n'est pas moi qui le pleurerai.

Un des hommes de Conrí grimpa l'escalier pour voir si tout allait bien et annoncer que Cuán avait été touché par une flèche à l'épaule. Une blessure superficielle. Quant à Cuirgí, il s'était rendu sans opposer de résistance.

— Et votre bébé, lady, où est-il ? demanda Conrí.

— Si je le savais ! Ils m'ont affirmé qu'ils ignoraient tout de cet enlèvement. S'il ne s'agissait pas d'un complot des Uí Fidgente, alors je ne comprends pas qui sont les auteurs de cet acte inqualifiable.

— À moins que nous n'ayons affaire à un groupe de rebelles dont nous ignorons l'identité, les Uí Fidgente sont lavés de tout soupçon. Nous avons fait la paix avec votre frère et n'avons pas l'intention de rompre le traité.

Fidelma tapa des pieds pour restaurer la circulation dans ses membres endoloris.

— Êtes-vous prêt à rentrer avec moi à Cashel, pour faire cette déclaration et restituer ces chefs à mon frère en signe de bonne foi ?

— Oui, si nous sommes placés sous votre protection. Les Eóghanacht ne nous portent pas dans leur cœur.

— Vous pouvez compter sur moi.

— Très bien, alors marché conclu.

— Et maintenant, je vous propose de déjeuner avant de repartir.

Depuis qu'elle avait disparu, son frère devait se faire un sang d'encre. Fidelma avait beau être infiniment soulagée d'avoir été secourue et de ramener les chefs en prison, sa frustration était grande. La disparition d'Alchú et le meurtre de Sárait demeuraient inexpliqués et elle n'entrevoyait aucune piste pouvant mener à son fils. Elle fut submergée par une vague d'angoisse en songeant à son enfant et à son cher compagnon. Découragée, elle ferma les yeux. Eadulf ! Où avait-il bien pu disparaître ?

CHAPITRE XVI

Eadulf se réveilla après quelques heures d'un sommeil agité. Il faisait encore nuit et Gormán jetait du bois dans les flammes. Ils avaient établi un camp dans la clairière de la forêt, non loin du rivage. Leurs chevaux étaient attachés à proximité. Il se retourna et distingua la silhouette de Basil Nestorios, étendu sur le dos et les yeux clos.

Eadulf s'était retrouvé plongé dans un tel désespoir qu'il était resté inactif tandis que ses compagnons s'occupaient de faire du feu.

Voyant qu'il était réveillé, Gormán lui tendit une corne à boire.

— De la *corma*, expliqua le guerrier avec un sourire engageant. Comment vous sentez-vous, mon frère ?

Eadulf fit une grimace, but une gorgée de liqueur et s'essuya la bouche du revers de la main. Puis il secoua la tête.

— Comment voulez-vous que je me sente ? J'ai perdu l'unique chance de localiser mon fils.

— Ne vous découragez pas, frère Eadulf. Vous avez suivi sa trace jusque chez Uaman et vous continuerez de le chercher jusqu'à ce que vous le retrouviez, j'en suis convaincu.

— Au fait, comment êtes-vous arrivé ici ? Vous m'avez pisté ?

Gormán haussa les épaules.

— Vous aviez une journée d'avance sur moi. Dès que lady Fidelma m'a annoncé que vous aviez pris la route de l'abbaye de Colmán, j'ai su que vous vouliez traverser le territoire des Uí Fidgente et que vous risquiez de tomber dans une embuscade. Quand je suis passé par le défilé près de la colline des Forts de pierre, j'ai rencontré un herboriste et sa femme, Corb et Corbnait. Ils m'ont confessé qu'ils avaient emmené l'enfant avant de le vendre.

— Vous ne leur avez pas fait de mal ? s'enquit aussitôt Eadulf. Le rôle qu'ils ont joué dans cette affaire était purement fortuit.

— Ils retournaient à Cashel, comme vous le leur aviez demandé, et je me suis montré très courtois avec eux. Ensuite je me suis rendu à l'abbaye de Colmán, puis à la tour d'Uaman. J'ai traversé au crépuscule et j'allais demander le droit d'entrer quand les portes se sont ouvertes d'elles-mêmes. C'est alors que je vous ai vu sortir en courant avec votre ami taciturne. Vous connaissez la suite.

Eadulf se pencha et posa la main sur le bras du guerrier.

— Je remercie le ciel. Si vous n'aviez pas été là, nous étions promis à une mort ignominieuse. Uaman m'avait condamné à la noyade dans une cellule envahie par l'eau à chaque marée, et notre ami perse avait eu droit à un sursis dans la mesure où il soignait Uaman pour sa lèpre. Cependant…

Il jeta un regard en biais à Gormán.

— J'ai du mal à croire que vous vous soyez donné tant de mal pour me protéger alors que je ne représente rien pour vous.

Gormán ouvrit les mains en un geste d'excuse.

— Vous êtes très observateur, frère Eadulf. Cela ne m'étonne pas qu'avec lady Fidelma vous ayez gagné une si grande réputation pour résoudre les mystères. Quand on m'a appris que vous étiez parti pour l'abbaye de Colmán, j'ai aussitôt supposé que c'était dans un but précis. Et je voulais vous aider dans l'éventualité où vous auriez eu besoin de moi pour réaliser votre projet.

— C'est tout ? Votre dévouement à Cashel m'étonne, ne put s'empêcher de remarquer Eadulf avec une pointe de cynisme.

Le grand guerrier lui sourit.

— Je vous accorde que ma loyauté était renforcée par des raisons personnelles, et je ne m'en cache pas.

— Ah !

C'est alors qu'Eadulf se rappela les liens qui avaient uni Gormán à Sárait.

— Vous avez deviné, mon frère. Je voulais être présent quand le meurtrier de Sárait serait découvert car j'ai des comptes à régler avec lui. Uaman était-il l'assassin de Sárait ?

— Non. Mais il a acheté mon enfant à l'herboriste et à sa femme. Ce couple de colporteurs l'avait recueilli, croyant qu'il avait été abandonné dans la campagne. Et là, le mystère s'épaissit, car peu de temps après l'annonce que l'enfant avait disparu, quelqu'un s'est douté que l'herboriste et sa femme l'avaient emmené en ignorant tout de son identité. Cette personne a fait parvenir un message à Uaman pour l'avertir. Cela, je l'ai appris dans la tour.

Bizarrement, Gormán ne parut pas surpris.

— Je ne pense pas qu'il faille chercher très loin le coupable. Voilà déjà un certain temps que des rumeurs circulent sur Fiachrae de Cnoc Loinge. Non seulement il s'est convaincu qu'il représentait l'authentique lignée des rois Eóghanacht, mais il vit bien trop près du pays des Uí Fidgente.

— Fiachrae ?

Eadulf se redressa et poussa un juron en saxon tandis que Gormán attendait qu'il en dise davantage.

— Les indices étaient sous mon nez et je n'ai rien vu ! Capa nous a rapporté au cours du conseil que le lendemain de la mort de Sárait des cavaliers étaient allés porter la nouvelle aussi loin que Cnoc Loinge. Et quand nous sommes arrivés à Cnoc Loinge, Fiachrae a prétendu ne rien savoir de l'enlèvement. Pourtant, il ne paraissait pas vraiment étonné, ses manières me semblaient peu naturelles. Et il m'a dit qu'aucun colporteur n'était passé par là alors que je n'avais même pas soulevé la question. Il savait. C'est lui qui a renseigné Uaman ! Et l'intendant de l'abbaye de Colmán n'a-t-il pas dit lui aussi qu'il avait été informé du rapt d'Alchú par un messager de Cnoc Loinge ? Je suppose que Fiachrae… mais non, c'est impossible. Comment aurait-il appris que Corb et Corbnait avaient recueilli Alchú alors qu'eux-mêmes ignoraient tout de son identité ?

— Vous auriez dû parler plus longuement avec l'herboriste. Il m'a rapporté que, lors de leur passage à Cnoc Loinge, ils avaient parlé de leur aventure à une des femmes de la maison de Fiachrae dans l'espoir de trouver des parents adoptifs à l'enfant.

— Fiachrae passera en jugement et sera puni pour son forfait ! Mais cela ne m'aidera pas à retrouver mon fils et l'assassin de Sárait.

— Je prie Dieu d'être présent quand le meurtrier sera démasqué ! s'écria Gormán avec véhémence. J'accomplirai alors mon devoir et cela sans le moindre remords.

— Dommage qu'Uaman ait emporté son misérable secret dans sa tombe !

— Êtes-vous certain qu'il ne s'est pas trahi à un moment ou à un autre ? le pressa Gormán.

Il sursauta.

— Et si l'enfant était encore dans la tour ?

Eadulf secoua la tête.

— Il a remis Alchú à un berger et à sa femme, un couple stérile qui ignore tout de ses origines. L'enfant sera élevé pour garder des troupeaux quelque part dans la montagne... mais où ? Fouiller ces terres isolées prendrait une éternité et comment pourrais-je identifier mon fils ? Il porte déjà un autre nom.

— Qui vous a raconté cela ?

— Uaman en personne.

— Lady Fidelma répète souvent qu'en passant au crible les déclarations de quelqu'un, vous pouvez en tirer des indices insoupçonnés.

Eadulf haussa les sourcils.

— Vous dites vrai.

— Réfléchissez encore. Pensez aux mots exacts prononcés par Uaman.

— Il n'a révélé aucun nom de personne ou de lieu. Juste qu'Alchú serait élevé par un berger qui garde des moutons dans la montagne. Et...

— Oui ?

— Il a ajouté qu'elle était hantée.

Gormán eut une grimace cynique.

— Quel mont des cinq royaumes n'est pas hanté par une déesse ou un revenant ? Ces contrées ont vu d'innombrables rois se soulever à la tête de leur peuple avant d'être balayés comme des fétus de paille. Les montagnes ont beaucoup de souvenirs, et elles sont peuplées de fantômes.

Eadulf secoua la tête.

— D'après Uaman, celui-ci était la fille de quelqu'un...

Gormán se pencha en avant d'un geste brusque.

— Voilà qui est encourageant. La fille de qui ?

Le nom revint à Eadulf en un éclair.

— Dáire Donn ! s'écria-t-il d'un air triomphant.

Le guerrier parut déçu.

— Cela ne me dit rien, mais nous nous renseignerons. En attendant, il faut dormir. Au matin, à marée basse, nous irons récupérer le cheval et les objets précieux que votre compagnon a laissés derrière lui.

Eadulf acquiesça. Puis une idée lui vint.

— Nous avons enfermé un des guerriers d'Uaman dans la cellule de Basil Nestorios. Peut-être connaît-il un moyen de nous mener jusqu'à Alchú ?

Gormán accueillit cette suggestion avec enthousiasme.

— Et demain, plutôt que d'attendre dans l'oisiveté que la mer se retire, je me propose d'aller rendre visite aux habitants du petit village que j'ai aperçu dans la montagne derrière nous. Ils seront certainement ravis d'apprendre qu'ils sont débarrassés de leur infâme tyran. Et puis ils nous renseigneront peut-être sur ce Dáire Donn.

— Entendu.

Eadulf avait froid malgré le bois que Gormán jetait dans le feu.

Tous trois dormirent d'un sommeil agité. Ils se réveillaient à tour de rôle pour alimenter les flammes, et les hurlements des loups et les feulements des chats sauvages dérangeaient leur tranquillité.

Ils se réveillèrent fourbus et courbatus.

— Ce soir, nous chercherons une auberge, annonça Eadulf à Gormán qui préparait le repas du matin. L'idée d'une nouvelle nuit dans les mêmes conditions me fatigue à l'avance.

Basil Nestorios, qui venait de se lever, tapait des pieds pour se réchauffer. Il sembla deviner ce qu'Eadulf disait.

— De ma vie je n'ai eu aussi froid, grommela-t-il en latin. Dans mon pays, après une nuit glacée le soleil paraît et vous oubliez vos tourments.

Eadulf désigna le ciel couvert.

— Ici, les nuages ne cessent de nous dissimuler le soleil, qui triche avec nous plus souvent qu'à son tour.

Gormán avait sorti des tranches de porc salé de son sac de selle et, après les avoir embrochées sur son épée, il les fit cuire sur le feu. Basil Nestorios renifla d'un air dégoûté.

— J'ai remarqué que vous consommiez beaucoup de porc. Chez moi, cet animal est considéré comme impur.

— Drôle de contrée, ce Jundi-Shapur, grommela Eadulf en se servant de la *corma* dans la corne à boire.

Il en but une gorgée, frissonna tandis que le liquide revigorant lui brûlait la gorge, et la passa au médecin.

Basil Nestorios poussa une exclamation agacée.

— Je vous ai déjà dit que Jundi-Shapur est une ville, située en Perse. On l'appelle aussi Genta Shapirta, ce qui signifie « le beau jardin ». C'est le roi de Perse, Shapur le second du nom, qui a le premier autorisé les nestoriens à enseigner la médecine dans cette ville.

— Les nestoriens ? Est-ce pour cette raison que vous vous appelez Nestorios ?

Basil Nestorios haussa les sourcils.

— Vous êtes un frère de la foi et vous n'avez jamais entendu parler des nestoriens ?

Eadulf admit son ignorance.

— Nestorios était un moine de l'Orient, sage et avisé, qui prêchait la foi à Antioche. Il fut nommé patriarche de la grande ville de Constantinople.

— À quand cela remonte-t-il ? s'enquit Eadulf, qui ne manquait jamais une opportunité de parfaire ses connaissances du christianisme, même quand il n'avait pas vraiment l'esprit à cela.

— Il y a environ deux siècles, Nestorios fut condamné comme « hérétique », c'est ainsi que l'Église désigne ceux qui dévient de ses dogmes. Il niait la parfaite alliance des natures humaine et divine du Christ.

Eadulf eut un sourire las.

— Je croyais que le concile de Chalcédoine avait tranché : le Christ, né d'une mortelle, possédait deux natures – une humaine et une divine réunies en une seule personne sans qu'elles perdent aucune de leurs propriétés.

Basil Nestorios renifla d'un air supérieur.

— Il s'agit de la doctrine de Rome et de Constantinople, qui va même encore plus loin en parlant de trois natures divines en plus de la nature humaine : Dieu, le Christ et l'Esprit-Saint.

Eadulf haussa les épaules.

— Les gens de ce pays n'ont jamais eu de problèmes avec les triades de dieux et de déesses, et ils ont donc accepté sans difficulté la sainte Trinité.

Basil Nestorios secoua tristement la tête.

— Nous, nous croyons que le Christ n'était qu'un avec deux natures, une divine et une humaine.

— Ces discussions ne datent pas d'hier. Arius n'a-t-il pas argumenté que le Christ n'était pas totalement divin mais que Dieu l'avait créé pour nous sauver ? Et les gnostiques ne prétendent-ils pas que le Christ n'était pas humain et que son apparence n'était qu'une simple illusion lui permettant de vivre parmi les hommes ? Et puis il y a ceux qui affirment que le Christ est né d'un homme et n'est devenu le fils adoptif de Dieu qu'après son baptême dans le Jourdain. Il existe toutes sortes de théories.

Basil Nestorios n'était guère impressionné par ces arguments.

— Marie ne pouvait pas être la mère de Dieu puisqu'elle était faite de chair et de sang. Comment aurait-elle pu donner naissance à une divinité ? Ce qui n'a pas empêché les hommes, faibles et faillibles par essence, de s'opposer à la logique de Nestorios.

— Et alors, que s'est-il passé ?

— Un synode se tint dans la ville d'Éphèse, et l'évêque Cyril excommunia Nestorios et ses fidèles. L'empereur d'Orient Théodose l'exila, tous ses partisans qui suivaient ses enseignements l'accompagnèrent, et ils prospérèrent. Nous avons porté sa parole très loin en Orient, au-delà des grandes chaînes de montagnes, où se trouvent des contrées exotiques difficiles d'accès ; nous avons converti des hommes dans les déserts, et Jundi-Shapur est devenu un des temples de la science et de l'érudition.

Eadulf était fasciné.

— Je n'avais jamais entendu parler de cette Église d'où vous tirez votre nom.

L'autre fit la moue.

— Quant à moi, j'ignorais que l'Église de votre pays était tellement différente de celle qui suit les règles édictées par Rome. Nous ne pouvons pas tout connaître de ce monde. Mais nous devons garder l'esprit ouvert afin d'accueillir les nouvelles connaissances.

— Je suis d'accord avec vous sur ce point.

Gormán avait terminé de préparer le repas.

— Je n'ai pas compris ce dont vous parliez, confessa-t-il. Mon latin est assez limité, mais je me doute que vous discutiez de religion.

Eadulf sourit.

— Cela n'a pas l'air de susciter votre enthousiasme.

Gormán but une gorgée de *corma*.

— Il y a un temps pour la religion, généralement nous y avons recours quand nous sommes confrontés à l'adversité. Un vieux proverbe ne dit-il pas qu'en période de prospérité aucun autel ne fume ? Comme tout le monde, je me tourne vers la religion quand j'en ai besoin.

— Voilà une approche très pragmatique, fit observer Eadulf d'un ton désapprobateur.

Gormán regarda en direction de la tour, sombre et menaçante, dressée sur son îlot.

— Les torches finissent de brûler et les portes sont toujours ouvertes. Cela confirme que personne n'a bougé à l'intérieur. Quand les eaux se retireront, nous irons récupérer les possessions de l'étranger.

— Parfait. Et ce village que vous avez mentionné ? Si ses habitants nous fournissaient des informations sur ce Dáire Donn, cela nous aiderait pour la suite de nos aventures.

— Je vais tout de suite m'y rendre à cheval. Attendez-moi ici.

Quand il réapparut un peu plus tard, il dévalait le chemin aussi vite que son cheval le lui permettait, comme s'il avait le diable à ses trousses.

Eadulf se précipita vers lui alors qu'il sautait à terre.

— Que se passe-t-il ?

— Les villageois veulent aller piller et brûler la tour ! Leur haine d'Uaman ne connaît pas de bornes et, maintenant qu'il est hors d'état de nuire, rien ne les arrêtera. Ils sont en train de boire pour fêter la mort du tyran. Il faut absolument les devancer.

Eadulf traduisit rapidement ces paroles à Basil Nestorios.

— Il faut aussi libérer le garde enfermé dans la cellule avant qu'ils ne le tuent, dit aussitôt le Perse. Il ne peut plus faire de mal à personne et je ne veux pas être la cause d'une mort supplémentaire. Quant à mon coffret de remèdes, je serais désespéré qu'il tombe dans les mains de béotiens qui ignorent tout de sa valeur.

— Allons-y ! s'écria Gormán. Uaman a régné d'une main de fer sur ces terres. Quand j'ai annoncé sa fin au village, les gens étaient fous de joie, et puis ce soulagement s'est métamorphosé en colère. Vite, la marée est suffisamment basse pour nous permettre de traverser.

— Nous prenons les chevaux ?

— Non, mieux vaut les laisser ici. Nous devrons ramener ceux de la tour d'Uaman et le sable n'est pas un terrain facile pour ces bêtes.

Alors qu'ils se dirigeaient vers la tour à travers les dunes, abandonnées comme à regret par la mer, Eadulf ne put s'empêcher de penser à la fin du lépreux. Il frissonna en se rappelant son corps en putréfaction aspiré par les sables mouvants à quelques toises de lui. Il jeta un coup d'œil à Gormán, qui ouvrait le chemin.

— Avez-vous parlé aux villageois de ce fantôme avant qu'ils ne perdent la tête ?

Le visage du grand guerrier se fendit en un large sourire.

— C'est le premier sujet que j'ai abordé. Et j'ai rencontré quelque succès.

Le cœur d'Eadulf fit un bond dans sa poitrine.

— Ils connaissent bien Dáire Donn. D'après une ancienne légende, Dáire Donn, roi du monde, avait abordé cette péninsule avec son armée. Là, il dut se battre contre le général du haut roi, Fionn Mac Cumhail. Ils se livrèrent une bataille sanglante à

Fionntragha, le « beau rivage », à l'extrémité de la presqu'île.

— En quoi cela peut-il nous aider ? demanda Eadulf avec impatience.

— J'y viens. Dáire Donn, qui avait été battu et sa grande armée vaincue, avait une fille. En découvrant le cadavre de son père sur le champ de bataille, elle devint folle et, dans sa démence, s'enfuit dans les montagnes. Depuis, on raconte que son fantôme les hante.

— Et alors ?

— Et alors cette fille s'appelait Mis.

Gormán désigna du pouce les montagnes derrière eux.

— Les sommets qui s'élèvent derrière nous tirent leur nom du pic le plus élevé, Sliabh Mis – la montagne de Mis. C'est là que se trouve votre fils.

Eadulf s'arrêta et fixa les cimes dont certaines s'élevaient à cinq cents toises.

— Ce serait donc là qu'on retiendrait Alchú ? murmura-t-il. Mais où exactement ? Comment trouver le bon berger dans un tel paysage ?

— Il existe un moyen, le rassura Gormán. Derrière nous, au nord, une grande pierre levée marque l'entrée d'une vallée où coule une rivière dite « de la frontière ». Il nous faudra la suivre jusqu'à un nouveau menhir portant des inscriptions en *ogham*, près d'un gué. Là demeure un vieil homme du nom de Ganicca. Il connaît ces contrées mieux que personne.

Eadulf poussa un cri de joie. Puis il expliqua au médecin perse de quoi il retournait.

— Quelle route prendrez-vous quand nous reviendrons de la tour ? lui demanda-t-il.

Basil Nestorios réfléchit un instant.

— Sans ce pauvre frère Tanaide, je suis privé de guide et ne sais plus où diriger mes pas. Si vous et ce grand guerrier m'y autorisez, j'aimerais vous accompagner dans la recherche de votre fils. Ensuite, cela ne me déplairait pas d'aller visiter la ville de Cashel. Peut-être ma destinée passe-t-elle par là…

Eadulf lui donna une claque sur l'épaule.

— J'apprécie votre compagnie et je suis ravi de votre décision.

Ils se tenaient maintenant devant les portes grandes ouvertes. Les corps des gardes d'Uaman gisaient là où ils étaient tombés.

— Laissons les villageois en disposer à leur guise, dit Gormán en voyant qu'Eadulf s'apprêtait à les bouger de place. Et dépêchons-nous d'accomplir les quelques tâches qui nous attendent.

— Je vais me rendre dans les appartements du Maudit pour y récupérer mon coffret, dit aussitôt Nestorios.

— Gormán et moi nous occupons du garde que nous avons enfermé dans votre geôle, déclara Eadulf.

Il désigna un bâtiment en bois.

— Retrouvons-nous aux écuries.

Basil Nestorios s'éclipsa sur un hochement de tête tandis qu'Eadulf entraînait Gormán le long du corridor étroit qui menait à la cellule. Arrivé devant la porte, il frappa de grands coups.

— Vous m'entendez ?

— Je vous entends, dit une voix étouffée. Laissez-moi sortir !

— Nous vous libérerons si vous promettez de vous tenir tranquille. Votre maître est mort et vos compagnons ont tous été tués. Pour vous, il est encore temps de sauver votre vie.

Il y eut un silence.

— Vous avez compris ?

— Oui.

— Les habitants du village voisin seront bientôt ici et ils veulent brûler cet endroit, symbole de leur servitude. Nous allons vous libérer et vous donner un cheval. Ensuite, à vous de décider.

— Soyez remerciés.

Eadulf fit un signe de tête à Gormán, qui dégaina son épée, puis il tira les verrous.

Quand le garde émergea du réduit, il semblait épuisé, accablé par le sort, et son épée pendait à son côté.

— Conduisez-nous aux écuries et surtout pas de geste inconsidéré, vous n'auriez rien à y gagner.

— Vous avez ma parole, grommela l'homme.

Aux écuries, ils trouvèrent huit chevaux.

— Prenez le vôtre et disparaissez avant que les villageois ne vous mettent en pièces ! lança Eadulf.

Le garde prit un étalon, le sella et le mena dans la cour. Puis il se tourna vers le moine saxon et lui dit d'une voix hésitante :

— Je vous remercie pour votre générosité, mon frère.

— Vous me rendriez un grand service si vous pouviez me renseigner sur le bébé que votre maître a acheté à un herboriste, il y a une semaine, avant de l'emmener dans la montagne.

— Je n'étais pas avec Uaman. Je sais qu'il s'est absenté avec l'enfant et, quand il est rentré, je ne lui ai pas demandé ce qu'il en avait fait. Personne ne posait de question à Uaman. Je peux m'en aller ?

Eadulf le congédia d'un geste de la main.

— Et souvenez-vous que votre salut vous est accordé par la grâce des Eóghanacht, auxquels vous devez reconnaissance et allégeance.

Le guerrier sauta en selle, leva la main en signe d'adieu et partit au galop.

Un instant plus tard, ils étaient rejoints par Basil Nestorios qui portait de grands sacs de selle d'une confection inhabituelle. L'un d'eux contenait le précieux coffret.

— J'ai tout récupéré.

Le médecin perse ouvrit la main et montra plusieurs pièces d'or.

— Et j'ai pris ceci en paiement de mes services, cela correspond à la somme exacte qu'Uaman me devait. Si cela vous tente, il reste beaucoup d'or, mais il est maudit. Autant qu'il serve aux gens que cet homme abominable a terrorisés et exploités.

Eadulf croisa le regard de Gormán.

— Je crois que nous partageons votre sentiment.

— Et maintenant, sellons le cheval de votre ami étranger, dit Gormán.

Basil Nestorios désigna une des bêtes.

— Voici le mien, l'autre à côté appartenait au pauvre frère Tanaide et il faut que je le ramène à Laigin.

Avec l'aide de Gormán, les deux chevaux furent sellés en un instant. Puis ils relâchèrent les autres, qui s'échappèrent au galop vers le rivage au loin.

Quand eux-mêmes arrivèrent à mi-chemin de la plage, une foule de gens surgit de la forêt, armée de faux, de serpes et de bâtons. Ils hurlaient comme des chasseurs lancés à la poursuite de leur gibier. Gormán s'avança.

— Paix, mes amis. C'est moi qui vous ai annoncé la mort d'Uaman, vous vous souvenez ? Voici mes compagnons, qui étaient ses prisonniers.

Un homme robuste portant des vêtements de forgeron leur jeta un rapide coup d'œil.

— Je vous reconnais, guerrier. Vous et vos amis n'avez rien à craindre de nous.

Puis il se tourna vers la horde déchaînée des villageois, qu'il entraîna à sa suite en direction de la tour.

Gormán et Eadulf récupérèrent leurs montures laissées au campement de la nuit et, avec l'étranger, ils s'engagèrent sur le sentier de la forêt. Ce sentier menait à la vallée en altitude conduisant aux montagnes sombres et sinistres que l'on distinguait dans le lointain.

Ils traversèrent des bois, puis de grandes étendues broussailleuses, et des prés couverts de bruyère. Gormán arrêta son cheval et se retourna, imité par les deux autres. Ils plongeaient le regard dans une mer bleue et paisible, si différente des flots agités qui avaient emporté leurs ennemis. Même l'île avec sa tour grise semblait baigner dans la tranquillité... à condition d'ignorer la fumée qui montait vers le ciel. Les villageois exerçaient leur vengeance sur le fief d'Uaman le Maudit, comme l'appelait Basil Nestorios.

Le temps qu'ils atteignent le petit hameau près du gué sur la rivière, il commençait déjà à faire nuit. Comme ils ne trouvaient pas la pierre levée qu'on leur avait indiquée, Gormán s'arrêta devant une forge où un forgeron solitaire façonnait un fer à cheval sur son enclume avec un marteau et des pinces.

— Nous recherchons un homme du nom de Ganicca. Vit-il par ici ?

Le forgeron se redressa.

— Ah, vous êtes étrangers.

— Oui.

— Vous trouverez Ganicca dans la dernière maison, par là.

Il indiqua avec son marteau trois bâtiments au bord de l'eau.

Gormán le remercia et, quand ils furent devant la maison, il cria :

— C'est bien ici qu'habite Ganicca ?

— Qu'est-ce que vous lui voulez ? lança une petite voix éraillée.

— On aimerait lui parler.

— Eh bien, entrez, qu'est-ce que vous attendez ?

Ils pénétrèrent dans une pièce accueillante où un vieil homme était assis sur une chaise au coin du feu. Il pelait des légumes qu'il jetait dans un chaudron accroché au-dessus des flammes, d'où s'échappait déjà un agréable fumet. Il avait des cheveux blancs, un visage ridé comme une pomme et des yeux brillants d'une couleur indéfinissable.

— Bienvenue à vous, dit-il d'un air tranquille.

— Que les habitants de cette habitation soient bénis, répondit Eadulf de façon un peu formelle.

Le vieillard eut un petit rire.

— Je vois que vous êtes un religieux. Nous avons rarement la visite d'inconnus dans notre village.

— Nous vous cherchions.

— Vous m'étonnez. Qui êtes-vous ?

— Je m'appelle Eadulf de…

— Ah ! C'est donc vous le mari de lady Fidelma de Cashel ? J'ai entendu parler de vous. Vous êtes saxon, n'est-ce pas ?

— C'est exact. Et voici Gormán, un guerrier de la garde d'élite du roi Colgú, et frère Basil Nestorios, qui vient de la lointaine Perse. Quant à vous, Ganicca, on vous décrit comme la mémoire de ce pays, celui qui connaît tout et tout le monde.

Cette déclaration sembla beaucoup amuser le vieil homme.

— Pour les illettrés, celui qui sait écrire son nom est un savant. Allons, mes amis, venez vous asseoir auprès du feu, il fait froid dehors. Avez-vous songé à l'endroit où vous passerez la nuit ? Ce soir, vous n'irez pas plus loin.

— Nous pensions trouver une auberge dans les environs.

Ganicca secoua la tête.

— Nous sommes une communauté isolée et nous n'avons pas les moyens d'entretenir une hôtellerie. D'ailleurs, ici les voyageurs sont rares, et ça durera tant que notre seigneur actuel sera le maître des défilés.

Eadulf sourit.

— Vous voulez parler d'Uaman ?

Le vieil homme cligna des paupières.

— Il y a des noms qu'il vaut mieux ne pas prononcer à la légère.

— Ne craignez rien. Uaman le lépreux est mort la nuit dernière et sa forteresse était en flammes quand nous sommes partis ce matin. Il ne hantera plus les défilés de ces montagnes.

Le vieil homme le fixa longuement.

— Je crois que vous dites la vérité, époux de Fidelma. Voilà une nouvelle que je désespérais d'entendre avant de rejoindre l'autre monde. Je vous en prie, restez ici et contez-moi votre histoire. Il y a une écurie près de la maison où vous pourrez attacher vos chevaux et leur donner de l'avoine. J'ai un ragoût qui mijote dans ce chaudron et vous passerez chez moi une nuit confortable.

Gormán alla s'occuper des chevaux pendant qu'Eadulf discutait avec le vieil homme de la vraie raison de sa venue.

— Je savais bien que vous ne vous étiez pas déplacés jusqu'ici pour le plaisir de m'apprendre la mort d'Uaman, ironisa Ganicca.

— Ce despote nous a infligé, à moi et à Fidelma, la plus terrible des épreuves, et peut-être pourrez-vous réparer le tort qu'il nous a fait.

Après qu'Eadulf eut narré ses aventures, Ganicca se frotta le menton d'un air pensif.

— Ce hameau est isolé, mais les habitants de la montagne viennent de temps à autre, quand le prêtre itinérant nous rend visite pour célébrer des mariages, bénir les enfants de ces unions ou conduire les lamentations des morts. Aucun prêtre ne se serait avisé de demeurer ici tant qu'Uaman exerçait ses pouvoirs. Je sais donc assez bien ce qui se passe dans les endroits en altitude, où peu de gens osent s'aventurer.

— Je suppose que vous avez un berger dans le coin ?

— Mais, mon ami, nous en avons au moins douze.

En voyant la déception d'Eadulf, il lui posa la main sur le bras.

— Ne vous découragez pas, la plupart sont mariés et ont des enfants, et quelques-uns vivent isolés et solitaires. Cependant, je connais un couple marié depuis quelque temps déjà et qui est resté sans enfants. La femme a donné naissance à un bébé mort-né il y a moins d'une lune. Elle était folle de chagrin, et son mari et elle auraient vendu leur âme au diable pour ressusciter cet enfant. Si vous alliez leur rendre visite ? Uaman a très bien pu les choisir pour accomplir ses noirs desseins : dans leur malheur, ils n'auraient pas risqué de poser trop de questions sur l'origine d'un nourrisson qu'on leur aurait offert.

Eadulf reprit espoir.

— Comment trouver ce berger et son épouse ?

— Demain matin, suivez la rivière jusqu'au bout de la vallée, où elle descend des sommets. Vers le nord, sur la colline, se dressent d'anciennes pierres tombales dont personne ne se souvient qui les a posées là. Au sud, les montagnes s'élèvent à une hauteur vertigineuse. Vous, vous continuerez vers l'est, et franchirez plusieurs collines avant de tomber sur une autre vallée, traversée par des ruisseaux et une grande rivière du nom d'An Fhionnglaise. En continuant toujours vers l'est, vous ne pourrez manquer deux maisons édifiées sur une élévation au lieu dit de Gabhlán. À Gabhlán, vous demanderez Nessán le berger et sa femme Muirgen.

— Et si on ne leur a pas donné le bébé ?

— Alors je ne pourrai plus rien pour vous, mon ami, et il vous faudra chercher ailleurs. Et maintenant, racontez-moi dans le détail comment Uaman le lépreux a trouvé la mort. C'est une histoire qui sera répétée partout dans ces contrées, bien longtemps après que vous aurez retrouvé votre enfant et qu'il vous aura donné des petits-enfants.

La soirée s'écoula paisiblement et, à l'aube, la petite troupe se mit en route.

À vol d'oiseau, leur destination ne se trouvait qu'à quatre milles mais le chemin, comme la rivière, serpentait dans un relief accidenté. Ils arrivèrent dans la vallée des ruisseaux un peu avant midi et se dirigèrent droit sur deux chaumières séparées par différents bâtiments en bois, avec un enclos pour les moutons. Eadulf engagea son cheval sur le sentier qui y menait, suivi par Gormán et Basil Nestorios.

Un homme sortit de chacune des habitations et ils se rejoignirent, surveillant en silence l'avancée des trois étrangers. Le plus robuste tenait une houlette, proclamant son occupation de berger, mais il la brandissait de manière vaguement menaçante. Les trois cavaliers s'arrêtèrent et sautèrent à terre, tandis que l'œil exercé du berger les examinait tour à tour.

— Que cherchez-vous ici, étrangers ?

— Nous sommes bien à Gabhlán ? demanda Eadulf.

— Oui.

— Lequel de vous deux est Nessán ?

Le berger fronça les sourcils et jeta un rapide coup d'œil à son voisin.

— Comment connaissez-vous mon nom ? Qu'est-ce que vous me voulez ?

Eadulf décida qu'une approche directe était la meilleure des stratégies.

— Uaman le lépreux est mort et nous sommes venus chercher l'enfant.

Un faible cri retentit dans le silence, une femme d'âge moyen sortit d'une des maisons et se précipita sur Nessán, dont elle prit le bras. Sur un signe du berger, le voisin s'éloigna à regret.

— Dites-vous la vérité ? murmura la femme. Le lépreux est vraiment mort ?

— Je dis la vérité, confirma Eadulf avec solennité. Mes compagnons sont là pour l'attester.

La femme poussa un soupir de résignation et ses épaules s'affaissèrent.

— Je suis Muirgen. Bien que j'aie prié pour qu'il n'arrive jamais, toute cette semaine j'ai su que ce moment viendrait. Je l'ai su dès l'instant où mon mari est revenu de la montagne en me disant qu'Uaman lui avait donné ce bébé.

Nessán plaça un bras protecteur autour de ses épaules.

— Sois prudente, Muirgen, car nous ne connaissons rien de ces hommes. Ils pourraient tout aussi bien être des serviteurs d'Uaman chargés de mettre notre fidélité à l'épreuve.

Eadulf lui adressa un sourire désolé.

— Je comprends vos scrupules, mon ami. Mais je vous assure que nous ne servons pas Uaman et qu'il est vraiment mort.

Muirgen l'examina d'un regard profond et pénétrant.

— Dans vos yeux, dit-elle soudain, je vois les yeux de l'enfant.

Elle se tourna vers les deux autres qu'elle regarda intensément avant de hocher la tête.

— Ils n'ont pas l'aspect des hommes brutaux qui servaient le lépreux. Même celui-ci, qui vient sûrement de très loin, a un air de bonté sur le visage.

— Vous êtes une femme d'intuition, Muirgen. Je suis Eadulf, celui dont Uaman a volé l'enfant.

Muirgen s'approcha de lui.

— Je me doutais bien qu'Uaman avait dû commettre une mauvaise action. Je me suis occupée de ce bébé comme s'il était le mien. Il est en excellente santé, cela je peux vous le jurer.

Pris de pitié, Eadulf hocha la tête.

— Je partage votre douleur, mais amenez-le-moi, je vous en prie.

— Avant de vous le remettre, j'aimerais que vous me disiez son nom.

— Il s'appelle Alchú, et sa mère est Fidelma de Cashel, sœur de Colgú, roi de Muman.

Nessán ne put s'empêcher d'émettre un sifflement admiratif.

— Cela explique beaucoup de choses, murmura sa femme. Uaman des Uí Fidgente a insisté pour que nous l'appelions Díoltas.

— « Vengeance » ! s'exclama Eadulf. Voilà une exigence qui reflète tout à fait l'esprit cruel et tordu du lépreux. Et maintenant, laissez-moi voir mon fils.

Il fit un pas en direction de la chaumière mais Nessán le retint par le bras.

— Que va-t-il nous arriver, frère Eadulf ? Croyez-vous que Colgú de Cashel nous châtiera ?

La compassion étreignit Eadulf.

— Mais de quel crime vous punirait-on ? Uaman, qui s'était proclamé chef de ces montagnes, vous a donné ce bébé et il vous a demandé d'en prendre soin, ce que vous avez fait.

Nessán poussa un profond soupir.

— Nous désirions tellement un enfant et nos prières n'ont jamais été exaucées.

— N'y a-t-il pas ici des orphelins en quête de parents adoptifs ? s'étonna Gormán. J'aurais pensé que votre chef aurait veillé à vous prêter assistance. Ce ne sont pas les *dilechta* qui manquent.

— Qui donnerait un enfant à un berger ? Je ne suis qu'un pauvre *sen-cleithe* qui ne possède même pas son propre troupeau. Personne n'est placé plus bas que moi dans la société, à part les lâches, les otages, et ceux qui ont perdu leurs droits en transgressant la loi. Il m'est interdit de porter une arme et de participer à l'assemblée du clan.

— Nous n'avons jamais été en mesure de faire appel au chef des Corco Duibhne, renchérit Muirgen, car Uaman contrôlait les cols depuis de nombreuses années. Vous avez bien eu la preuve de sa disparition ? Rien que d'entendre son nom me rend malade.

— Uaman est passé sous nos yeux dans l'autre monde, affirma Eadulf avec solennité.

Derrière lui, Gormán toussa pour manifester son impatience.

— Nous perdons un temps précieux, frère Eadulf.

Aussitôt, la femme courut jusqu'à la chaumière et réapparut avec Alchú. Elle avait les larmes aux yeux tandis qu'elle souriait à l'enfant endormi, qu'elle mit dans les bras de son père.

Eadulf, qui avait beaucoup de mal à contenir son émotion, serra sur sa poitrine le fils qu'il avait craint de ne jamais revoir. Puis il renifla.

— Vous l'avez bien soigné, Muirgen.

La femme inclina la tête.

— J'ai fait de mon mieux.

— De retour à Cashel, je parlerai de votre situation au brehon. Ne perdez pas espoir, vos prières pourraient bien être exaucées.

À l'expression de leurs visages, Eadulf comprit qu'ils ne croyaient pas un mot de ce qu'il racontait, mais ils souriaient poliment. Et quand il laissa quelques instants à la femme pour faire ses adieux au bébé endormi, Basil Nestorios l'attira à l'écart.

— C'est votre premier enfant, n'est-ce pas, frère saxon ?

Surpris, Eadulf répondit par l'affirmative et le médecin se mit à rire.

— C'est bien ce que je pensais. Nous sommes à combien de Cashel ? Quelques jours de chevauchée ?

— Oui, pourquoi ?

— Et vous voulez emmener Alchú à cheval ? Je crains qu'il n'apprécie guère ce mode de transport. Il ne faut pas trop secouer les nourrissons.

— Nous irons doucement. Et à l'abbaye de Colmán nous trouverons une carriole.

— Et comment allez-vous le nourrir ? s'esclaffa le médecin. Ne pensez-vous pas que vous aurez besoin d'une *trophos* ?

Bien qu'il ignorât tout de ce mot grec, Eadulf ne mit pas longtemps à le comprendre. Lors de ses pérégrinations, Alchú avait d'abord trouvé une nourrice en la personne de la femme de l'herboriste, puis c'était Muirgen qui avait pris le relais. Quant au retour à Cashel… il jeta un coup d'œil à la femme. La solution était simple. Puis une autre pensée le frappa et il resta là, plongé dans sa contemplation, avant de se tourner vers Gormán.

— Vous étiez à Cnoc Áine quand Callada, le mari de Sárait, a trouvé la mort ?

Le grand guerrier hocha la tête avec impatience.

— Oui, et maintenant, si nous voulons rejoindre le village près du gué avant la nuit, nous ferions bien de nous mettre en route.

— Rappelez-moi quand a eu lieu la bataille.

— Au cours du mois de Dubh-Luacran, le plus sombre de l'année, répondit Gormán, étonné de l'état d'excitation d'Eadulf.

— Oui, mais cela remonte à quand ?

— Dans deux mois, cela fera exactement deux ans.

Eadulf réfléchissait.

— Il faut partir, mon frère, insista Gormán.

Eadulf reprit ses esprits et adressa un sourire radieux à Basil Nestorios.

— Merci pour vos excellents conseils, mon ami. Une *trophos*, hein ?

Il se tourna vers Muirgen.

— On vient de me rappeler que cet enfant devait être entouré de soins. Accepteriez-vous d'être sa nourrice pendant le voyage de retour à Cashel ? Vous seriez très bien payée pour votre peine.

La femme, prise de court par cette offre, regarda son mari.

— Mais je n'ai jamais quitté ces montagnes de toute ma vie !

— Nessán peut vous accompagner, et je vous promets que vous ne regretterez pas votre décision. Et vous effectuerez le voyage de retour en toute sécurité puisqu'on vous accordera une escorte.

— Et vous nous donnerez de l'argent ? dit Nessán d'un air rêveur.

— Oui, et je plaiderai votre cause devant le brehon Dathal.

Le berger et son épouse se regardèrent en silence et scellèrent un accord tacite.

— Mes moutons passent l'hiver dans les pâturages du bas, dit Nessán. Il me suffit donc de prévenir mon voisin, qui s'en occupera si je le dédommage. Je peux sans problèmes m'absenter quelques semaines.

Eadulf sortit deux *screpall* de la bourse qu'il portait à la ceinture.

— Donnez-lui déjà cela en acompte.

Nessán rejoignit en courant son voisin et sa femme qui les observaient depuis le seuil de leur chaumière, et l'affaire fut bientôt conclue. La petite troupe se mit en route. Muirgen tenait le bébé attaché par un châle contre sa poitrine et chevauchait le cheval du pauvre frère Tanaide, que Basil Nestorios conduisait par la bride. Nessán était monté derrière Gormán, et Eadulf ouvrait le chemin.

Eadulf ressentit un sentiment de plénitude. Grâce à son amour, son obstination et ses pouvoirs de déduction, il avait accompli l'impossible en retrouvant le petit Alchú. Cette réussite, il ne la devait qu'à lui-même. Il sourit en se rappelant un proverbe que lui citait souvent son père, *gerefa* héréditaire des South Folk. « Souviens-toi, mon fils : quand tu lèves ton épée, il ne suffit pas de la diriger dans la bonne direction, tu dois aussi frapper ta cible. » Il avait quitté Cashel avec une vague idée de la cible. Et maintenant il revenait en ayant réussi là où tout Muman avait échoué. Il ne manquerait pas de citer à Fidelma Publilius Syrus, son philosophe préféré : « À la source, les fleuves se traversent d'un bond. » Il avait trouvé la source et franchi le fleuve. Son retour serait triomphal.

CHAPITRE XVII

Depuis son retour à Cashel deux jours auparavant, le temps pour Fidelma s'était écoulé avec une lenteur exaspérante. Elle n'avait reçu aucune nouvelle d'Eadulf et frère Conchobar n'était toujours pas revenu de Lios Mhór. Quant à Gormán, nul ne savait où il était, mais Capa venait de rentrer de sa mission aux frontières du pays Uí Fidgente. Les deux chefs Uí Fidgente étaient retournés en prison et passeraient en jugement pour les meurtres du vieux Duach, le gardien de la demeure du roi, et de son fils Tulcha. Conrí, le seigneur de guerre des Uí Fidgente, et ses hommes avaient reçu l'hospitalité à Cashel. Des pourparlers avaient été entamés avec Colgú pour rétablir des relations normales entre les deux peuples. Mais en dehors de cela, rien n'avait avancé. Au contraire. On ignorait tout des allées et venues d'Eadulf et Alchú demeurait introuvable.

Fidelma décida que la seule chose à faire était de retracer l'itinéraire d'Eadulf depuis le moment où il avait disparu. Il s'était entretenu avec le bûcheron Conchoille, puis il était revenu au château remplir un sac de selle, et s'en était allé à l'abbaye de Colmán. Il fallait donc qu'elle voie Conchoille le bûcheron.

Caol montait la garde aux portes quand Fidelma s'avança vers lui, menant son cheval par la bride.

— Quelles nouvelles, lady ?

— J'allais vous poser la même question.

Caol haussa les épaules.

— Que des rumeurs et rien de fiable.

— Je vais tenter d'apprendre de Conchoille ce qu'il a dit à Eadulf pour qu'il parte vers l'ouest.

— Dans ce cas, vous n'aurez pas à aller bien loin. Il y a peu, je l'ai vu qui entrait chez Capa.

— Dans sa demeure privée ?

— Oui, il livre souvent des bûches en ville.

Fidelma remercia le guerrier pour cette information et descendit le chemin escarpé qui menait à Cashel.

Quand Capa ouvrit sa porte, il la fixa avec surprise.

— Qu'est-ce qui vous amène ici, lady ?

Elle lui exposa le motif de sa visite et il la fit entrer dans une petite pièce confortable où Gobnat l'accueillit d'un air embarrassé. Elle lui proposa de l'hydromel que Fidelma refusa poliment. Conchoille, qui était présent, se leva de son siège.

— Vous me cherchiez, lady ? dit-il en faisant tourner maladroitement dans ses doigts son gobelet de *corma*.

— Oui, mais rassurez-vous, je n'en aurai pas pour longtemps. Vous avez bien rencontré frère Eadulf le jour où il a quitté Cashel ?

L'homme ouvrit de grands yeux.

— Moi ? Pas du tout.

Cette réponse prit Fidelma au dépourvu.

— Il n'est pas allé vous voir à Rath na Drínne ? insista-t-elle.

Conchoille secoua la tête.

— Je ne lui ai pas parlé depuis la réunion du conseil au château. On m'a appris qu'il avait quitté Cashel, et tout ce que je sais, c'est qu'il s'est arrêté chez Ferloga. Peut-être me cherchait-il ?

— Ferloga l'aubergiste ?

Ils furent distraits par les aboiements d'un chien dans le jardin. Par la fenêtre, Fidelma reconnut le chien brun à poils durs de Capa qui grattait furieusement la terre.

— Va t'occuper de cette bête ! s'écria aussitôt Gobnat. Elle n'arrête pas de déterrer mes plantations, c'est insupportable.

Capa jeta un regard d'excuse à Fidelma.

— Sans doute aura-t-il reniflé une charogne.

Il sortit, attrapa brutalement l'animal qui se mit à gémir et alla l'attacher à un arbuste. En se tournant vers Conchoille pour lui demander des éclaircissements, Fidelma heurta du pied un chaudron de métal près du feu. Elle baissa les yeux et remarqua qu'il était cabossé.

— Ce n'est pas moi qui ai fait cela, si ? dit-elle en se penchant.

Elle n'eut pas le temps d'examiner l'objet, qui avait déjà été subtilisé par Gobnat.

— Ce n'est qu'un vieux chaudron, lady, qui a pris bien des coups.

Capa, qui venait de rentrer, fronça les sourcils.

— On m'a rapporté que votre mari aurait des ennuis, lady. Si je peux faire quelque chose…

Fidelma eut la nette impression qu'il essayait de détourner son attention. Elle secoua la tête tout en se disant qu'il ne lui restait plus qu'à rendre visite à Ferloga. Cela semblait peu probable qu'il ait envoyé Eadulf à l'abbaye de Colmán mais, dans la conversation, il avait pu laisser échapper un indice qui avait poussé Eadulf à y aller. Pour une affaire concernant

Alchú et certainement pas pour fuir les conséquences de son crime, comme l'affirmait cet imbécile de brehon Dathal !

Elle remarqua soudain que Gobnat la fixait d'un air bizarre.

— Vous êtes inquiète pour votre époux, lady ? C'est la malédiction de toutes les femmes, car les hommes sont par nature inconstants. Ils vont et viennent sans se préoccuper du chagrin qu'ils causent à celle qu'ils laissent derrière eux.

Cette familiarité déplacée déplut fortement à Capa.

— Tais-toi, femme ! La princesse n'a que faire de ta philosophie.

Puis il s'empressa de changer de sujet.

— Il paraît que les saltimbanques que nous avons rencontrés à Cnoc Loinge sont arrivés ce matin. Ils ont dressé leur camp à la sortie de la ville.

— Oui, il était prévu qu'ils donnent une représentation à Cashel.

— Dommage que le nain habillé en lépreux ait été assassiné, poursuivit Capa. Il aurait pu identifier celle qui lui a remis ce message pour Sárait en se faisant passer pour ma femme.

Fidelma, qui pensait à Eadulf, ne réagit pas, et Gobnat se méprit sur son air pensif.

— Peut-être un autre témoin sera-t-il en mesure de reconnaître celle qui a usurpé mon identité. Ce devrait être assez facile, vu la cape si particulière qu'elle portait.

Fidelma hocha la tête, l'esprit ailleurs.

— Je l'espère, car si les Uí Fidgente ne sont pas impliqués dans cette affaire, nous devrons trouver…

Elle se tut en entendant le galop d'un cheval. Puis une voix cria :

— Lady Fidelma ! Lady Fidelma !

Un messager se tenait devant la porte, que Capa avait ouverte à la volée.

— Que se passe-t-il ? demanda Capa, agacé qu'un de ses guerriers se montre aussi exubérant et indiscipliné.

— On m'a dit que la princesse était chez vous. Ah, lady ! Frère Eadulf a franchi le pont sur la Suir, il sera ici d'une minute à l'autre... et il a retrouvé Alchú ! D'après une sentinelle qui est venue nous avertir, le bébé se porte à merveille.

Fidelma le fixait, le souffle coupé.

— C'est la vérité vraie, lady ! Caol et d'autres guerriers se sont avancés à sa rencontre pour l'accueillir. Votre bébé est enfin rentré dans ses foyers. Sain et sauf !

Fidelma se précipita sur sa monture.

Quand Eadulf et ceux qui l'accompagnaient avaient traversé le pont de la Suir, une des sentinelles qui y étaient postées avait sauté sur son cheval et s'était lancé au galop jusqu'au château pour annoncer la bonne nouvelle. Eadulf et Basil Nestorios ouvraient la marche, Gormán venait derrière eux, suivi par une carriole conduite par Nessán le berger. Muirgen se tenait à ses côtés, serrant le bébé contre sa poitrine.

— Frère Eadulf, voilà notre escorte, annonça Gormán.

Un groupe d'hommes à cheval s'avançait vers eux, mené par Caol. Le guerrier leva la main en guise de salut, le visage grave.

— Alors c'est vrai ? demanda-t-il en examinant avec curiosité les membres de la petite troupe.

Quand son regard tomba sur Muirgen et l'enfant, Eadulf attendit en souriant sa réaction.

— Eh oui, Alchú est sauvé et nous le ramenons chez lui. Avez-vous prévenu Fidelma ?

— Quelqu'un est parti l'informer. Il s'est passé bien des choses depuis votre départ, frère Eadulf.

Le Saxon fronça les sourcils devant l'air compassé de Caol.

— Ce devrait être un moment de célébration et de joie. Pourquoi faites-vous cette tête ?

— Tout le monde s'est demandé pourquoi vous étiez parti si vite.

— Un herboriste itinérant et sa femme sont-ils arrivés à Cashel ?

Caol le fixa avec étonnement, puis il haussa les épaules.

— On m'a en effet rapporté que des saltimbanques ainsi qu'un herboriste et sa femme campaient en dehors de la ville. Demain est un jour de fête.

— Et ils n'ont encore parlé à personne ?

— Non.

— Très bien, j'expliquerai de quoi il retourne quand nous arriverons au château. En attendant, nous allons nous réjouir tous ensemble du retour d'Alchú.

— Il vous faudra d'abord répondre à quelques questions, répliqua Caol.

Puis, s'adressant à Gormán :

— Je suppose que vous avez une bonne excuse pour avoir déserté Cashel ?

Gormán rougit.

— J'ai estimé de mon devoir de porter secours à frère Eadulf.

— Sans Gormán, moi et mon excellent ami Basil Nestorios…

Eadulf désigna son compagnon, qui semblait un peu perdu.

— … ne serions plus là pour vous parler.

— Et qui sont ces deux-là ? demanda Caol.

— Un berger et sa femme qui se sont occupés d'Alchú pendant le voyage du retour à Cashel. Mais que se passe-t-il ? Voilà une drôle de manière de m'accueillir alors que vous devriez vous réjouir pour Fidelma et pour moi.

Très gêné, Caol baissa les yeux.

— Eadulf de Seaxmund's Ham, j'agis sur les ordres du brehon Dathal, chef brehon de ce royaume. Et je n'ai pas d'autre choix que de vous faire prisonnier. Vous avez été accusé de meurtre.

Eadulf le fixa, la bouche ouverte.

— Et du meurtre de qui, je vous prie ?

— De l'évêque Petrán.

Eadulf était assis sur le lit étroit de la cellule où on l'avait enfermé dans la partie du château réservée aux prisonniers et aux otages. L'étape finale du voyage s'était révélée une expérience des plus curieuses. Fidelma l'avait rejoint peu de temps après Caol. Elle s'était précipitée sur son enfant pour le couvrir de baisers, et montrée très choquée quand Caol lui avait annoncé qu'Eadulf était accusé de meurtre par le brehon Dathal. Aussitôt, elle avait dit à Eadulf de ne pas s'inquiéter et, remontant sur son cheval, elle était partie au galop en direction du château.

Au cours du trajet, Caol s'était montré d'une extrême courtoisie avec son prisonnier, et l'avait informé des charges qui pesaient contre lui et des circonstances qui avaient entraîné son arrestation. Puis il l'avait accompagné jusqu'à sa cellule, promettant d'escorter Muirgen et Nessán auprès de Fidelma et de veiller à ce que Basil Nestorios soit traité avec tous les égards. Il avait également confirmé que Gormán devrait répondre de sa disparition devant Capa. Puis Eadulf s'était retrouvé livré à lui-même. Après toutes les épreuves qu'il venait de traverser, cette réception le plongea dans le désespoir. Il s'était dépensé sans compter, avait couru mille dangers, et voilà qu'on le soupçonnait d'avoir tué le vieil évêque ! Il se rappela comment Fidelma avait volé à son secours à l'abbaye de Fearna, où il avait été condamné à mort, et maintenant le chef brehon de Muman lui imputait un crime imaginaire dans le château du frère de Fidelma ! Il bouillait de colère et jamais il ne s'était senti aussi amer et désemparé.

Plusieurs heures s'écoulèrent avant que la porte s'ouvre sur son épouse.

Il sauta sur ses pieds et ils s'étreignirent en silence pendant de longues minutes sans qu'aucun d'eux ne parvienne à articuler une seule parole.

— Comment va notre garçon ? dit enfin Eadulf d'une voix enrouée.

Fidelma lui sourit à travers ses larmes.

— Il est magnifique et en parfaite santé. Muirgen et Nessán prennent soin de lui, je les ai installés dans l'ancienne chambre de Sárait. Ils m'ont raconté leur histoire, et je me suis également entretenue avec Basil Nestorios. Je meurs d'impatience d'entendre le récit de tes aventures, mais il nous faut d'abord régler cette affaire du prétendu meurtre de Petrán. Dathal a perdu la tête.

— J'espère que tu ne crois pas une seconde que j'aie pu assassiner Petrán !

— Naturellement. Mais le problème, c'est que Dathal est chef brehon. Il exerce une autorité qui s'étend jusqu'à mon frère. Enfin, dans une certaine mesure. Je n'ai pas encore parlé à Colgú, qui tient conseil avec Conrí, le chef de guerre des Uí Fidgente.

— Caol m'a rapporté que Conrí était ici. Toi aussi, tu dois avoir bien des choses à me raconter.

— Oui, et c'est une longue histoire. Mais explique-moi d'abord ce qui t'a poussé à partir pour l'abbaye de Colmán. Le brehon Dathal clame que tu t'es enfui pour échapper à la justice !

— Il devient gâteux. Je voulais parler à Conchoille, le bûcheron.

— Mais tu ne l'as pas trouvé.

— Exactement. Je me suis rendu à l'auberge où il a ses habitudes…

— Celle de Ferloga à Rath na Drínne ?

— Oui, et Ferloga m'a appris que des colporteurs avaient bivouaqué dans les bois. Mais ils n'avaient qu'un seul bébé avec eux.

Les yeux de Fidelma brillèrent d'excitation.

— Or, quand nous sommes allés au Puits d'Ara, on nous a rapporté qu'ils en avaient deux.

— C'est cela même ! Sachant qu'ils se dirigeaient vers l'abbaye de Colmán, je t'ai laissé un message et je suis parti à leur recherche. C'était une démarche assez désespérée, mais nous n'avions pas d'autre piste. Il s'est révélé par la suite que mon intuition était bonne. Ils ne sont pas vraiment responsables de ce qui leur est arrivé et ils sont venus ici pour s'expliquer. Ils s'appellent Corb et Corbnait et campent avec les *crossan*.

— J'irai leur rendre visite.

— Autre chose. Gormán te fournira le détail des indices qui nous ont permis d'atteindre cette conclusion, mais Fiachrae de Cnoc Loinge est un traître.

Fidelma parut choquée.

— Nous verrons cela plus tard. En attendant, il faut te sortir d'ici.

— Comment suis-je supposé avoir supprimé Petrán ?

— Par le poison. Dathal ne devrait pas tarder à venir t'interroger. Ne t'inquiète pas, ce malentendu sera bientôt dissipé.

Eadulf poussa un profond soupir.

— Dans cette cellule, j'ai eu quelques heures pour réfléchir. Au cours de notre chevauchée depuis le pont, Caol a eu le temps de m'informer de ce qui s'était passé à la source de la Chênaie.

— Oui, c'est Conrí qui m'a sauvée.

— Si, comme l'affirment l'herboriste itinérant et sa femme, Sárait n'a pas été assassinée pendant l'enlèvement de notre enfant et qu'il a été abandonné dans les bois, pourquoi Sárait a-t-elle été attirée dans la forêt pour y trouver la mort ? Qui l'a tuée ?

Eadulf prit la main de Fidelma.

— Il faut que tu réfléchisses à cela. Quand avons-nous engagé Sárait pour être la nourrice d'Alchú ?

— Mais à sa naissance, il y a six mois.

— Quelque chose m'a frappé quand on m'a fait remarquer qu'il me fallait une nourrice pour s'occuper du bébé pendant le voyage de retour à Cashel. Réfléchis. Quand nous avons engagé Sárait, son enfant venait de mourir. D'après elle, il était mort-né. Or elle a été en mesure de nourrir Alchú il y a six mois de cela.

— Et alors ?

— Et alors, qui était le père de son enfant ?

— Callada, bien sûr.

Elle écarquilla les yeux tandis qu'Eadulf lui adressait un sourire de triomphe.

— Qui est mort à Cnoc Áine, Fidelma.

— Suis-je bête ! Tu crois que Gormán…

— Je ne lui ai pas encore posé la question.

Elle se redressa.

— Nous verrons cela plus tard, le plus urgent est de savoir quel chef d'accusation a été retenu par Dathal pour t'arrêter. Je te jure qu'il ne me faudra pas longtemps pour faire éclater la vérité.

Elle s'avança vers la porte, puis revint à Eadulf et lui prit les mains.

— Je regrette infiniment tout ce que j'ai pu dire, et toute action de mes gens ou de mon peuple qui aurait pu te faire croire qu'on te considérait comme un étranger inférieur à nous.

Eadulf fit la moue.

— Personne ne se sent inférieur sans son propre consentement. Il est arrivé que je me sente isolé ou tenu à l'écart, ce qui se comprend puisque je ne suis pas d'ici. Et certains ne se sont pas privés de me le rappeler. La nature humaine est ainsi faite, nous sommes toujours plus à l'aise dans un cadre familier.

— Nous pardonneras-tu ? Moi surtout…

— Comment reprocher à un aigle royal d'être ce qu'il est ? Il n'y a rien à te pardonner, car c'est ta nature.

Fidelma fit la moue.

— Eadulf, parfois tu me désespères. Tu es trop gentil et trop compréhensif !

Il haussa les épaules avec un petit sourire.

— Ça, c'est ma nature.

Fidelma traversait la cour quand elle entendit un bruit de voix. Aux portes, elle trouva Caol en train de parlementer avec un homme et une femme qui tenait un bébé dans les bras.

— Que se passe-t-il ? demanda Fidelma.

— Un herboriste itinérant et sa femme. Je leur ai dit de passer leur chemin.

— Mais le frère saxon… commença l'homme.

— Taisez-vous en présence de la sœur du roi ! gronda Caol.

— Attendez ! dit Fidelma. Vous êtes Corb et Corbnait ?

— Oui, et nous avons promis à frère Eadulf de nous présenter ici, même si cela devait nous attirer des ennuis. Je suis un homme de parole et je n'ai pas toujours vécu dans l'errance.

Le visage de Fidelma s'adoucit.

— Soyez les bienvenus. Je ne vous blâme pas pour le rôle que vous avez joué. Au contraire, vous avez secouru mon enfant alors qu'il était abandonné dans la forêt. Venez, nous allons discuter de tout ça autour d'un gobelet d'hydromel, et vous allez me répéter l'histoire que vous avez contée à frère Eadulf.

Elle se détournait déjà quand Caol la rappela.

— Vous m'aviez demandé de vous prévenir quand frère Conchobar rentrerait. Eh bien, il est de retour.

La porte de la cellule s'ouvrit pour laisser le passage au brehon Dathal, qui toisa Eadulf d'un air sévère.

Eadulf bondit sur ses pieds.

— Que signifie cette arrestation absurde ? lança-t-il avec colère.

Sur un signe de Dathal, le guerrier qui l'avait introduit lui tendit un tabouret et il s'assit.

— Ne restez pas debout devant moi ! maugréa le vieil homme.

Eadulf revint à son lit à contrecœur.

— Vous n'avez pas répondu à ma question. De qui tenez-vous que j'aurais assassiné l'évêque Petrán ? C'est ridicule.

— Vous niez vous être querellé à plusieurs reprises avec lui ?

Eadulf se mit à rire.

— Non. Nous avions des divergences fondamentales sur des sujets touchant aux dogmes de l'Église. Et la plupart des habitants des cinq royaumes auraient pris mon parti sur ce qui nous opposait. Alors que j'ai toujours appuyé l'autorité de Rome, car je crois que c'est dans les mains de Pierre que le Christ a remis la construction de son Église, je ne pouvais tolérer les discours de Petrán sur les questions relevant de l'ascèse.

— Donc vous l'avez tué !

Eadulf poussa une exclamation d'exaspération qui lui valut un regard courroucé du brehon.

— Vous feriez bien de prendre cette accusation au sérieux, Saxon. Vous imaginez-vous qu'à cause de mon âge je ne suis plus en mesure de juger les faits ?

— Peu m'importe que vous soyez jeune ou vieux. Quand on m'accuse faussement, je le prends plutôt mal. Cela vous étonne ? De votre côté, est-ce parce que je suis un étranger dans ce royaume que vous me soupçonnez d'avoir commis un meurtre ?

— Je m'en tiens à la loi, rétorqua Dathal. Je ne nourris aucun préjugé à votre égard.

— Et moi je m'en tiens aux faits !

— Ils sont simples. Petrán a été découvert mort dans sa chambre. D'un empoisonnement. Ce même jour, vous avez fui Cashel. La veille, on vous avait vu vous quereller dans des termes très violents avec l'évêque. Le niez-vous ?

— Du tout. Nous nous sommes disputés mais vous exagérez la violence de notre altercation. Et si j'ai quitté précipitamment Cashel, j'ai laissé un message à Fidelma. J'avais découvert un indice dont j'espérais qu'il me permettrait de retrouver mon fils. Et je l'ai retrouvé. Je n'avais aucune idée que Petrán était mort avant que Caol ne me l'annonce à mon retour.

— Et vous espérez que je vais croire ça ?

— Je n'espère rien sinon la courtoisie d'être entendu sans idées préconçues.

Dathal s'empourpra.

— Vous osez accuser le chef brehon de Muman de nourrir des idées préconçues ?

— Je ne vous accuse pas. Je me contente de commenter votre attitude.

— Si vous n'avouez pas immédiatement votre crime, les choses vont mal finir pour vous, étranger.

— Vous me menacez ? s'écria Eadulf en se levant.

Un guerrier apparut sur le seuil. Il semblait très gêné.

— Frère Eadulf, je vous en prie, il serait plus sage de demeurer assis et de répondre calmement aux questions du brehon.

Eadulf, comprenant qu'il ne servirait à rien de laisser libre cours à sa colère, se laissa tomber sur son lit.

— Bien. Je refuse de répondre à des questions posées par quelqu'un qui s'est déjà persuadé de ma culpabilité, sans pour autant présenter le moindre élément de preuve qui permettrait d'appuyer ses convictions, en dehors du fait que j'ai eu un différend un peu vif avec l'évêque.

Dathal, le visage crispé par la rage, quitta la cellule tandis que le guerrier récupérait le tabouret. La porte claqua.

Quant à Eadulf, il sentit la fureur l'emporter sur le désespoir. Désemparé, il s'efforça de reprendre le contrôle de lui-même.

Fidelma écouta l'histoire de Corb et Corbnait, leur posa quelques questions, s'assura qu'ils étaient bien traités et se dépêcha d'aller trouver frère Conchobar.

— Vous auriez dû me prévenir, dit-elle d'un ton de reproche en pénétrant dans l'officine du vieil homme, qui pilait des plantes dans un mortier.

Surpris, il se redressa.

— Vous prévenir de quoi, lady ?

— Eh bien, des résultats de votre examen sur le cadavre de l'évêque Petrán !

— Pour quoi faire ?

— Le brehon Dathal accuse Eadulf de meurtre et il l'a fait arrêter ! Eadulf risque de graves ennuis et il faut que je sache de quel poison il s'agit et comment il a été administré.

Frère Conchobar suffoqua sous l'effet de l'indignation.

— Mais qu'est-ce que c'est que ce conte à dormir debout ? L'évêque n'a pas du tout été empoisonné !

Ce fut au tour de Fidelma de rester interloquée.

— Mais alors, comment a-t-il été tué ?

Le vieil apothicaire passa une main frêle dans ses beaux cheveux blancs.

— Je ne sais pas comment vous en êtes venue à une telle conclusion, lady. Petrán est mort d'un arrêt du cœur, et ce n'est la faute de personne ! D'ailleurs, j'avais déjà fait mon pronostic mais je voulais m'assurer que je ne m'étais pas trompé. En tout cas, si mort a jamais été naturelle, c'est bien celle-là. Je l'avais précisé à ce vieux fou de Dathal avant de partir pour Lios Mhór. J'en déduis donc qu'il ne vous a rien dit ? C'est insensé !

Fidelma en resta sans voix.

— Lady ?

— Qui a raconté à Dathal qu'il s'agissait d'un meurtre ? murmura-t-elle enfin.

— Aucune idée. Je vous répète que j'ai tout expliqué au brehon avant de partir. J'ai ajouté que je rédigerais un rapport à mon retour mais il n'a envoyé personne le chercher.

— Merci, mon cher ami. Ce rapport va m'être très utile.

Frère Conchobar haussa les épaules.

— Ce n'est pas la première fois que Dathal ne tient aucun compte de mes examens, grommela-t-il avec irritation.

— Que voulez-vous dire ? s'exclama Fidelma en revenant sur ses pas.

— Par exemple la mort de Sárait.

— C'est vous qui avez examiné le corps ?

— Oui, et personne n'a sollicité mon témoignage.

Une grande confusion avait suivi le meurtre de la nourrice et on avait tardé à désigner le brehon qui se chargerait de l'affaire. Et comme Conchoille et Capa avaient mentionné du sang sur la tête et des blessures infligées par une dague, Fidelma avait oublié de s'enquérir du nom de celui qui avait établi le certificat de décès.

— Qu'auriez-vous dit ? demanda-t-elle d'une voix douce. Que Sárait était morte d'un coup fatal porté à la tête ?

— Non, qu'elle était déjà morte quand elle a été frappée. Elle a été sauvagement attaquée avec un couteau et touchée cinq fois à la poitrine. Sans compter des lacérations sur les bras qui prouvaient qu'elle s'était débattue et avait tenté de se protéger. Quand cela s'est passé, elle se trouvait face à son assaillant. Et à mon avis, elle s'est fracturé le crâne en tombant.

Il y eut un long silence. Puis Fidelma se redressa avec un soupir.

— Mon très cher ami, aujourd'hui vous m'avez été d'un grand secours.

Quelques minutes plus tard, elle était dans la salle de réception de son frère. Le conseil du roi venait de se terminer et Colgú s'entretenait avec Finguine. Quand elle entra sans se faire annoncer, ils levèrent la tête d'un air surpris.

Elle arrêta leurs questions d'un geste de la main et leur exposa ce qu'elle avait découvert à propos du rapport de frère Conchobar concernant l'évêque Petrán.

— Tu vas faire relâcher frère Eadulf sur-le-champ, dit le roi à son *tanist*.

Quand il fut sorti, Colgú jeta un regard en biais à Fidelma.

— Les devoirs d'un roi sont parfois pénibles et le brehon Dathal est bien vieux.

— Sans doute, mais il est inadmissible qu'un chef brehon agisse ainsi.

— Je ne l'excuse pas. Comme tu le sais, cela fait un moment que je cherche un moyen de l'écarter car il ne cesse de prononcer des sentences qui scandalisent les gens. Récemment, à Lios Mhór, il s'est encore fourvoyé, l'affaire est allée en appel et il a été condamné à payer des amendes et des compensations.

Fidelma réfléchit un instant.

— C'est lui qui s'est prononcé sur l'opportunité d'ouvrir un procès pour examiner si Callada avait été tué par un de ses hommes à Cnoc Áine. Estimant inutile d'aller plus loin, il a refermé le dossier. Je me demande…

— On ne peut pas revenir en arrière, Fidelma, trop de temps a passé. Mais je reconnais que dernièrement Dathal a été la proie d'idées fixes et que, par ailleurs, il a bâclé certaines enquêtes. Il a beaucoup baissé et remplit fort mal son rôle. Mais il me faut trouver un moyen de l'amener à se retirer dans la dignité. J'espère que tu me comprends.

Fidelma fit un effort pour tenter de considérer le problème avec objectivité.

— Oui, je comprends que d'un point de vue politique il est important pour toi de conduire cette passation des pouvoirs avec diplomatie. Mais il doit s'en aller et je compte sur toi pour nous en débarrasser… et vite !

Colgú fit une grimace.

— Plutôt que de le chasser, je préférerais le persuader de se démettre.

— C'est toi le roi !

On frappa à la porte et Finguine apparut en compagnie d'Eadulf.

Fidelma se précipita vers lui et lui prit les mains.

— Tout va bien, il s'agissait d'une erreur de la part du brehon Dathal.

— Ah bon ? Tu m'étonnes, dit Eadulf d'un ton acerbe.

Colgú s'avança et lui donna l'accolade.

— Mon cher ami, époux de ma sœur, vous devez nous pardonner. Le brehon Dathal a sauté à des conclusions plus que hâtives. Vous n'auriez jamais dû être soumis à une telle épreuve après les dangers que vous venez de traverser. Enfin, notre famille est à nouveau réunie, n'est-ce pas le plus important ?

Eadulf se sentait mal à l'aise, ces soudaines démonstrations d'amitié le dérangeaient et, en vérité, il n'était pas très sûr de la sincérité de Fidelma.

Puis Finguine lui prit le bras et lui dit avec un sourire malicieux :

— Suis-je pardonné moi aussi ?

Eadulf les regarda tour à tour.

— Eh bien, lança-t-il d'un ton sarcastique, il est difficile de se montrer naturel et détendu après avoir été menacé de mort, incarcéré, puis chaleureusement accueilli par sa famille…

Fidelma lui serra la main avec force.

— Nous avons beaucoup de choses à nous reprocher. Et nous allons nous efforcer de te faire oublier la façon dont tu as été traité.

Eadulf sourit.

— Bon, je crois que vous pouvez arrêter les actes de contrition pour aujourd'hui.

Colgú lui donna une claque sur l'épaule.

— À la bonne heure. Maintenant nous allons festoyer et…

Fidelma secoua aussitôt la tête.

— J'ai à parler avec Eadulf. Nous avons encore un ou deux points à éclaircir et le meurtrier de Sárait doit être traduit en justice. Et toi, mon frère, il faut que tu t'occupes du brehon Dathal. Quand tout cela sera terminé, alors nous pourrons donner libre cours à notre joie.

Le chef brehon de Muman fut appelé et il ne tarda pas à se présenter dans la salle de réception.

Colgú désigna un siège au vieil homme qu'il connaissait depuis l'enfance. À l'époque, Dathal était un jeune juge à la cour de son père, Failbe Flann. Cela remontait à une trentaine d'années. Le brehon avait déjà été informé de la libération d'Eadulf grâce au rapport de Conchobar, et il arborait un visage grave. Quant à Colgú, il avait hâte d'en finir.

— Dathal, vous servez ce royaume en tant que chef brehon depuis combien d'années ? demanda-t-il d'un air pensif.

— Trop longtemps selon vous ? répliqua aussitôt le vieil homme, qui avait tout de suite compris où il voulait en venir.

— Il arrive à chacun d'entre nous d'atteindre un âge où il n'est plus aussi actif qu'auparavant. Mon tour viendra à moi aussi. J'espère que j'aurai alors assez de volonté pour passer le flambeau à mon successeur. Après une vie bien remplie, la méditation et l'oisiveté ont leur charme.

— Majesté, le repos est un état qui convient parfaitement aux vaches. Les gens n'atteignent jamais ce degré de béatitude.

Colgú sourit.

— Horace a écrit qu'il fallait mettre un vieux cheval au repos avant qu'il ne blanchisse sous le harnais et ne devienne un objet de pitié.

Le brehon renifla d'un air irrité.

— Bon, je me suis trompé, mais un juge n'a-t-il pas lui aussi droit à l'erreur ? Le Saxon est libre et nous avons évité le pire.

— Je vous ferai remarquer que le Saxon est l'époux de ma sœur, et vous devrez lui payer des compensations.

— Je connais la loi.

— Je n'en doute pas. Et rappelez-vous qu'Eadulf de Seaxmund's Ham est peut-être un étranger, mais dans son pays il occupait la fonction de *gerefa*, de juge héréditaire.

— Héréditaire ! ricana le brehon. Comment peut-on hériter d'une charge pareille sans en avoir les compétences, sanctionnées par un diplôme ?

— Les mœurs des Saxons ne sont pas les nôtres, grommela Colgú. Je voulais souligner qu'Eadulf mérite le respect, à cause de ses origines et de nos liens de parenté.

Dathal demeura silencieux.

— Brehon Dathal, nous nous connaissons depuis toujours et je vous demande de me comprendre. Ces derniers temps vous avez commis des fautes sérieuses.

Le brehon releva le menton.

— Vous considérez que je suis incapable de continuer à remplir ma fonction ?

— Je vous suggère de vous retirer et d'entreprendre d'autres travaux. Rien ne vous empêche de rester à Cashel si vous le désirez. Je recevrai volontiers vos conseils. Mais croyez-moi, il est temps de renoncer à la fonction qui pèse trop lourd sur vos épaules.

— Qui allez-vous promouvoir pour me remplacer ? lança Dathal d'un ton amer. Votre sœur ?

Colgú secoua la tête.

— Fidelma n'est pas qualifiée pour cette tâche et elle ne la convoite nullement. Certes, elle a été élevée au rang d'*anruth* mais, pour devenir chef brehon de Muman, il lui faudrait prolonger ses études de deux à quatre ans afin d'accéder au rang de *rosai* ou d'*ollamh*.

Il s'agissait des plus hautes distinctions auxquelles on pouvait aspirer.

— Vous êtes un homme de sagesse et d'expérience, poursuivit Colgú. J'apprécierais que vous me prodiguiez vos conseils en la matière. Si vous étiez à ma place, qui choisiriez-vous pour vous succéder ?

Le brehon, agréablement surpris par cette question, s'adoucit un peu.

— Il y a un *rosai* du nom de Baithen dont je pense le plus grand bien.

Colgú eut un sourire de satisfaction. Il avait réussi à épargner la susceptibilité du vieux juge tout en omettant de préciser qu'il avait déjà envoyé quérir le brehon Baithen, qui présidait le tribunal de Lios Mhór. C'est Baithen qui par trois fois avait contredit en appel les sentences du vieux brehon.

— J'ai entendu parler de lui. C'est un excellent choix.

— Il jouit d'une bonne réputation, admit à regret le brehon Dathal. Et il a du talent.

— Je vais donc lui demander de se charger de l'affaire du meurtre de Sárait.

Dathal fronça les sourcils.

— Votre sœur croit que les Uí Fidgente sont innocents de ce crime et ne sont pas concernés par l'enlèvement de son fils, c'est cela ?

— Elle a commencé à préparer sa plaidoirie. Eadulf a découvert des éléments nouveaux du plus haut intérêt, et l'affaire sera plaidée devant Baithen.

Le vieil homme se voûta sous l'effet de la contrariété.

— Votre sœur m'en veut pour ma mauvaise interprétation du décès de Petrán.

— Je suis certain qu'elle comprendra que vous avez agi selon votre conscience. Vous n'étiez pas en possession de toutes les pièces du dossier, voilà tout.

Par égard pour le vieux brehon, Colgú passa sous silence le rapport de Conchobar dont Dathal avait sciemment décidé de ne pas tenir compte.

Après un silence, le juge se leva avec des gestes lents, et le roi se retint de pousser un soupir de soulagement.

— Avec votre permission, majesté, je vais aller me reposer car je me sens fatigué.

Tête basse, Dathal quitta la pièce et Colgú fixa longtemps la porte qu'il avait refermée derrière lui. Il n'exerçait le pouvoir que depuis deux ans et, avant cela, il avait pendant plusieurs années été l'héritier présomptif de son cousin Cathal, mort de la fièvre jaune. C'était la première fois qu'il renvoyait un de ses proches conseillers, qui avait servi son père et son cousin. Et maintenant…

Il se tourna vers une petite table près de lui et se servit une timbale de *corma*. Le temps passait si vite, et un roi devait toujours aller de l'avant. Les devoirs et le pouvoir étaient inséparables et un roi qui ne prenait pas les bonnes décisions perdait le respect de son peuple ; s'il était trop dur, on le détruisait ; s'il était trop faible, on l'écrasait. Il devait en permanence user de sagesse et d'intelligence, car s'il se montrait trop brillant, il décevait les attentes, et s'il était idéaliste, les autres abusaient de lui. S'en tenir à la voie du milieu, telle était la nature de la royauté.

CHAPITRE XVIII

— Au cours de ces derniers jours, j'ai bien cru ne jamais retrouver cette chambre, soupira Eadulf.

Il était allongé sur le lit, les mains croisées sur le ventre après un excellent repas.

Agenouillée près de la cheminée, Fidelma sourit en se versant du vin aux épices. Puis elle se redressa, sa timbale à la main, et traversa la pièce pour aller se pencher sur le berceau où Alchú dormait paisiblement.

— Et moi, j'ai bien cru ne jamais revoir mon fils.

Elle jeta un regard anxieux à Eadulf.

— C'est seulement quand on perd ceux qu'on aime qu'on réalise à quel point ils vous sont précieux.

Son visage s'était enflammé et, un court instant, Eadulf se demanda si c'était le vin ou le feu qui en était la cause. Avant qu'il ait pu dire quoi que ce soit, elle s'était déjà reprise et se mit à parler très vite, comme pour chasser des pensées inopportunes.

— J'ai maintenant entendu tous les témoins. Personne n'avait organisé l'enlèvement d'Alchú, c'est par hasard que Corb et Corbnait l'ont pris pour un enfant abandonné.

— Uaman n'a sûrement pas été impliqué par hasard.

— J'ai parlé à Gormán. Colgú a déjà envoyé des gardes chargés de ramener Fiachrae à Cashel. Peut-être pourra-t-on persuader quelques Uí Fidgente d'avouer qu'ils traitaient avec lui ? Mais le cœur du mystère demeure entier. Qui a tué Sárait, précipitant ainsi cette série d'événements dramatiques ?

Eadulf se frotta le menton d'un air pensif.

— As-tu reparlé à Della de cette cape qui lui appartenait ?

— Pas encore.

— À ton avis, elle l'a perdue à dessein ou quelqu'un la lui a volée ?

— Je ne pense pas que Della mentait. Pourquoi aurait-elle tué Sárait ?

— Je connais une réponse possible. Gormán nous a dit qu'il était amoureux de Sárait, or Della lui est très attachée. Nous savons aussi que le mari de Sárait n'était pas le père de l'enfant mort-né. Il semble logique de supposer que c'était Gormán et que Della…

— Je ne suis pas certaine que ce raisonnement résiste à l'analyse, murmura Fidelma. Della n'est pas le genre de femme à se laisser guider par ses émotions, d'ailleurs…

Elle s'arrêta net. Quand les émotions étaient en jeu, tout le monde était capable du pire.

Eadulf se leva et alla se servir une timbale de vin chaud.

— Au fait, qu'est-ce qui prouvait que la demande de rançon était authentique ? Avant mon départ, il avait été convenu d'exiger des preuves qu'Alchú avait bien été enlevé. Pourquoi les trois chefs ont-ils été relâchés ?

Fidelma s'étira.

— Ce feu est en train de s'éteindre.

Eadulf prit deux bûches et les plaça dans la cheminée.

— Gormán ne t'a rien dit ? poursuivit-elle.

— Qu'a-t-il à voir avec ça ?

— C'est l'aubergiste en ville qui lui a fourni la réponse, trouvée dans un sac attaché à la poignée de sa porte.

Eadulf la regarda d'un air ahuri.

— Donc le coupable n'avait jamais quitté Cashel ?

— Je me demande pourquoi Gormán ne t'en a pas parlé.

— Avec tous les dangers que nous avons affrontés à la tour d'Uaman, il avait l'esprit ailleurs. Mais ces preuves qu'on vous a envoyées ?

— Il s'agissait d'un des chaussons d'Alchú... ceux que mon frère lui avait offerts. J'ai failli mourir en le voyant.

— Mais je l'ai ramené avec ses deux chaussons ! Muirgen avait tous ses vêtements et il n'en manquait aucun.

Fidelma le fixa avec de grands yeux, puis elle alla ouvrir un tiroir de la commode dont elle tira le chausson et la feuille d'écorce de bouleau.

— Donc il ne portait pas celui-ci ?

— Non, les siens montaient plus haut, Muirgen te le confirmera. D'ailleurs, c'était la seule paire qui manquait, je me souviens d'avoir vérifié. Tu te rappelles que Colgú m'avait demandé de lui décrire ce qu'Alchú portait au moment de l'enlèvement ?

— Non.

— Mais si, c'était indispensable pour donner un signalement d'Alchú aux guerriers qui partaient à sa recherche.

— Oui, peut-être.

— Tu étais tellement bouleversée que tu m'as demandé de m'en occuper.

— C'est possible.

Elle jeta un coup d'œil au coffre d'Alchú, puis eut un geste d'impatience.

— Et alors ?

— Comment, et alors ? Le chausson que tu tiens à la main était dans le coffre, et il y en avait deux.

— Tu en es certain ?

Eadulf renifla avec indignation.

— Naturellement. Je les connaissais bien parce que ton frère les avait fait exécuter spécialement. Et je craignais que la semelle en cuir ne blesse Alchú, regarde toi-même.

Fidelma examina la minuscule chausse qu'elle tenait à la main et une curieuse expression éclaira son visage.

— Quand nous sommes revenus ici après avoir décidé d'exiger une preuve des soi-disant ravisseurs d'Alchú, n'était-ce pas Gormán qui rôdait dans le couloir ? À ce moment-là, il aurait eu l'opportunité de voler ces chaussons.

Eadulf réfléchit.

— C'est exact. Tu crois que Gormán est impliqué dans cette affaire ?

— Je commence à entrevoir la lumière, dit-elle d'une voix douce. Il faut absolument que je voie Della.

— Il est minuit, ce n'est pas l'heure d'aller rendre des visites !

Fidelma hésita et haussa les épaules en riant.

— Tu as raison. La journée a été épuisante, les deux semaines qui viennent de s'écouler ont été harassantes, et d'ici demain le gibier n'aura pas eu le temps de s'envoler.

Fidelma se rendit chez Della en milieu de matinée. Avec l'accord d'Eadulf, elle avait décidé de l'approcher seule.

Quand Della lui ouvrit, elle étudia le visage de Fidelma avec attention.

— Vous êtes venue ici dans un but précis, lady. Vous avez la mine d'un chasseur qui a repéré sa proie et s'apprête à la tuer.

Fidelma se rappela ses paroles de la veille.

— C'est une bonne analogie, Della. J'ai reniflé le gibier, mais je ne l'ai pas encore amené à tomber dans le piège.

— Puis-je vous aider ? dit l'ancienne *bé-táide* en s'effaçant pour la laisser entrer dans sa confortable petite maison.

Des braises rougeoyaient dans la cheminée de la pièce principale. Fidelma s'assit près du feu et indiqua un siège à Della.

— Revenons à notre précédente conversation.

— Vous voulez parler de la cape ?

— Entre autres. J'espère que vous n'avez rien raconté à personne ?

— Bien sûr que non !

— L'information que je vais vous donner est aussi un secret. Le nain qui a porté le message à Sárait est en ville.

Della fronça les sourcils.

— Mais vous m'avez affirmé qu'il était dans l'impossibilité d'identifier la femme ?

— Il peut y avoir d'autres moyens de la confondre.

Della ne répondit rien.

— Lors de notre dernier entretien, vous avez mentionné avoir recueilli les confidences de Sárait. Selon vous, elle aurait été violée.

— Oui, mais elle ne m'a jamais dit par qui.

— Nous pouvons cependant déduire de ses propos qu'il s'agissait d'un guerrier qui s'était battu à Cnoc Áine. Était-ce Gormán ?

Della rougit.

— Gormán ? Jamais ! Il était amoureux d'elle.
— Il vous l'a confessé ?
Della comprit qu'elle avait trop parlé.
— Je vous écoute, Della.
— Mais non, il ne peut s'agir de Gormán !
— Vous l'aimez ?
À la grande surprise de Fidelma, Della se mit à rire.
— Bien sûr que je l'aime. C'est interdit ?
Fidelma ne s'était pas préparée à une réponse aussi directe. Il y eut un long silence.
— Si nous passions à un point qui n'est pas sujet à controverse ? dit enfin Fidelma. Sárait a donné naissance à un bébé mort-né et elle a accouché trop longtemps après Cnoc Áine pour que Callada soit le père de l'enfant.
Della se renversa en arrière sans rien dire.
— À l'évidence, cet enfant a été conçu après la bataille. Était-il le fruit d'un viol ?
L'autre hésita.
— C'est important, Della. Je ne vous demande pas cela par curiosité malsaine : je crois que le père de ce malheureux bébé est aussi l'assassin de Sárait.
Della poussa une exclamation d'horreur.
— Mais… et les Uí Fidgente et leur demande de rançon ?
— Une ruse pour nous mettre sur une fausse piste, qui s'est combinée à un accident du destin : par pur hasard, des étrangers itinérants ont trouvé mon fils, abandonné à une mort certaine dans la forêt. Cela m'a évidemment fait perdre beaucoup de temps.
Della haussa les épaules.
— Vous avez raison, lady. L'enfant mort-né était le résultat d'un viol et Sárait avait remercié le ciel qu'il n'ait pas survécu.
Fidelma poussa un profond soupir.

— C'est triste de se féliciter d'un événement aussi cruel, mais je peux comprendre ce qu'elle ressentait. Quand en avez-vous été informée ?

— Je vous ai raconté que Sárait était venue me trouver quelques jours après qu'on eut abusé d'elle pour me demander mon avis – ou disons plutôt qu'elle avait besoin de se confier à quelqu'un qui la comprendrait sans la juger.

— Pourquoi n'a-t-elle pas cherché l'appui de sa sœur ?

— Gobnat est une prude qui ne manque jamais une occasion de critiquer les autres. Sárait a donc préféré se confier à moi. Deux mois plus tard, elle est revenue pour m'apprendre qu'elle était enceinte.

— Sans préciser qui était le père ?

— Non, mais elle voulait savoir comment elle pourrait se débarrasser de l'enfant.

— Et vous lui avez donné des conseils ?

— Ce n'est pas parce que j'ai été une *bé-táide* que je suis informée de ces choses ! répliqua Della d'un ton irrité.

— Ne soyez pas si susceptible ! J'ai regardé dans la *Pharmacopoeia* de Dioscoride, et pourrais vous nommer au moins huit plantes qui favorisent l'avortement. Donc vous l'avez aidée ?

Della cligna des paupières.

— Je lui ai fourni les simples que j'avais déjà utilisées pour moi, et qui purifient le corps de façon assez violente. Autrefois, j'achetais de la rue à des marchands gaulois, que je buvais en infusion.

— Mais pour Sárait, ces potions se sont révélées inefficaces.

— À l'évidence. Et je lui ai défendu de s'adresser à des médecins, qui auraient mis sa vie en péril. Elle a donc eu l'enfant.

Fidelma fronça les sourcils.

— À Cashel, quelqu'un s'est sûrement douté de quelque chose.

Della secoua la tête.

— Sa grossesse est passée inaperçue. Et quand elle n'a plus été en mesure de cacher son état, je l'ai envoyée chez une de mes cousines qui vit dans les montagnes d'Araglin. Là, elle a accouché de cet enfant mort-né qui a été enterré sur place. Quand elle est rentrée, j'ai appris que vous recherchiez une nourrice. Cela tombait bien, car elle avait beaucoup de lait.

— Elle ne m'a jamais dit qu'elle venait de votre part.

— Je ne voulais pas vous embarrasser, lady. Je lui ai juste suggéré de se présenter à vous en tant que veuve de Callada. C'était une recommandation suffisante.

— Vous aviez raison. Et voilà pourquoi j'ai sans chercher plus loin supposé que l'enfant était de Callada. Enfin, inutile de revenir sur les erreurs passées. Je commence à y voir plus clair.

— Je ne comprends pas.

— Il faudrait que vous veniez au château, Della, pour témoigner devant le brehon.

— Si cela peut vous être utile pour identifier l'assassin de Sárait et la personne qui se cachait derrière l'enlèvement d'Alchú...

Fidelma se leva et lui sourit.

— Si mes soupçons se révèlent exacts, nous allons bientôt identifier les coupables. Le problème est de savoir si nous pourrons les traduire en justice.

Tout à coup, elle tourna la tête en entendant de petits jappements. Elle sortit dehors avec Della. Un chien marron à poils durs, que Fidelma reconnut, grattait la terre dans un coin du jardin.

Della voulut le chasser mais Fidelma l'en empêcha. Le chien creusait frénétiquement et, avec un aboiement de triomphe, il déterra un objet qu'il tenait maintenant dans sa gueule. Très excité, il décrivit un cercle, puis, en signe de victoire, il jeta l'objet en l'air et le rattrapa.

Fidelma, qui s'était accroupie, tendit la main vers l'animal, tentant de le persuader de lui remettre sa trouvaille. Il bondit vers elle et laissa tomber l'objet à ses pieds. Puis il recula, attendant qu'elle le lui lance pour jouer. Mais sans lui accorder un regard, Fidelma se releva en fixant dans le creux de sa main un chausson de bébé. Parfaitement semblable à celui que Gormán avait apporté.

Fidelma alla explorer le trou creusé par le chien qui la suivait en faisant des bonds. Elle tira sur un bout de tissu, et une cape en soie souillée de boue apparut. Elle était verte avec des broderies grenat.

Della la fixait, blanche comme un linge, tandis que Fidelma la dévisageait d'un air incrédule.

— Della, je crois que vous feriez bien de me raccompagner au château. Nous avons à parler…

CHAPITRE XIX

La grand-salle du château de Cashel était remplie à craquer. Le brehon Baithen était arrivé de Lios Mhór et Colgú, en accord avec Fidelma, avait décidé qu'une cour spéciale se réunirait pour éclaircir l'enlèvement d'Alchú et l'assassinat de Sárait. Les habitants de la ville et des environs s'étaient déplacés en nombre pour entendre le nouveau chef brehon de Muman.

Les témoins avaient été rassemblés dans un coin de la salle. Il y avait là Forindain le nain, Corb et Corbnait, Nessán et Muirgen, Conchoille le bûcheron, et aussi Della, le visage sombre, assise à côté de Gormán qui avait les traits tirés. Gobnat se tenait non loin, et elle jetait des regards mauvais à Della. Son mari, Capa, commandait les guerriers toujours présents lors d'un procès, et Caol l'assistait dans cette tâche. Même frère Conchobar, le vieil apothicaire qui n'assistait que très rarement à ce genre d'événement, était venu.

Les gardes avaient amené Fiachrae de Cnoc Loinge, maintenant détenu au château, et qui plus tard devrait répondre de la trahison des Eóghanacht et de son alliance avec les Uí Fidgente pour renverser Colgú. Les témoins qui avaient étayé l'accusation étaient assez nombreux pour ouvrir un procès.

Sur invitation du roi, Conrí était là avec ses guerriers Uí Fidgente. Ils avaient essuyé plus d'une insulte chuchotée à mi-voix sur leur passage. Quant au vieux brehon Dathal, il s'était avancé vers le siège du chef brehon. Heureusement, l'intendant l'avait retenu juste à temps et mené à une chaise à l'écart.

Fidelma et Eadulf siégeaient à la gauche des fauteuils qui seraient occupés par le roi, son *tanist* et le chef brehon. Cerball le scribe et l'évêque Ségdae avaient gagné leur place. Puis le *rechtaire* frappa le sol de son bâton et tout le monde se leva tandis que Colgú, Finguine et Baithen faisaient leur entrée.

Une vague de murmures les accueillit. Colgú leva la main et attendit que le silence se fasse.

— Inutile de rappeler pourquoi nous sommes rassemblés ici ni ce qui s'est passé ces deux dernières semaines. Je souhaite la bienvenue au brehon Baithen, qui vient d'être officiellement nommé chef brehon de ce royaume. Le brehon Dathal, qui a occupé cette fonction sous le règne de mon père, a décidé qu'il était maintenant temps de céder la place à une nouvelle génération. Je le remercie de nous avoir si longtemps servis avec abnégation et dévouement. Nous lui souhaitons prospérité dans sa nouvelle vie, et nous ferons appel à lui quand nous l'estimerons nécessaire, afin qu'il nous fasse profiter de son expérience et de sa sagesse.

La rumeur de la retraite du brehon Dathal s'était déjà répandue et cette annonce ne provoqua donc aucune réaction.

Baithen était un homme mûr qui paraissait plus jeune que son âge. Il avait le teint frais, les cheveux d'un blond doré, il était grassouillet et d'un naturel plutôt joyeux. Ses yeux bleus pétillaient dès que quelque chose l'amusait.

— Vous n'assistez pas à une audience ordinaire, déclara Baithen, mais à un procès, et je ne tolérerai aucune manifestation intempestive qui pourrait nuire aux débats. Vous êtes également tenus de respecter la loi, ceux qui la servent, et la solennité de l'occasion.

Son visage débonnaire semblait démentir la sévérité de ses propos.

— Et maintenant venons-en au sujet qui nous a réunis. Fidelma de Cashel nous servira de guide.

Fidelma se leva et, après s'être inclinée devant le brehon et devant son frère, elle se tourna vers l'auditoire.

— Vous savez tous que ma nourrice Sárait a été assassinée et que mon fils Alchú a disparu pendant deux semaines. Dans un premier temps, nous avons pensé qu'il avait été enlevé et Sárait tuée en tant que témoin gênant. Des rumeurs ont circulé comme quoi il s'agissait d'un complot des Uí Fidgente. Elles ont par la suite été démenties. Mon cher compagnon et père de mon fils, frère Eadulf, va vous démontrer que notre enfant n'a pas été enlevé mais recueilli par hasard. Ne vous laissez pas abuser par sa modestie naturelle, car il a mis sa vie en danger en suivant la piste d'Alchú jusqu'à la tour d'Uaman, avant de le ramener sain et sauf à Cashel. Si des preuves de son récit étaient exigées, des témoins ici présents vous confirmeraient les faits.

Elle se tourna vers Eadulf, qui se leva, un peu embarrassé, et donna un compte rendu détaillé de ses aventures. Des murmures admiratifs s'élevèrent dans la grand-salle et Fidelma sourit d'un air satisfait. Puis elle prit le relais de son époux.

— Dans l'éventualité où quelqu'un mettrait en doute les événements qui ont été rapportés par frère Eadulf, nous avons réuni ici des personnes présentes lors des faits qui les attesteront. Gormán est dans cette salle, ainsi que frère Basil Nestorios, Corb l'herboriste, sa femme, le berger Nessán et son épouse.

Le brehon Baithen demanda si quelqu'un désirait contredire le récit d'Eadulf, mais personne ne se manifesta et le juge fit signe à Fidelma de poursuivre.

— Bien. À l'évidence, il y a un mystère qui reste entier. Si l'enlèvement d'Alchú n'était pas l'enjeu du piège qui a coûté la vie à Sárait, alors c'est qu'elle en était la victime désignée. Le complot visait à son assassinat. Pourquoi et par qui a-t-il été fomenté ? Voilà les questions auxquelles nous devons répondre aujourd'hui.

Elle marqua une pause et promena son regard sur les visages attentifs tendus vers elle.

— Le plus simple est de reprendre cette triste histoire au début. Il était une fois deux sœurs, Gobnat et Sárait. Sárait était la plus jeune et toutes deux épousèrent des guerriers de la garde d'élite des rois de Cashel. L'une se maria à Capa, le commandant actuel du *Nasc Niadh*, et l'autre à Callada, qui fut tué à Cnoc Áine. L'union de Sárait et Callada excitait la jalousie d'un homme qui nourrissait une passion coupable pour la jeune femme. Or Sárait avait rejeté ses avances car elle était heureuse avec Callada.

Gormán poussa une exclamation de désespoir et se courba sur son siège tandis que Della lui prenait la main.

— Je l'aimais, murmura le jeune guerrier, dont la voix résonna dans la grand-salle.

Fidelma lui jeta un coup d'œil impassible.

— Des sentiments que vous m'avez confessés lors de notre première rencontre, et dont vous avez parlé plus tard à Eadulf.

Elle se tourna à nouveau vers l'auditoire.

— Le guerrier qui convoitait les faveurs de Sárait commença à haïr Callada, et bientôt cette haine ne connut plus de bornes. Puis vint le jour où, dans la chaleur de la bataille à Cnoc Áine, il trouva l'occasion de tuer son rival et s'en saisit. Des rumeurs se répandirent. On chuchotait que Callada avait été assassiné par un des siens. Je ne pense pas qu'il soit nécessaire de faire appel aux témoignages de guerriers de la valeur de Cathalán, Gormán, Caol ou Capa, qui ce jour-là commandait la troupe où servait Callada. Bien des hommes parmi vous se sont battus à Cnoc Áine, par exemple Ferloga sur ma droite, et Conchoille en face de moi. Et personne ne s'est avisé de démentir les rumeurs qui ont couru sur l'assassinat de Callada.

Il y eut un silence.

— Quelque temps plus tard, l'assassin entreprit de courtiser à nouveau Sárait, qui commençait à se méfier de cet homme pour lequel elle éprouvait une violente aversion. Elle s'était tournée vers un autre qui avait ses faveurs, une situation intolérable pour le meurtrier.

« Le moment arriva où il perdit la tête, dévoré par la passion, et il viola Sárait. Sa folie le poussa à se vanter d'avoir possédé Sárait, dont le désespoir ne connut plus de bornes quand elle réalisa qu'elle était enceinte de ses œuvres. Elle alla trouver Della, sage conseillère pour les femmes dans l'adversité, et lui raconta ses malheurs sans toutefois révéler le nom du coupable.

« De plus, elle confia à Della qu'elle refusait de porter un enfant conçu dans le mal et la violence. Cependant, après plusieurs tentatives infructueuses, elle renonça à s'en débarrasser. Sans doute en réponse à ses prières, cette pauvre vie s'éteignit à sa naissance. Quand Sárait, qui était en quête de travail, se présenta au château, je l'engageai comme nourrice pour mon fils. Là, j'ai commis l'erreur de ne pas comprendre que l'enfant qu'elle venait de perdre ne pouvait être celui de son mari.

« C'est Eadulf qui m'a fait remarquer le premier que Sárait était à l'évidence tombée enceinte plusieurs mois après la mort de Callada. C'est alors que j'ai pris la pleine mesure du problème auquel nous étions confrontés.

Elle s'adressa à Della.

— Sárait n'était pas la seule à se confier à Della. Gormán lui avait aussi révélé qu'il était amoureux de Sárait.

Della, très pâle, serrait toujours la main de Gormán.

— Un soir, j'ai vu Gormán quitter la maison de Della et l'embrasser avant de partir, or les actes ne parlent-ils pas d'eux-mêmes ?

— Gormán n'a ni tué ni violé Sárait, déclara Della d'une voix forte. Il était amoureux d'elle et Sárait m'avait dit qu'elle répondait favorablement à ses avances.

Gobnat fixait Della avec haine.

— Cette putain ne devrait pas être présente ici ! cria-t-elle. C'est répugnant ! Elle a deux fois l'âge de Gormán, et je parierais qu'elle l'a poussé à tuer ma sœur !

Fidelma l'ignora.

— Oui, un complot a été fomenté pour tuer Sárait. Un complot très élaboré, car l'assassin avait prévu de faire porter la responsabilité de cet acte ignoble à un tiers. Le meurtre était motivé par la passion et la jalousie que Sárait avait déclenchées chez son assassin.

Elle adressa un bref coup d'œil à Della.

— Une femme était derrière cette intrigue.

Della était devenue blême, et Gormán poussa un faible gémissement dans le silence pesant qui régnait dans la salle.

— L'idée était d'attirer Sárait hors du château avant de la tuer. Mais comment s'y prendre en toute discrétion ? La femme qui s'était lancée dans cette folle entreprise se dissimula dans l'ombre à la nuit tombée, près de l'auberge. Elle demanda à un enfant de porter un message à Sárait disant que sa sœur désirait la voir de façon urgente. Mais le garçon ne put se rendre au château car, à cet instant, son père sortit de l'auberge. Comme il avait abusé de la *corma*, le fils dut raccompagner le père dans ses foyers. Ah oui ! ajouta Fidelma avec un bref sourire. J'oubliais de préciser que je me suis personnellement entretenue avec ce garçon.

Elle marqua une pause, attendant une réaction qui ne vint pas.

— C'est à ce moment-là que cette femme avisa un *crossan*, un comédien itinérant qui s'apprêtait à pénétrer dans l'auberge. C'était un nain, qui désirait visiter Cashel pour repérer un endroit où sa troupe pourrait jouer car elle devait donner une représentation. Ce nain s'appelait Forindain. La femme lui offrit un *screpall* pour porter un message au château. Mais elle connaissait les gardes et savait qu'ils l'interrogeraient. Elle demanda donc au nain d'agir comme s'il était muet. Elle prit dans son *marsupium* un morceau d'écorce de bouleau où étaient déjà inscrits les mots « Il faut que je voie Sárait ». Ainsi on ne l'ennuierait pas. C'est alors que le nain entrevit la femme, dont les traits étaient dissimulés par son capuchon, et remarqua sa cape, qu'il m'a décrite.

Caol éleva soudain la voix.

— Ce n'est pas possible puisque le nain a été tué à Cnoc Loinge avant qu'on puisse le questionner. Vous faites parler un mort !

Fidelma laissa les murmures s'apaiser d'eux-mêmes.

— Le pauvre homme qui a été tué à Cnoc Loinge était Iubdán, qui portait le costume de scène de Forindain. On l'a pris pour lui et il l'a payé de sa vie.

Capa fronça les sourcils et jeta un bref coup d'œil au nain à côté de lui.

— Vous voulez dire que…

— Voici le vrai Forindain, qui a porté le message à Sárait. C'est lui qui m'a décrit la cape, que j'ai aussitôt identifiée comme celle d'une personne de ma connaissance. Il est évident qu'on a voulu le faire taire, mais on s'est trompé de cible.

Capa pointa un doigt accusateur sur Gormán.

— C'est lui qui a découvert le cadavre du nain quand nous étions à Cnoc Loinge.

— Oui, et j'ai immédiatement fait prévenir Capa, protesta Gormán.

— Je m'en souviens, dit Fidelma. Revenons à cette cape.

Elle se pencha et produisit le vêtement vert et grenat qu'elle brandit devant elle.

— C'est la cape de la putain ! hurla Gobnat.

Un brouhaha succéda à cette déclaration et Baithen dut user de toute son autorité pour ramener le silence.

— Vous la reconnaissez ? demanda Fidelma.

— Je jure avoir vu cette prostituée la porter ! Ils sont tous les deux complices ! Ils ont tué ma sœur !

Fidelma hocha la tête et reposa le vêtement. Puis elle prit une paire de minuscules chaussons.

— Quand nous avons demandé une preuve de l'enlèvement d'Alchú, on nous a envoyé un de ces chaussons. L'autre, je l'ai trouvé avec la cape, tous deux enterrés dans le jardin de Della.

Il y eut des cris de colère et des gestes menaçants en direction de Gormán et de l'ancienne *bé-táide,* et le brehon Baithen fut à nouveau obligé d'intervenir.

— C'est finalement un chien qui a résolu le mystère de ce meurtre, poursuivit Fidelma en se tournant vers Della et Gormán. Della, je vous présente mes excuses pour vous avoir soumise à cette épreuve. Et à vous aussi, Gormán. Car bien que dans un premier temps mes soupçons se soient portés sur vous, j'ai vite compris que vous n'étiez pas concernés par cette affaire. J'ai été égarée par les vrais coupables – ou du moins l'un d'entre eux – qui se sont efforcés de me conduire sur une fausse piste, par haine et par jalousie. Et maintenant je m'adresse à vous tous. Della et Gormán éprouvent effectivement des sentiments très forts l'un envers l'autre, pour la bonne raison qu'ils sont mère et fils.

Les visages de Della et Gormán exprimaient un soulagement qui confirmait l'assertion de Fidelma. Tout le monde retenait son souffle dans l'attente de nouvelles révélations.

Le brehon Baithen se pencha vers Fidelma.

— Finirez-vous par nous donner le nom des coupables ? dit-il d'une voix douce aux inflexions ironiques.

— N'est-ce pas évident ? Gobnat a tué sa propre sœur parce que Capa s'était épris d'elle. C'est Capa qui a assassiné Callada et violé Sárait. Puis, ayant découvert que Gobnat avait poignardé Sárait, il a tout fait pour éloigner d'elle les soupçons. Il est même allé jusqu'à tuer le nain Iubdán qu'il avait confondu avec Forindain.

Gobnat se mit à vociférer, à lancer des insultes, traitant Fidelma de putain qui voulait protéger son amie putain. On s'agita. Des gardes, qui répondaient maintenant aux ordres de Caol, s'avancèrent d'un air menaçant. Quant au brehon Baithen, il semblait perplexe.

— Pour ceux qui ne possèdent pas votre agilité mentale, Fidelma, il ne serait pas inutile que vous expliquiez par quel cheminement vous êtes parvenue à pareille conclusion…

— Mais j'en ai l'intention. Gobnat et Sárait étaient des femmes de tempéraments très différents. Capa, le mari de la première, convoitait la seconde. Convaincu que le seul obstacle à la réalisation de son désir était Callada, il le tua à Cnoc Áine. Puis, alors qu'il pensait enfin posséder Sárait, il découvrit qu'elle n'éprouvait pour lui que du dégoût. Fou de rage, il la viola. Et vous connaissez la suite.

« Sárait ne s'était pas seulement confiée à Della tout en cachant le nom de son agresseur, mais elle fit l'erreur de s'ouvrir de son malheur à Gobnat, dont elle espérait compassion et consolation. Capa s'étant vanté d'avoir soumis sa sœur, Gobnat devint folle de colère. Comme elle détestait Della, elle décida de frapper Sárait de façon que la culpabilité et le châtiment retombent sur elle. Quant à Gormán, dont Capa était jaloux et que Gobnat suspectait d'être l'amant de Della, il serait forcément impliqué.

Le brehon Baithen se frotta le menton.

— Qu'est-ce qui vous a amenée à penser que Gormán était le fils de Della ?

— Gormán nous avait révélé, à Eadulf et à moi, qu'il était le fils d'une prostituée. Et lorsque je suis allée voir Della, elle a mentionné qu'elle aussi était mère. Le lien était évident. En fait, Gormán nous avait dit que Capa ne l'appréciait guère parce qu'il était le fils d'une prostituée. En réalité, Capa savait que Gormán ne déplaisait pas à Sárait alors qu'elle rejetait ses avances. Il tenta donc de déshonorer Gormán en l'impliquant dans le meurtre du nain. Car, entre-temps, Capa s'était convaincu qu'il devait supprimer Forindain, de crainte qu'il n'identifie sa femme.

— Ce que je ne comprends pas, c'est pourquoi Gobnat aurait inventé un tel stratagème alors qu'elle aurait pu assassiner sa sœur en de nombreuses occasions, fit observer Baithen.

— Parce qu'elle voulait échapper à tout soupçon et faire condamner Della. Dans ce but, elle vola sa cape, facilement reconnaissable. Pour envoyer le message, elle s'assura que, enveloppée dans ce vêtement et dissimulée dans l'ombre, personne ne la reconnaîtrait, car en temps ordinaire elle s'habillait de façon très austère.

— C'est de la folie ! s'écria Gobnat.

— Nous verrons, répliqua Baithen.

Le vieux brehon Dathal toussa, puis se leva.

— J'ai écouté ces accusations. Et si j'étais encore chef brehon, je vous arrêterais tout de suite, Fidelma, et je rendrais une ordonnance de non-lieu. Vous accumulez les suppositions hasardeuses et n'apportez guère de réponses à vos hypothèses.

Baithen, irrité par cette intervention, s'apprêtait à répondre quand Fidelma le devança.

— Si vous me laissez parler, je vous donnerai les éclaircissements que vous êtes en droit d'exiger.

— Nous vous écoutons, dit aussitôt Baithen. En ce qui me concerne, je suis impatient d'entendre la suite de la plaidoirie de l'honorable *dálaigh*. Lorsque je préside un procès, Dathal, j'ai pour principe de laisser l'avocat aller jusqu'au bout de sa démonstration.

— Comme toutes les entreprises de cette sorte, reprit Fidelma, celle-ci a dérapé. Sárait s'est présentée chez sa sœur avec Alchú, pensant qu'en ces circonstances Capa n'oserait pas s'en prendre à elle. Elle savait que cet esprit perverti ne mettrait jamais en danger la vie d'un bébé des Eóghanacht. Contrairement à Gobnat, il était loyal à ma famille.

« Bien que Gobnat ait projeté de tuer sa sœur de sang-froid, elle le fit dans un accès de rage. Le nombre de coups de couteau le démontre facilement. Elle a frappé comme une forcenée et je pense que Sárait est tombée sur un petit chaudron, près de la cheminée, dont j'ai remarqué qu'il était cabossé. Je suis certaine que le meurtre a eu lieu chez Gobnat. Où serait allée Sárait en réponse au message urgent de sa sœur, sinon chez elle ? Gobnat avait prévu de cacher le cadavre chez Della, afin qu'il soit découvert avec la cape. Mais avant qu'elle puisse le faire, Capa rentra chez lui. Il savait ce qui l'attendait si Gobnat était arrêtée et dévoilait ses propres turpitudes. Il lui fallait maintenant se débarrasser du corps de Sárait, et du petit Alchú.

« Quelque chose l'empêcha d'emmener le cadavre chez Della, d'où la première entorse au projet initial. D'autre part, retenu par un reste de moralité, il ne put se résoudre à tuer le bébé. D'une certaine manière, Sárait avait eu raison. Mais il alla déposer l'enfant dans les bois, le condamnant ainsi à une mort certaine.

Capa s'était levé, blême, le visage agité de tics.

— Vous avez une imagination débordante Où sont les preuves de ce que vous avancez ?

— Quand on s'engage sur le chemin de la tromperie, les embûches se multiplient. On se retrouve dans l'obligation de couvrir un mensonge par un autre mensonge. Vous avez emporté le corps de Sárait dans la forêt, où Conchoille le bûcheron le découvrit plus tard. Puis vous avez abandonné le bébé ailleurs, croyant le livrer aux bêtes sauvages, car vous ignoriez que Corb et Corbnait campaient non loin de là et allaient recueillir l'enfant.

« Peu après votre retour chez vous, Conchoille, qui connaissait Sárait, vint en courant vous avertir qu'il avait trouvé son cadavre. Vous avez alors joué la comédie du beau-frère outragé. Pendant ce temps, Gobnat avait enterré la cape dans son propre jardin car la découverte prématurée du meurtre et de la disparition du bébé ne lui laissait pas d'autre choix.

« C'est là que Capa commença à prendre des initiatives. Craignant que le nain Forindain n'identifie Gobnat, et croyant l'avoir repéré à Cnoc Loinge, il tua Iubdán. C'était une lourde erreur.

« Quant à Gobnat, convaincue par Capa qu'il leur fallait égarer les enquêteurs, elle écrivit un message qui impliquait les Uí Fidgente dans cette affaire. Trois chefs Uí Fidgente devaient être relâchés en échange d'Alchú. C'était une bonne idée de nous faire parvenir ce message alors que Capa avait été envoyé à Imleach et à Cnoc Loinge. Mais Capa n'avait pas pensé que, lors d'un conseil, nous déciderions d'exiger des preuves de la détention d'Alchú. Après la réunion, on le pria d'aller chercher un étendard dans une pièce près de nos appartements, à Eadulf et à moi. Il en profita pour subtiliser une paire de chaussons dans un coffre. Quand un de ces chaussons fut présenté comme preuve, j'ignorais qu'Eadulf les avait vus dans ce même coffre bien après l'enlèvement. Donc il était impossible qu'Alchú les ait portés lors de sa disparition.

« Or, nous avions vu Gormán à l'extérieur de nos appartements au moment où Capa était allé chercher l'étendard, ce qui éveilla mes soupçons. Donc, quand Eadulf me fit remarquer que Gormán ne pouvait être coupable du larcin, je lui demandai d'où il tirait cette certitude.

Elle jeta un coup d'œil à Eadulf, qui prit la parole.

— Une servante se trouvait dans notre chambre qu'elle préparait pour la nuit. Il était donc impossible que Gormán y ait pénétré sans qu'elle le voie. Par contre, Capa avait eu le temps de voler les chaussons dans le coffre avant qu'elle n'arrive dans la chambre. Dans sa hâte, il avait laissé un vêtement dépasser du coffre et nous avons reproché à tort à la servante d'avoir mal rangé les affaires d'Alchú.

— Il ne s'agit pour l'instant que d'une conjecture, fit observer le brehon Baithen.

— Et cette conjecture a été confirmée quand Gobnat a commis une erreur irréparable, répliqua Fidelma.

Elle se tourna vers la femme de Capa avec un petit sourire de triomphe.

— Je me suis rendue chez vous avant-hier soir, alors que je cherchais Conchoille. Quand votre chien s'est mis à gratter la terre dans le jardin, vous et Capa avez semblé très contrariés.

— En quoi cela est-il suspect ? rétorqua Gobnat.

— Personne n'avait mentionné la cape portée par la femme qui avait envoyé un message au château le soir du crime. Seul Forindain, dont vous pensiez qu'il était mort, l'avait vue et décrite. Et sur ce point je ne m'étais confiée qu'à Della, qui n'avait pas retrouvé cette cape dans ses affaires. Seule la personne qui l'avait volée et la portait quand elle donna le message à Forindain pouvait être informée de l'existence et de la facture de ce vêtement.

« Alors que Forindain était censé avoir été supprimé, vous vous êtes tournée vers moi et vous m'avez dit : “Peut-être un autre témoin sera-t-il en mesure de reconnaître celle qui a usurpé mon identité. Ce devrait être assez facile vu la cape si particulière qu'elle portait.” Ce sont vos paroles exactes.

Gobnat haussa les épaules.

— Et alors ? Ce Forindain n'a pas été tué. Il a décrit la cape que portait la femme qui l'a envoyé au château et elle appartenait bien à cette putain…

Elle cligna des yeux et se mordit la lèvre.

— Comme vous venez de le réaliser, poursuivit Fidelma avec un grand calme, à ce moment-là personne n'avait mentionné une femme portant une « cape si particulière ». Comment connaissiez-vous son existence ? À moins que…

Elle laissa la question en suspens.

Dans le silence qui succéda à cette déclaration, on entendit Capa hurler en désignant sa femme :

— C'est elle… elle… Que pouvais-je faire sinon la protéger ? Je suis innocent de ce dont on m'accuse. C'est uniquement sa faute !

Gobnat s'effondra en comprenant que tout était perdu.

Le brehon Baithen, après avoir à grand-peine rétabli un peu d'ordre, s'adressa à Fidelma.

— Je n'ai pas compris cette histoire de chien qui aurait résolu le mystère. Vous ne vous êtes pas encore expliquée sur ce point.

— Oui, c'est le chien de Capa qui m'a permis de comprendre les détails du complot : quand Forindain a été interpellé par celle qui se tenait dans l'ombre, un chien a bondi sur lui, sans doute par jeu, et la femme l'a rappelé. Et ce qui a réveillé Corb et Corbnait dans les bois et les a amenés à la découverte d'Alchú, c'est le hurlement d'un chien qui là encore a été rappelé. Quand j'ai vu un chien gratter dans le jardin de Capa et de Gobnat, j'ai été surprise de voir à quel point cela les contrariait. Je suppose que cet animal était sur le point de déterrer le chausson et la cape qui les auraient trahis. La nuit suivante, Gobnat récupéra les objets et attendit la nuit pour aller les enfouir dans le jardin de Della. Elle n'aurait pu mieux choisir, car j'étais là quand le même chien vint les déterrer. Mais pourquoi s'acharnait-il sur cette cape ? Tout simplement parce que Gobnat l'avait portée. Il reconnaissait son odeur.

— Vous étiez confrontée à une histoire des plus embrouillées, Fidelma. Mes félicitations pour votre travail remarquable, en association, bien sûr, avec frère Eadulf.

Fidelma sourit à Baithen de son sourire espiègle. Le premier depuis longtemps.

— Je crois que c'est cette bête qui devrait être félicitée. Parfois les animaux font preuve de plus d'intelligence que les hommes.

Deux jours plus tard, Fidelma et Eadulf se détendaient dans leur chambre en buvant du vin chaud. Il faisait bon, les flammes ronflaient et les bûches craquaient dans la cheminée, chassant les rigueurs de l'hiver. Le petit Alchú dormait dans son berceau. Fidelma poussa un profond soupir.

— *Si finis bonus est, totum bonum erit*, dit-elle d'une voix douce. Je me souviens avoir dit ça avant que nous partions pour Imleach.

— Tout est bien qui finit bien. Que va-t-il arriver à Gormán et Della ?

— Gormán se remettra de son chagrin, car ainsi va la vie. Il n'a aucune raison d'avoir honte de Della, qui est une excellente mère et une amie fidèle.

— *Haec olim meminisse juvabit*, murmura Eadulf. Un jour les souvenirs auront des charmes. Mais il y a encore une chose que je ne saisis pas. Tu te souviens qu'au conseil, j'avais dit que je ne comprenais pas pourquoi Sárait avait emmené notre bébé avec elle alors qu'elle aurait pu le laisser aux bons soins d'une femme au château. Tu étais d'accord avec moi et pourtant, au procès, tu as affirmé que Sárait pensait qu'Alchú la protégerait. Comment l'as-tu deviné ?

— C'est l'évidence même. Elle a cru que le rang de l'enfant tiendrait les autres en respect. Or la haine nivelle les hommes, et cela n'a pas arrêté Gobnat.

— Conrí et ses guerriers sont-ils partis ?

Fidelma hocha la tête.

— Espérons qu'une période de paix va succéder à tous ces troubles, poursuivit-elle. Quel bonheur que ton ami le brehon Dathal se soit retiré dans son petit *rath* sur les bords de la Suir !

Eadulf fit une grimace et Fidelma éclata de rire.

— Baithen est un homme très bien et il servira fidèlement mon frère. De même que Caol, qui est maintenant le nouveau commandant de sa garde. Demain, nous sommes invités à assister à la représentation de Forindain et de sa compagnie de *crossan*, qui donneront l'histoire des Faylinn. Si quelqu'un mérite notre sympathie, c'est bien Forindain, qui a perdu son frère. Capa devra répondre de nombreux chefs d'accusation.

— Le meurtre représente l'art et la philosophie des guerriers, fit observer Eadulf. Nous les entraînons à tuer pour nous protéger, nous et les nôtres. En développant le désir de meurtre chez un homme, nous suscitons des réactions difficiles à contrôler. Un guerrier tue parfois pour son propre compte. Le lui interdire, c'est comme empêcher un oiseau de voler. Capa n'a pas trouvé d'autre moyen pour se protéger, lui et Gobnat.

Fidelma n'était pas convaincue.

— Tous les guerriers ne sont pas comme lui. Dieu merci, j'en ai connu de très honorables, qui faisaient la distinction entre la légalité et l'illégalité.

— Sans doute, mais sont-ils l'exception ou la règle ? Difficile de déterminer leur vraie nature.

— Dans ce cas, peut-être mon frère aurait-il dû refuser de remettre Cuirgí et Cuán à Conrí, car ils sont entraînés à donner la mort. Des trois chefs, Crond était sans doute le moins féroce mais, à la fin, il n'aurait pas hésité à me tuer.

— Ce qui conforte ma théorie. De toute façon, Conrí va les faire passer en jugement devant le brehon des Uí Fidgente et ils seront privés de leur titre de chef. Selon lui, cela devrait contribuer à améliorer les rapports des Uí Fidgente avec Muman.

— Espérons qu'il a raison.

— Et Muirgen et Nessán ? Vont-ils bientôt rentrer à Sliabh Mis ?

— Je préférerais qu'ils restent ici. Muirgen serait une excellente nourrice pour Alchú, et sur les pentes de la colline de Maoldomhnach, mon frère possède des troupeaux qui ont besoin d'un bon berger.

Eadulf ouvrit de grands yeux.

— Ils ont accepté ?

— Oui, et si tu nous donnes ton accord, Nessán retournera à Sliabh Mis pour fermer sa maison et disperser son bétail. Muirgen aime beaucoup la vie à Cashel. Peut-être pourrons-nous leur trouver un enfant qu'ils élèveront avec Alchú ? Ainsi, Alchú ne serait pas seul quand il partirait en placement.

Eadulf fronça les sourcils.

— Tu connais nos lois, Eadulf. Quand Alchú aura sept ans, nous devrons le placer dans un foyer jusqu'à ce qu'il atteigne l'âge de dix-sept ans. Nous lui choisirons un chef ou un érudit qui s'occupera de son bien-être et de son éducation. Ce sont nos coutumes, qui visent à renforcer les liens entre les familles et à favoriser la cohésion de notre peuple.

— Et je n'aurai pas mon mot à dire ? protesta Eadulf, à nouveau en proie aux frustrations.

— Pas selon nos lois, je suis désolée. Alchú est le fils d'un *cú glas*, d'un père étranger, et c'est à moi la mère de proposer des arrangements pour la famille d'accueil. Ce sont nos mœurs, nos coutumes et nos lois.

— Ce qui nous ramène à une question plus personnelle…

— Dans quelques jours, notre mariage à l'essai touchera à sa fin, je ne serai plus une *ben charrthach* et tu ne seras plus mon *fer comtha*.

Eadulf savait que ce jour viendrait.

— Nous devons prendre une décision, Eadulf. Veux-tu me prendre comme *cétmuintir* ?

Il releva la tête et vit qu'elle souriait. Une *cétmuintir* était la première femme et la partenaire d'une relation permanente. Il reposa sa timbale de vin et lui prit les mains.

— Je propose que nous en discutions, dit-il d'une voix douce.

POSTFACE

Les treize romans précédents de la série de « sœur Fidelma » commençaient par une note historique qui permettait de mieux situer le VIIe siècle en Irlande. Pour les lecteurs qui voudraient retrouver ces introductions, il leur suffira de consulter les livres précédents ou de se connecter au site de The International Sister Fidelma Society, www.sisterfidelma.com. Pour de plus amples informations, il y a aussi *The Brehon,* la revue tri-annuelle de l'association distribuée gratuitement à tous ses membres, quel que soit le pays où ils résident.

Mes romans reflètent avec constance la société, le système juridique et l'Église celtique du VIIe siècle en Irlande. Les textes de loi qui ont survécu et la très riche littérature des débuts du Moyen Âge en témoignent.

La Cloche du lépreux est la suite des *Mystères de la lune*. Le roman se déroule en 667, pendant le mois de *Cet Gaimred*, le premier mois d'hiver qui correspond à peu près à novembre.

Cet ouvrage a été imprimé en France par

à Saint-Amand-Montrond (Cher)
pour le compte des Éditions 10/18
en octobre 2009

Composé par Nord Compo Multimédia
7, rue de Fives, 59650 Villeneuve-d'Ascq

Dépôt légal : novembre 2009.
N° d'édition : 4207. -- N° d'impression : 092836/1.